# DES ORDINATEURS CONTRE LAS VEGAS

*Thomas A. Bass*

# DES ORDINATEURS CONTRE LAS VEGAS

L'étrange et authentique récit
d'une bande de physiciens
et d'informaticiens sorciers
à l'assaut des casinos

*Traduit de l'américain*
*par Catherine Ter-Sarkissian*

*Albin Michel*

*Édition originale américaine :*
THE EUDAEMONIC PIE
Houghton Mifflin Company, Boston.


*Traduction française :*

22, rue Huyghens, 75014 Paris
ISBN 2-226-02771-8

# *Remerciements*

Cette histoire appartient à ceux qui en sont les héros et les héroïnes. Sa force vient de la patience dont ils ont fait preuve pour m'initier à l'informatique, au jeu et à la connection eudémonique ; ses faiblesses sont de mon fait. Le manuscrit a été relu en entier ou en partie par Doyne Farmer, Norman Packard, Letty Belin, Lorna Lyons, Edward Thorp, Tom Ingerson, Ralph Abraham, Ingrid Hoermann, Marianne Walpert, Len Zane et Jim Crutchfield. Je leur suis profondément reconnaissant du soin qu'ils ont mis à rectifier les faits et le reste.

Je remercie les amis qui ont apporté leur contribution à cet ouvrage au cours des quatre années qu'a exigées son élaboration : Bill Pietz, qui a soutenu le livre à un moment où, sans lui, il aurait pu ne jamais voir le jour ; Dana Brand, qui a prêté son œil critique à la première version du récit ; et Wendy et Jeremy Strick, qui m'ont tenu compagnie à Paris pendant la rédaction de la version définitive.

Parmi les intercesseurs d'hier et d'aujourd'hui de chez Houghton Mifflin, j'aimerais exprimer ma gratitude pour son aide à Jeffrey Seroy, qui comprit le sujet de ce livre dès la première minute ; pour ses suggestions à Gerard Van der Leun ; pour sa persévérance à Sarah Flynn ; et pour ses précieux conseils et encouragements à Nan Talese. Je tiens enfin à remercier Nat Sobel, mon agent, ainsi que Bonnie Krueger, ma femme, qui est aussi mon meilleur lecteur.

PROLOGUE

# *Glitter Gulch*

Lorsque, l'air dégagé,
Je déambule au Bois de Boulogne,
Les filles chuchotent à mon passage :
C'est sûrement un millionnaire !
Elles soupirent, elles se pâment.
Et pleines d'espoir, elles font de l'œil
À celui qui fit sauter la banque à Monte-Carlo !

*The Man Who Broke the*
*Bank at Monte-Carlo*

Nous entrons dans le parking du Benny Binion's Horseshoe Club et suivons la rampe qui monte en spirale jusqu'au troisième étage.

« Il ne faut pas qu'on nous voie nous parler, dit Doyne. Même pas dans la rue. En cas de pépin, rendez-vous plus tard au Golden Nugget. Allez, on répète le code encore un coup.

— Une mise sur le rouge : je dois aller faire un petit tour de cinq minutes. Pair : je m'assieds et je joue. Une plaque sur les douze premiers chiffres : j'augmente la mise. »

Voilà, pour les deux prochaines heures, la façon dont nous allons nous « parler », notre mode de communication de base étant l'ordinateur.

Nous garons la voiture et prenons deux paires de chaussures sur la banquette arrière. Deux belles paires d'Oxford à semelles crêpe. Ce n'est qu'en regardant bien dedans qu'on peut remarquer que l'intérieur des semelles est creux. Une tranchée de sept centimètres de long sur un et demi de large a été ménagée depuis le bout jusqu'à la cambrure. Une deuxième cavité a été creusée dans le talon. C'est un travail de professionnel. Les semelles intérieures ont été décollées et recousues sans aucune trace apparente.

Nous attrapons deux autres boîtes à chaussures. L'une contient notre réserve d'énergie électrique, enfermée dans ce que nous appelons des « bateaux-piles » parce qu'ils ressemblent à des youyous miniatures avec des couvercles vissés. La deuxième boîte abrite nos ordinateurs : ils ressemblent à des semelles orthopédiques avec des interrupteurs à orteils placés au bout. Comme les dernières pièces d'un puzzle, ordinateurs et bateaux s'encastrent exactement dans les cavités des chaussures. Les bateaux se glissent la proue en arrière à l'intérieur du talon et les ordinateurs s'enfilent pour se retrouver face contre la plante du pied.

Hors de leurs chaussures, ces appareils pourraient passer pour des chauffe-pieds ou des cassettes extraterrestres. Mais leur beauté réside dans ce qu'ils font : leur fonction est l'étonnant de la chose.

Moulés dans la résine transparente, les bateaux-piles contiennent huit spires d'antenne pas plus grosse qu'un cheveu, incrustée le long de leur bord externe. À l'intérieur d'un circuit interne se trouve une pile de 15 volts et quatre petites piles cylindriques de 1,5 volt. De l'arrière de chaque bateau sort un câble ruban relié à un connecteur de modèle réduit d'avion. C'est une prise miniature à huit fiches, chacune correspondant à une fonction distincte de l'ordinateur, pour lequel les bateaux font simultanément office de récepteur radio, fournisseur de courant et centre de messages.

Fermés par des couvercles vissés en « verre de prison », c'est-à-dire en polycarbonate, les bateaux ont deux solénoïdes métalliques gros comme des gommes qui dépassent par des trous découpés dans le plastique. Activés par un petit courant, ces vibreurs mécaniques sont placés de manière à agir contre le talon et la cambrure du pied. En faisant varier la localisation et la fréquence de ces vibrations, un ordinateur dirigeant les solénoïdes peut envoyer des dizaines de signaux distincts.

Doyne et moi dévissons les couvercles de verre pour placer des piles neuves dans les bateaux. « On va prendre des piles au carbone, dit-il. On perdra peut-être un peu en portée, mais elles sont plus silencieuses. »

Bourrés de plusieurs piles, d'un fil d'antenne, d'un condensateur, d'une résistance, de deux solénoïdes et de trois diodes, les bateaux sont pleins comme des œufs.

« Bon, on branche, on fait un essai pour la portée, et on y va. »

Nous insérons les connecteurs de modèle réduit d'avion derrière les ordinateurs. Rectangles translucides enveloppés de ruban adhésif — fait pour agmenter le confort du pied posé dessus —, les ordinateurs sont les cerveaux de l'opération. Sous l'adhésif se cachent en haut et en bas les tracés argentés des circuits imprimés. Pour l'élite capable de déchiffrer ces hiéroglyphes de cuivre et de soudure, ils représentent les avenues et les plages luisantes de la grande Cité de l'Informatique. Dissimulés sous les circuits, reposent une multitude de condensateurs, de résistances et de diodes, une horloge à quartz égrenant le temps, et une sombre forteresse de silicium renfermant la puissance du langage et de la logique sous le contrôle d'une puce présidente douée de mémoire.

Un œil expert serait surpris par la disposition de ces boîtes de silicium. Les puces présidant aux deux fonctions de base de l'ordinateur — logique et mémoire, décision et destinée — ont été montées à leur tour séparément sur des circuits imprimés repliés l'un sur l'autre. Imaginez un instant que l'on mette Tokyo la tête en bas, et que l'on encastre ses gratte-ciel entre ceux de New York. On a ainsi une élégante solution à un problème topologique, et un gain de place. Ensuite, entourez Manhattan d'une rondelle en plastique et injectez dans toute l'île de la cire microcristalline — dérivé du pétrole aussi dur que la matière plastique mais qui fond à 150° et prend la consistance de la mélasse. Attendez que les éléments refroidissent à température ambiante et vous aurez un sandwich Tokyo-New York assez solide pour recevoir un coup de marteau.

En termes techniques, nous sommes en train de glisser dans la semelle de nos chaussures un microprocesseur CMOS 6502 avec 5 kilo-octets de mémoire vive. C'est avec une puce de ce type que sont faits les ordinateurs Apple. Nous disposons de 4 000 octets supplémentaires de mémoire arrangée en un programme capable d'affronter la roulette avec un avantage de 44 %. Le programme, qui est un ensemble d'équations mathématiques semblables à celles utilisées par la NASA pour permettre aux vaisseaux spatiaux de se poser sur le sol de la lune, suit la bille en orbite autour d'un disque de chiffres en rotation. Au cours des dix ou vingt secondes que dure le tour du début à la fin, l'ordinateur calcule les coefficients des frottements, adapte les variations de vitesse, relève les positions et les trajectoires relatives, puis annonce où, dans ce cosmos céleste, une bille de roulette sera censée se poser sur le cylindre qui tourne encore. Sa capacité de prédiction repose sur le fait que l'ordinateur de nos chaussures peut reproduire en quelques micro-secondes le jeu qui, dans la réalité, prend un million de fois plus de temps.

Un avantage de 44 % est sensiblement supérieur à tout autre système de jeu existant à ce jour. À la roulette, le rapport est de trente-cinq pour un. Pour cent dollars de mise — répétée cinquante fois par heure —, on peut atteindre un gain horaire grandiose de deux mille deux cents dollars. L'argent est agréable, mais la gloire de battre la roulette ne l'est pas moins.

Après avoir installé les bateaux et les ordinateurs-sandwiches dans nos chaussures, nous recouvrons le matériel de semelles de cuir dans lesquelles on a percé des trous pour les solénoïdes. Il y a trois trembleurs en tout, deux sur le bateau et un en avant du sandwich. Programmés pour exciter le pied à trois endroits différents, à trois fréquences différentes, les solénoïdes produisent un total de neuf signaux distincts. Nos chaussettes sont également soigneusement perforées.

À l'intérieur de sa chaussure gauche, Doyne installe un second bateau-piles et un équipement de la même forme que l'ordinateur-sandwich, mais un peu plus petit ; c'est un boîtier de polycarbonate empli d'inverseurs, de transistors et d'un émetteur radio. En appuyant sur l'interrupteur qui dépasse de l'extrémité avant du bouton, on fait passer l'ordinateur — par l'intermédiaire d'une liaison radio de chaussure à chaussure — d'un mode ou d'un sous-ensemble à un autre à l'intérieur de son programme.

Doyne descend de la voiture et positionne ses orteils sur les microcommutateurs placés dans ses deux chaussures. Le gauche est entraîné à commuter l'ordinateur sur tel ou tel sous-programme. Le droit, lui, émet des signaux pour entrer des informations. Quand l'ordinateur de Doyne est branché et émet des prévisions, une autre liaison radio le fait communiquer avec l'ordinateur et les solénoïdes qui sont dans ma chaussure droite.

Cela nous donne un système à trois pieds avec des fonctions réparties entre le transmetteur d'informations et le parieur. Comme je n'ai pas de commutateurs sous les orteils, mon rôle se limite à obéir aux signaux émis par radio depuis l'ordinateur de Doyne jusqu'au mien, et à placer les mises sur le tapis. Je suis la partie visible de l'opération, une façade, un leurre, simple interprète des vibrations que je reçois sur la plante des pieds.

Je lace mes chaussures et sors de la voiture. Je marche sur cinq années de travail et plusieurs milliers de dollars de composants électroniques de matériel et de logiciel : une petite merveille d'ordinateur. Les chaussures ne facilitent pas la démarche pour autant. Elles sont tellement rigides que je marche avec un sautillement et les jambes raides. Des vis de cuivre, limées à l'extrémité, ont été montées sur le dessus des pistons de solénoïdes. Elles se trouvent juste en dessous du talon et de la cambrure de mon pied et j'imagine que c'est un peu l'impression qu'on doit avoir quand on marche sur les fameux pièges de bambou pointu des Vietnamiens. Le dernier modèle dans la série « Cadillac des systèmes de roulettes », comme dit Doyne, va passer son premier test en conditions réelles.

« On fait un essai de portée, dit-il en allant vers l'avant de la voiture. Annonce les signaux à mesure que tu les reçois. »

Dans le désert il fait assez chaud, même le soir, pour pouvoir rester en bras de chemise. Sous son bronzage, Doyne est tout pâle.

La peau de ses pommettes est presque diaphane. La concentration crispe ses lèvres minces. Ses yeux bleus, enfoncés, lui donnent l'air de regarder vers l'intérieur, comme si un paysage ou un schéma de montage se cachait derrière son front.

Avec ses cheveux ondulés sur les oreilles, il ressemble à un ouvrier agricole texan venu passer la soirée en ville. Il porte des jeans kaki, une chemise à manches longues en coton bariolé, et appuie sa longue silhouette contre la voiture. Ce n'est qu'en regardant de près que j'aperçois un petit bout de cuir de ses chaussures, plié à l'endroit des orteils.

« T'as compris ? » demande-t-il.

Des phares balaient la rampe d'un mouvement tournant. Nous tournons la tête en attendant que la voiture soit arrivée au niveau supérieur.

« 3, dis-je en recevant le signal, un bzz aigu sur le solénoïde de devant.

— Bon, et ça ?

— 9.

— Et celui-ci ?

— 5. Peut-être un 6.

— Bon, allons-y. On n'a pas fait huit cents kilomètres depuis la côte pour rester là à faire joujou.

Il fouille dans sa poche et sort une liasse de billets de cent dollars.

« T'en changes trois ou quatre, et quand je te fais signe d'augmenter les mises, tu vas reprendre d'autres jetons. Comment ça va ? C'est ton soir de chance ? (Son visage se détend et il esquisse un sourire en coin.) Tu me laisses une demi-heure pour entrer les paramètres. Ensuite, tu approches de la table et je t'envoie un signal en misant sur une chance simple. Si tu ne me trouves pas au Sundance, va au Golden Gate. Et si pour une raison quelconque je n'y suis pas, va voir à la cafétéria du Nugget. Mais attention, il y en a deux. Nous, on va à celle qui est derrière le bar. À plus tard ! » dit-il en se dirigeant vers l'ascenseur avec la démarche caractéristique de celui qui a un ordinateur dans sa chaussure.

Je descends l'escalier et tourne à droite dans Fremont Street. Plus connue sous le nom de Glitter Gulch (ou « Ravin scintillant »), cette artère compte trois blocs de casinos qui représentent le centre ville de Las Vegas. Contrairement au Strip où les palais de jeu sont séparés par des étendues couvertes de petits buissons rabougris et piquants qu'il faut franchir en voiture pour passer d'une oasis à l'autre, on peut se promener à pied sur Fremont Street.

La rue est bordée par les plus vieux établissements de jeu de la ville, soit opulents et défraîchis comme le Golden Nugget ou le Mint, soit simplement défraîchis comme le Golden Gate ou le Horseshoe Club. La nuit, la rue ressemble à un fleuve de néon, qui s'écoule sur la chaussée en un mouvement rapide et gracieux. On entend le sifflement du courant en haut et le bip-bip des circuits qui clignotent. Les visages prennent alternativement des tons rouges, blancs, bleus. Les petits garçons ouvrent de grands yeux et restent bouche bée. Les petites filles gloussent. L'air est électrique. Les gens reçoivent du jus rien qu'en respirant, comme si on pouvait entendre les turbines du barrage Hoover situé à cinquante kilomètres de là dans le désert.

En observant les casinos depuis le Binion's jusqu'à Union Plaza, je me rends compte qu'ils sont tous conçus de la même manière en cercles concentriques qui ne sont pas sans rappeler ceux que Dante traverse, guidé par Virgile. On pénètre tout d'abord dans une sombre forêt de bandits manchots encadrés par des femmes portant des tabliers remplis d'argent, les changeuses. D'autres femmes se jettent dans les bras de métal de ces machines, que les images — orange, citron et cloches — qui tournent derrière leur vitre rendent plus attirantes. Des grands-mères aux cheveux bleutés plongent leurs mains dans des pots remplis de pièces de monnaie pour nourrir une, deux, ou trois machines en même temps, en une parodie frénétique de la maternité. Au milieu d'un grand vacarme de sirènes et de gongs et du cliquetis des pièces de monnaie tombant dans des récipients métalliques, on les entend cajoler leurs machines : *Oui, oui, oui, voilà, voilà, tu es gentille. Mais si, mais si, on va en refaire un gros encore. Allez, allez, ça va venir.*

Le second cercle enfumé est réservé à l'exhibition du keno, la Roue de la Fortune, des jeux de bridge électroniques, la cage du caissier et des salons consacrés aux paris sur les compétitions sportives. Au mur, un tableau d'affichage, comme dans les aéroports, annonce l'état du terrain de tel hippodrome et donne les caractéristiques d'une nouvelle pouliche qui va courir sur tel autre.

Le tumulte décroît à mesure que la forêt s'ouvre sur le terrain principal garni de chandeliers et de tentures, primaire par ses couleurs comme par les instincts qui s'y libèrent. À cet endroit, il y a souvent un seuil à franchir, quelques marches qui indiquent la descente finale. Au-dessous sont disposées — en carrés ou en cercles, ou encore en un seul grand cercle — des tables en forme de haricot réservées au vingt-et-un. À une autre extrémité de la salle, penchés au-dessus d'objets ressemblant à des cercueils géants, des hommes lancent des dés et annoncent en rugissant les numéros vainqueurs au craps. Des groupes moins bruyants sont assis aux tables de roulette. Ils glissent des plaques sur le tapis, fixent la roulette et aspirent lentement une gorgée de leur verre en regardant la bille tourner autour du numéro pas encore gagnant. Encore plus vers le fond, dans les casinos les plus chics, résonne le cliquetis des dominos d'ivoire du jeu de Paï Gow, et tour à tour, banquiers et pontes en tenue de soirée se distribuent mutuellement les cartes de baccara.

Une foule de spectateurs regardent les gros joueurs manier leurs plaques tandis que d'autres — changeurs, lanceurs et croupiers en chemise blanche à jabot et nœud papillon noir — contemplent avec une sévérité professionnelle l'autre bout de l'étendue de feutre vert. Les hommes en costume sombre, au visage épais et aux muscles oculaires durcis par l'exercice sont les chefs de partie. Parmi eux, au beau milieu de la salle, perché sur un petit podium, se tient le commissaire.

Le Grand Œil céleste, caché derrière des miroirs sans tain disposés dans le plafond, représente un niveau de surveillance encore supérieur, constitué de caméras vidéo et de bandes magnétiques reliées à une console centrale. Aucun geste de l'assistance n'échappe au regard de l'Œil. Les employés au-dessous jouent devant Lui comme des marionnettes. Aucun donneur, croupier ou surveillant ne peut toucher les jetons ou l'argent sans claquer des mains et les retourner paumes vers le ciel. Aucun ne peut battre les cartes, couper, donner, lancer les dés, faire tourner la roulette sans que l'Œil l'enregistre. Aucun joueur ne peut pénétrer dans le casino sans que l'Œil retrouve dans sa mémoire où et quand il a vu son visage pour la dernière fois.

On a forcément l'estomac qui se serre et un pincement au cœur quand on descend le grand escalier d'un casino. Des serveuses habillées en lapin et des belles de harem parcourent la foule. L'atmosphère est chargée de sexualité et beaucoup s'amusent à avoir l'air disponible. Mais la couleur, le spectacle, sa précision et son caractère formel sont dirigés vers un autre pôle d'attraction, vers les pièces d'argent, d'or, le papier, le plastique, ou tout ce qui peut représenter l'argent. Beaucoup d'argent. Des piles de billets de banque avec des portraits de Madison et de Grant. Des monceaux de plaques marquées 25, 100, et 500. De l'argent liquéfié qui coule et tourbillonne sur les tables comme le fleuve de néon qui descend Fremont Street.

Comme j'ai une demi-heure à perdre, je traîne au Golden Gate, au Nugget, au Mint. Je passe devant des racoleurs qui donnent des tickets, et des serveuses qui distribuent des cocktails. Je m'arrête dans la foule serrée autour de la roulette. De temps en temps, je suis des yeux la bille qui décrit l'arc de cercle aboutissant au rendez-vous avec le numéro gagnant.

Au bout de la rue, j'entre au Sundance, club de second ordre, boîte au sol carrelé, avec le mélange habituel de machines à sous et de jeux de dés mais il s'y passe moins de choses. Pour trouver les vrais gros parieurs, il faut aller dans les boîtes à moquette du Strip. Pourtant ce soir, le Sundance a une roulette juste mûre à point. Le croupier lance la bille à vive allure. Cette roulette ne devrait pas poser de problèmes pour des ordinateurs-sandwiches installés dans des chaussures magiques. Je fais le tour de la salle pour aller dans le fond du casino. De là, j'observe Doyne qui se trouve devant une des deux roulettes en action. Posté en bout de table, il gribouille quelque chose sur son carnet, jette un coup d'œil à la roulette de temps en temps et prend l'air de rassembler tout son courage pour risquer une mise sur le rouge ou sur le noir. Pour un diplômé de l'université de Californie, il a l'air plutôt débile.

Ce soir, il porte le pseudonyme de Clem, et vient soi-disant du Nouveau-Mexique. Il avait commencé à jouer ce personnage la première fois quand il trichait au poker et faisait la tournée des salles dans le Montana, et c'est un rôle qu'il connaît à la perfection. Il prend l'air niais et parle tout seul ; on dirait un simple d'esprit débarqué de sa campagne. Autour de la table, personne ne lui prête la moindre attention. Les joueurs du type de Clem se divisent en deux sous-catégories : ceux qui sont particulièrement stupides et ceux qui se livrent à des calculs avec l'aide d'un « système » de jeu. Doyne pourrait être l'un ou l'autre, ou les deux à la fois. Las Vegas fourmille de joueurs qui essaient de mettre au point une formule mathématique leur permettant de battre la table à la roulette. Les casinos les aident en leur fournissant des crayons, des blocs-notes et des permanences, tableaux récapitulatifs des numéros sortis les jours précédents. Debout à côté de la roulette et griffonnant sur son carnet, Doyne ressemble donc tout simplement à n'importe quel mathématicien amateur qui cherche à deviner une séquence inédite de chiffres qui n'existe pas.

En dépit de tous les livres traitant de ce sujet, il n'existe aucun système mathématique, fût-ce une progression, un plan de mise, une martingale, qu'elle soit d'Alembert, montante ou descendante, qui puisse prévoir le chiffre qui va sortir ou accroître l'avantage du joueur. Il est vrai également que les joueurs qui ont un système, en particulier ceux qui s'imaginent avoir percé le secret du jeu, ont tendance à perdre plus d'argent que le joueur ordinaire qui s'en remet à la chance. Cela explique que les casinos soient si généreux en crayons et en carnets.

Ce n'est pas par les mathématiques mais par une prévision relevant de la physique que l'on peut battre la roulette. Il faut connaître avec exactitude les forces qui agissent sur la bille et sur la roulette à chaque tour. Cela exige un ordinateur programmé avec un algorithme — équation générale exprimant les lois de la roulette — dans lequel on peut faire entrer les variables qui la gouvernent. Si elle est inclinée, on repère le côté surélevé à l'ombre sur la piste. On calcule d'abord la vitesse moyenne à laquelle la bille tombe et la courbe de décélération du cylindre. Une fois ces paramètres généraux déterminés — ils varient sensiblement d'une roulette à l'autre —, l'ordinateur et son algorithme ont la faculté de faire des prévisions.

Mais pour cela, on doit leur fournir d'autres éléments d'information pendant que la roulette tourne. Celui qui est chargé de les recueillir appuie sur un bouton quand le cylindre est passé deux fois devant un point de référence repéré par l'informateur sur la partie fixe de la roulette, et il signale deux passages ou plus de la bille devant le même point. Il devient alors facile pour l'ordinateur de calculer les vitesses et les positions relatives, le moment prévu auquel la bille descendra, sa trajectoire sur la pente circulaire autour du cylindre et sa chute finale sur le disque portant les chiffres encore en rotation.

Au moment où j'entre dans le Sundance, Clem, du Nouveau-Mexique, est en train d'établir les paramètres. Pour ajuster le programme de l'ordinateur à une roulette particulière, il engage une sorte de dialogue entre ses deux gros orteils. Le micro-commutateur de sa chaussure gauche branche l'ordinateur sur tel ou tel sous-programme et celui de sa chaussure droite chronomètre la bille et le cylindre.

Une manœuvre nécessitant les deux orteils modifie les paramètres eux-mêmes. Pour adapter l'algorithme aux conditions données, il faut savoir ouvrir l'œil et avoir des réflexes extrêmement rapides. Cette opération peut demander dix à trente minutes.

Avec cinq années d'expérience, Doyne est un as du maniement des programmes. Il ajuste les variables à l'œil nu ou grâce à un sixième sens qui s'est développé dans ses gros orteils. Les dernières variables sont mises au point par tâtonnements. Est-ce que la bille va plus loin ou moins loin que prévu ? Y a-t-il des circonstances exceptionnelles, telles que la pression atmosphérique par exemple, qui affectent son comportement ? D'un tour sur l'autre, Doyne compare ce que l'ordinateur a prédit avec ce que la boule fait effectivement jusqu'à ce que, dans l'idéal, les deux ensembles de données coïncident exactement et fournissent une courbe en cloche bien symétrique de part et d'autre de la moyenne. Cette bosse laminaire de points correspondant aux données montant bien au-dessus de l'axe des abscisses se traduit par un avantage de 44 % en notre faveur, et représente donc beaucoup d'argent : cent mille dollars par mois, d'après nos dernières estimations.

Une fois les paramètres établis et l'ordinateur branché sur son mode jeu, l'orteil gauche de Doyne prend le temps de souffler. Le pied droit peut se charger du reste, c'est-à-dire le simple chronométrage de la bille et du cylindre au moment où ils passent devant le point de référence. Arrivé à ce stade, Doyne peut accomplir sa tâche en surveillant simplement du coin de l'œil. Son gros orteil droit étant devenu comme une pièce autonome, rebondissant sur son petit bouton comme la patte d'une grenouille excitée par du courant galvanique pour une expérience, Clem du Nouveau-Mexique peut briller en société en tenant une conversation sur le temps qu'il fait et draguer les hôtesses.

Je m'approche de la table de jeu et reste derrière les joueurs. Sur le calepin du croupier, je vois que les jetons verts de Doyne valent vingt-cinq cents, le minimum de la maison. Assis sur des tabourets devant le tapis, il y a trois autres joueurs. Au milieu, une opulente blonde coiffée avec des espèces d'ailes de pigeon. Ses jetons sont marqués cinquante cents. À côté d'elle, un monsieur qui porte un Stetson et une cravate-lacet joue avec des jetons noirs d'un dollar. À l'autre bout de la table se trouve un Philippin en costume brillant. Le visage voilé par l'épais nuage de fumée qui s'échappe de son cigare, il a devant lui une pile de jetons bleus de cinq dollars.

Le croupier lance la roulette, faisant tourner les cases numérotées dans le sens inverse des aiguilles d'une montre, puis la bille dans la direction opposée et annonce d'une voix neutre : « Mesdames, messieurs, faites vos jeux. » Telle une voyante attendant une intervention céleste, la blonde glisse ses jetons sur le feutre du bout des doigts. Elle se réadosse à sa chaise et dit en ricanant, sans s'adresser à personne en particulier : « Oh ! là là ! j'aurais bien besoin d'un coup de chance ! » Le monsieur à la cravate-lacet mise sur des carrés et des colonnes, et place deux autres jetons sur son numéro porte-bonheur, le 9. Le Philippin qui joue tard et vite éparpille des dizaines de jetons sur le tapis, les met en tas de trois ou quatre sur des numéros pleins et termine par une pile sur la combinaison 00, 0, 1, 2 et 3, celle où les chances sont les plus faibles.

Doyne place une plaque sur le rouge. La bille fait le même bruit que si elle roulait sur un parquet. Elle descend de la piste, décrit un beau cercle entre deux galets, rebondit légèrement au moment où elle touche le cylindre et tombe dans le vert marqué 00.

« Double zéro, annonce le croupier en posant une petite pyramide de verre sur le tapis à l'endroit du numéro gagnant.

— Oh ! là là ! fait la blonde, y en a qui ont la chance avec eux !

— Bien joué, dit le monsieur à la cravate-lacet au Philippin qui tire fort sur son cigare. »

Avec son râteau en bois, le croupier enlève un tas de mises perdantes. Il les trie et les remet en pile dans la banque juste derrière la roulette. Il frappe dans ses mains et le chef de partie vient assister à l'opération de change. L'homme carré aux cheveux en brosse et au costume marron ne semble pas apprécier la pyramide et les jetons bleus qui restent sur la table. Le croupier paie trente-cinq pour un les mises en plein sur le 00, et six pour un pour les mises en carrés. Avec son râteau, il glisse une pile de plaques sur le tapis et la pousse devant le Philippin.

« C'est mon tour la prochaine fois ? » demande la blonde, ne s'adressant toujours à personne en particulier.

Les badauds forment un attroupement derrière le gagnant. Ils ressemblent à des voyeurs témoins d'une apparition de Dame Fortune.

Doyne mise tout de suite sur le rouge : cela veut dire qu'il faut que j'aille faire un tour pendant cinq minutes. Je traîne dans la salle, en observant ce qui se passe. Trois joueurs de dés en costume de coton gaufré, chemise ouverte, doivent être en ville pour un séminaire. Une femme qui vient de sortir du jeu à une table de vingt-et-un croise mon regard et étale son jeu de cartes sur le tapis, dessous apparent.

Je vais m'asseoir à une table de keno au fond du casino. La machine soufflante qui agite les balles de ping-pong se met en marche. Un tube pneumatique les aspire une par une pour les faire sortir de leur cage de verre. Un employé annonce les numéros gagnants dans un micro pendant qu'un autre allume le tableau d'affichage du keno. Une femme, qui fume cigarette sur cigarette, des Kool, sa fille, et moi sommes les trois seuls spectateurs.

Je plie les orteils et prends une grande inspiration avant de retourner à la roulette. La blonde est lessivée ; elle ferme bruyamment son portefeuille et se lève de son tabouret. L'homme à la cravate-lacet, qui n'a plus qu'une dizaine de plaques, ne va pas tarder à la suivre au bar. C'est cruel de se sentir abandonné par Dame Fortune. On démarre avec un sentiment d'indifférence. On commence à s'excuser. On tripote ses jetons sans enthousiasme jusqu'à ce qu'on lance le dernier sans même le regarder. Le Philippin allume son deuxième cigare et reste fidèle au poste. Mais les spectateurs s'en sont allés.

Doyne mise sur pair ; c'est signe que je dois commencer à jouer. Je m'assieds à la place laissée libre par la blonde et tends trois cents dollars au changeur. Il frappe dans ses mains et le chef de partie le regarde engouffrer mes billets dans la caisse à l'aide d'une sorte de pelle, instrument qui ressemble à une longue spatule en bois.

Le changeur frappe encore dans ses mains et pousse sur le feutre trois piles de jetons rouges qui valent maintenant, d'après ce qui est indiqué sur le disque placé devant la banque, cinq dollars chaque. Le chef de partie m'examine attentivement.

Et voilà le coup d'envoi. Les affaires sérieuses vont commencer pour moi. J'ai le tableau sous les yeux ; je le connais par cœur, à l'endroit et à l'envers. J'ai en tête la succession de tous les numéros correspondants sur la roulette. Je les ai mémorisés en les divisant en huit groupes de quatre ou cinq numéros, et dont chacun correspond à l'un des huit signaux différents émis par l'ordinateur et transmis à la plante de mes pieds par les vibreurs. J'ai passé des jours et des jours à apprendre à reconnaître les signaux et à poser des mises sur le tapis. Je me suis entraîné pendant des heures à tenir mes jetons d'une main souple. J'ai maîtrisé l'art de les empiler dans la paume et de les laisser tomber bien à plat sans le moindre mouvement du poignet. Je peux jouer par réflexe, sans réfléchir, sans même regarder la roulette, détendu, rapide, tout en ayant l'air du premier pigeon venu qui s'apprête à flamber un peu d'argent hors taxe.

J'ai les cheveux courts et bien coiffés, un pantalon en serge de bonne coupe, un veston sport, une cravate et une chemise avec les deux premiers boutons ouverts. Si j'ai à faire un brin de conversation, au cas où quelqu'un me poserait des questions, j'ai un restaurant à Capitola en Californie. Enfin, je suis copropriétaire en réalité. Un restaurant français. Les plats tournent autour de quinze dollars. Les spécialités vont des moules marinières au bœuf bourguignon. Je suis en ville pour faire la fiesta. Je me suis pris deux jours avant le début de la saison des vacances.

La serveuse me donne un petit coup sur le coude : « Un verre offert par la maison. »

Le croupier lance la bille. « Mesdames, messieurs, faites vos jeux », dit-il, bien qu'il n'y ait aucune femme. L'homme à la cravate-lacet pousse sa dernière plaque sur le 9 et se lève pour s'étirer. Le Philippin avance, tend une main baguée sur le tapis vert qui se couvre d'une éruption de jetons éparpillés sur des carrés, des colonnes, des transversales pleines, des sixaines et des douzaines. Il semble avoir plus d'argent sur la table que ce qu'il pourrait gagner de toute façon. Doyne mise vingt-cinq cents sur le noir.

La bille tourne doucement autour de la piste et ralentit pour ses dernières révolutions au-dessus des cases rouges, noires et vertes. J'attends que Doyne fasse entrer les informations et que son ordinateur transmette ses prédictions au mien. Comme ces machines douées du pouvoir d'accélérer le présent, nos ordinateurs vont voir dans l'avenir et établir la trajectoire de la bille quelques secondes — qui font toute la différence — avant que le tour ne s'achève. Je reçois une vibration à haute fréquence sur le solénoïde de devant. Un 3. Le troisième huitième de cylindre. C'est-à-dire les numéros 1, 13, 24 et 36. Je me penche sur le tapis et laisse tomber des jetons sur les trois premiers ; je saute le 36 et mise sur le 00, son voisin sur la roulette, mais plus près de moi sur le tapis.

Je me rassieds et j'attends, comme un joueur de basket regarde la balle s'élever dans les airs avant de retomber dans le filet. Je me retourne vers la serveuse et demande un Tequila Sunrise. J'observe le Philippin tirer de son cigare des petites bouffées. J'adresse un sourire au chef de partie. Je ne regarde même pas le croupier quand il annonce le numéro 13 et place ma pyramide sur ma mise. Et je me demande vraiment *comment on peut jouer à la roulette sans avoir un ordinateur dans sa chaussure.*

# 1

## *Silver City*

La prévision est un art difficile, surtout lorsqu'il s'agit de l'avenir.

Niels Bohr

Dans le sud-ouest du Nouveau-Mexique, au pays du désert rouge, Silver City a plusieurs titres de gloire, ou tout au moins de notoriété. Geronimo est enterré dans les montagnes voisines, et c'est aussi là que Billy the Kid a tué les premières de ses nombreuses victimes. Frais émoulu de Stanford, Herbert Hoover a démarré ici comme ingénieur dans les mines. Cinquante ans plus tard, la lutte des ouvriers et de leurs familles à Empire Zinc servit de thème au grand film d'Herbert Biberman, *Le Sel de la Terre*. Dans la matinée du 16 juillet 1945, une violence bien différente de celle qui opposa jadis les Indiens aux cow-boys surprit les habitants de Silver City. Un bruit d'explosion les ayant réveillés, ils regardèrent par les fenêtres encore vibrantes et virent la lueur de la première bombe atomique du monde qui explosa à trois cents kilomètres de là, vers le nord, sur les lits de lave de la Jornada del Muerto.

À la lisière sud du désert de la Gila, Silver City marque la frontière, à mille huit cents mètres, entre la forêt et le désert. La ligne de partage des eaux après s'être promenée sur la chaîne noire des monts Mogollon (prononcer meugueuillone) traverse la ville avant de descendre vers le sud dans le désert de Sonora. Douze mille habitants, chef-lieu du Grand County et seule halte routière dans une zone de cent cinquante kilomètres de rayon, Silver — comme disent les autochtones — est comme au milieu du néant.

Il y a mille ans, les Indiens Mimbreño arrivèrent dans cette plaisante étendue de hautes terres et décidèrent de s'y installer. Le terrain présente beaucoup d'avantages. Couvert de forêts de pins Ponderosa et de sapins Douglas, les pics hauts de trois mille mètres des Mogollon donnent naissance aux trois bras de la rivière Gila, le long de laquelle les Mimbreño creusèrent des habitations à flanc de côteaux qu'ils décorèrent de fresques représentant un paysage riche en terre arable et en gibier sauvage. Ils cultivaient les vallées et chassaient le gibier vers le sud dans un cadre qui passait du pays sec et boisé, couvert de chênes rabougris, d'acajous, de genièvres et de pins piñons à un terrain plus broussailleux de créosote, de cactus et de yuccas avant de se transformer complètement en désert d'étendues arides, alcalines ou argileuses. Au pied des montagnes se trouve le camp préféré de ces chasseurs, zone de sources et de prairies que les Espagnols, lors de leur arrivée tardive, baptisèrent la Cienaga de San Vincente, le marais St-Vincent.

Lors de leurs incursions plus avant dans le désert de la Gila, les Espagnols continuèrent à donner des noms de saints aux endroits où ils arrivaient.

Ils réduisirent les Mimbreño à l'esclavage et décidèrent d'exterminer tous ceux qui leur résisteraient. Un officier espagnol qui participait à cette mission civilisatrice découvrit la richesse du sous-sol (que les Indiens connaissaient depuis longtemps) : on pouvait extraire du cuivre de filons serrés comme des fougères. Il y retourna en 1804 pour ouvrir la mine de cuivre de Santa Rita et fut ensuite imité par les vagues successives des mineurs venus du Mexique, des prospecteurs de 1849 de Boston, des chercheurs d'or descendus de Leadville, puis d'une bande d'enthousiastes attardés dont la fièvre pour le métal était si grande qu'en 1870, ils rebaptisèrent le marais St-Vincent pour lui donner le nom plus prometteur de Silver City.

La ville a perdu de son pittoresque et s'est comme effilochée en centres commerciaux et en lotissements à la périphérie, mais elle ressemble encore beaucoup à ce qu'elle était dans ses beaux jours. Sur les collines et le long de rues bordées d'ormes, s'élèvent, de façon un peu anarchique, les maisons de brique des mineurs qui, tombés sur un filon, s'affublaient du titre de banquier. Imposantes bâtisses avec terrasses victoriennes, toits mansardés, tourelles gothiques et péristyles, elles donnaient sur le désert broussailleux jusqu'à Geronimo Mountain.

Des fenêtres du premier étage, on voit des signes de la présence du minerai où que l'on regarde. Droit vers l'est, sous un monolithe connu sous le nom de Kneeling Nun (la Nonne à genoux), s'étend, sur un kilomètre et demi, le puits de la mine de cuivre de Santa Rita. Son minerai, exploité dès le début par une multinationale, était à l'origine transporté à dos de mulet jusqu'à Chihuahua. Aujourd'hui, le minerai extrait par Kennecott et Mitsubishi prend la direction du Japon. Les deux terris dominent la ville voisine de Henley, et vers le nord, les maisons de Hanover sont couvertes de poussière. À Silver City même, les collines sont parsemées de puits de mine et de résidus de veines abandonnées. Derrière le Palais de justice du comté, une mine de manganèse encore en activité ronge la face de Bear Mountain.

Au-delà des trous et des bosses qui ont fait de grandes fortunes, la vue du haut de Silver City donne sur la prairie inhabitée. C'est la voie ouverte aux grands rêves. C'est de là que surgissent les âmes fortes et indépendantes. Partie ancienne du pays, découverte et colonisée bien avant l'arrivée des pèlerins débarqués du *Mayflower,* c'est en même temps une des plus jeunes, qui donne l'impression d'être une frontière, un territoire limite, inhabité, ouvert à toutes les possibilités. C'est là que l'on trouve les derniers avatars du grand mythe américain, des cow-boys et des Indiens, des mineurs et des confidentes de bar, avec encore assez d'espace pour qu'ils puissent s'élancer et vivre les vieux rêves d'indépendance.

Né à Houston, au Texas, en 1952, James Doyne Farmer qui se fait appeler par son prénom, qui se prononce à peu près comme « douane », avait six ans quand sa famille s'installa à Silver City. Ils emménagèrent dans un quartier paisible épicé de quelques Mexicains et étudiants, et James Doyne Farmer Senior, qui se fait appeler par son *premier* prénom, alla travailler comme ingénieur à la mine Santa Rita. À l'époque, Doyne avait déjà lu son premier roman, *Robinson Crusoé,* et au cours des quelques années suivantes, Mrs. Lych, de la bibliothèque municipale, allait lui faire attaquer sérieusement le reste de la littérature mondiale. Aux concours de lecture d'été, par le nombre d'étoiles gagnées pour la consommation de livres, de Dostoïevski à Tolstoï en passant par Hemingway et Huxley, il arrivait juste après Kitty Kelley.

« Puis, en sixième, me confia un jour Doyne tandis que nous roulions sur Las Vegas Boulevard pour aller jouer à la roulette, j'ai explosé. Quand j'étais petit, j'étais gros, j'avais un caractère sauvage, j'avais du mal à fréquenter les autres. J'ai décidé de changer. »

Le tournant s'était produit plus tôt cet été-là. Souffrant autant du traitement que du mal, Doyne, cloué au lit par une crise aiguë de rhumatisme articulaire, fut condamné à plusieurs mois d'inactivité totale.

« J'étais très déprimé. Comme personne ne venait me voir, je me suis dit que quelque chose n'allait pas. Je me suis remis complètement en cause et j'ai pris de graves résolutions. Quand le professeur poserait une question, je ne lèverais plus la main. Je ferais ce qu'il faudrait pour me faire bien voir. De bruyant et tapageur, je suis devenu calme et timide. J'ai passé ma sixième à m'entraîner et ma cinquième et ma quatrième à perfectionner ma nouvelle personnalité. Arrivé en troisième, je suis revenu à un certain équilibre mais, entre-temps, je m'étais fait beaucoup d'amis. »

En sixième, Doyne s'engagea aussi dans le pacifisme, mais ce projet n'eut pas autant de succès. Il rencontra des obstacles insurmontables à la cabane où il se rendait tous les matins à cinq heures pour plier les journaux *(El Paso Time)* qui devaient être distribués. À cette heure-là, à Silver City, seuls sont réveillés les garçons qui livrent les journaux, Mr. Shadel le boulanger, les policiers (qui sont en réalité profondément endormis dans leur voiture de patrouille) et les pensionnaires de chez Millie's, édifice victorien de Hudson Street qui avait la réputation, jusqu'à sa fermeture récente, d'être la meilleure maison close de tout le Nouveau-Mexique.

Étant donné que la nationale 180, la route principale qui traverse Silver City, vient de nulle part au nord et va à peu près nulle part au sud, toute personne s'arrêtant à cinq heures du matin pour demander un renseignement à un petit livreur de journaux avait toutes les chances de chercher Millie's. Ce n'était qu'à deux rues de la cabane, mais un caprice de la géographie locale faisait qu'il n'était pas facile à un étranger de se repérer dans la ville à cette heure matinale. Le marais sur lequel avait été construit Silver City était une oasis au bord du désert. Mais l'été, quand il pleuvait, de véritables torrents dévalaient les pentes des Mogollon et ravinaient la grand-rue en son milieu.

Forcée d'abandonner cette artère mal placée, la ville assista à sa métamorphose en quelque chose qui reçut le nom de Big Ditch (la Grande Rigole). Aujourd'hui, le Ditch est un canyon qui a mis à nu son soubassement jusqu'à vingt mètres au-dessous des maisons qui attendent de s'écrouler au fond. « Pendant des années, pouvait-on lire dans un journal local, le Ditch a été la base avancée des voleurs à la tire et des mauvais garçons qui cherchaient à échapper à la justice, et plus d'un malheureux ivrogne est allé se cacher dans ses ombres vertes. » Millie's régnait sur le versant est de la faille, le côté le plus mal famé. Dans cette direction se trouvaient également la maison de Mrs. Brewer la sorcière, le quartier mexicain, la décharge et le désert. Ce n'était d'ailleurs guère plus brillant de l'autre côté du Ditch. Là aussi il y avait les maisons en terre des

Mexicains et les broussailles du désert, mais, les dominant du sommet de sa colline, se trouvait le campus de l'université du Nouveau-Mexique occidental. Le seul « bon » quartier de la ville s'étendait au nord, dans les Silver Heights. Mais aucun des personnages de ce récit n'en est issu.

À cinq heures du matin, quand il n'indiquait pas aux automobilistes le chemin pour contourner la Grande Rigole, Doyne se présentait à la cabane pour y prendre sa leçon quotidienne de Satyagraba. Les autres livreurs de journaux jouaient aux durs, les deux plus coriaces étant James Wetsel, qui sillonnait les rues de la ville au volant d'une voiture qu'il appelait son « piège à nanas », et Herbie Watkins, qui était l'homme de main de Wetsel.

« Leur gros truc, raconte Doyne, était de me pousser à bout tous les matins. Dès que j'arrivais, l'un des deux me sautait dessus. Ils me déshabillaient complètement et jetaient tous mes vêtements dehors dans la neige. Comme j'étais pacifiste, quoi qu'ils fassent, je ne réagissais pas. Il m'était arrivé quelque chose en sixième qui m'avait convaincu que c'était la meilleure chose à faire, face à la violence. Mais ça ne marchait pas très bien. »

C'est aussi au cours de cette année riche en événements que Doyne rencontra celui qui allait avoir le plus influencer sa vie. Il assistait à la réunion hebdomadaire des scouts lorsque quelqu'un se leva, se présenta comme étant Tom Ingerson, professeur de physique de l'université, et annonça qu'il voulait faire quelque chose pour la Troupe.

« Je me suis tout de suite senti sur la même longueur d'onde, dit Doyne rencontra celui qui allait le plus influencer sa vie. Il assistait à la réunion hebdomadaire des scouts lorsque quelqu'un se voulais devenir. »

Après la réunion scoute, Doyne accompagna Ingerson et lui dit qu'il voulait devenir physicien. Le garçon de douze ans et le professeur de vingt-cinq ans, qui venait d'être diplômé, se sentirent immédiatement portés l'un vers l'autre : l'attirance de deux esprits curieux. Ils entamèrent ce qu'Ingerson appelait « une série de centaines et de centaines de discussions sur tout ce qui existait sous le soleil. Dans une ville où les garçons envisageaient généralement soit de descendre dans la mine, soit de devenir commerçant, Doyne et moi nous ennuyions pour à peu près les mêmes raisons ».

Il y avait quelque chose chez Tom qui intriguait Doyne et, lorsqu'il alla chez lui, il comprit un peu ce que c'était. « La maison était à l'opposé de toutes celles que je connaissais jusqu'alors. Les tas de livres et d'instruments, les vieux meubles récupérés à l'Armée du Salut, le désordre incroyable, tout cela m'impressionnait beaucoup. »

La présence inattendue d'un homme comme Tom Ingerson à Silver City était due à une combinaison de romanesque et de mauvais calcul. Après avoir terminé ses études secondaires à El Paso, Texas, Ingerson, fils d'ingénieur comme tant d'autres, vécut quatre ans comme un étranger à Berkeley, avant d'aller passer son diplôme à l'université du Colorado. Tout en terminant une thèse sur la cosmologie d'Einstein et la théorie de la relativité générale, il commença à chercher du travail. C'était en 1964. Le spoutnik et la guerre froide avaient fait naître dans tout le pays un grand intérêt pour les scientifiques. En claquant du doigt, ils faisaient s'ouvrir les portes de tous les laboratoires, depuis Boeing jusqu'à Bell. L'université du Colorado était excellente, et Ingerson était un brillant sujet. Il aurait dû aller loin, mais il n'alla nulle part.

On ne répondit pas à ses lettres. Personne ne lui accorda d'entretien. Dans sa candeur, il se laissa impressionner et décourager. Ce n'est que des années plus tard qu'un de ses amis, qui travaillait à Motorolo, lui révéla ce qui clochait dans son dossier. Un solitaire ayant le caractère d'Ingerson avait pu citer (soit par ignorance, soit par provocation) le nom de Frank Oppenheimer comme référence. Mais jusqu'à cette date récente, la réputation de compagnon de route que s'était forgée le frère de Robert Oppenheimer faisait de lui un pestiféré. Se faire recommander par lui auprès d'un employeur éventuel revenait à déclarer qu'on était atteint d'une maladie contagieuse.

Ingerson se trouva donc banni et exilé au fin fond du Nouveau-Mexique. La seule offre d'emploi qu'il reçut arriva à la fin de la saison ; elle émanait de l'université du Nouveau-Mexique occidental, l'ancienne Territorial Normal School qui, en dépit de sa nouvelle appellation, restait essentiellement une école normale pédagogique. Prenant ses fonctions à l'université comme unique membre du département de physique, Ingerson se laissait consoler par plusieurs pensées. Ce pays, avec ses « mesas », falaises hérissées, et ses étendues sauvages, était un endroit qu'il connaissait et qu'il aimait. Une fois installé, il pourrait se distraire. Il fit une longue liste de projets et de plans, dont le plus romanesque concernait une mine d'or dans les monts Jefferson Davis du Texas occidental ; il était devenu propriétaire d'une mine espagnole du XVI$^{e}$ siècle grâce à son oncle Jim. Ce prospecteur grisonnant, conteur d'histoires diplômé de l'école de la vie, avait parlé à son neveu de fabuleuses richesses. Dix-neuf tonnes d'or, pas moins, avaient, paraît-il, été sauvées d'une embuscade et enterrées quelque part sous cette montagne.

L'autre oncle d'Ingerson, Earl, géologue à l'université du Texas, prétendait que c'étaient des sornettes mais le jeune docteur en physique croyait assez dur à son héritage fabuleux pour affirmer que c'était « la première raison pour laquelle il s'était installé à Silver City ».

Ingerson est le physicien type. D'une voix sonore, un brin didactique, il peut s'étendre sur n'importe quel sujet ayant trait à la matière et au mouvement. Il n'existe aucun sujet touchant à l'électricité, l'informatique ou la cosmologie sur lequel il n'ait pas cogité. La plus simple interrogation bénéficie de toute son attention. Par exemple, une remarque anodine sur des différences dans un film en couleurs, et le voilà parti dans une miniconférence sur la spectroscopie et la psychologie de la perception des couleurs. Au cours de l'une de ces discussions, interrompue pendant douze heures par d'autres sujets, Ingerson reprit ses commentaires au point même où il les avait suspendus. « Je suis comme ça, dit-il. J'aime développer jusqu'au bout une pensée. »

Les yeux bleus d'Ingerson brillent dans un visage large qui rougit facilement. Mais de son front bombé à ses chaussures de marche, tout dans son allure porte la marque du rationalisme. Trapu et costaud, son physique même semble avoir été conçu en fonction de principes énergétiques rigoureux. Il porte des couches superposées de T-shirts et de sweat-shirts, alternant manches courtes et manches longues et en adaptant le nombre à la saison ; aucune occasion ne peut justifier le moindre changement vestimentaire. Il voyage avec sac au dos et duvet roulé, et recommande, pour gagner de la place, la suppression de tous les objets non essentiels, tels que pâte dentifrice et manche de brosse à dents.

« Je suis physicien, déclare-t-il, parce que toutes les autres façons d'appréhender le monde sont trop difficiles pour moi. En physique, nous faisons entrer les choses dans des systèmes simples, et si le monde ne correspond pas, nous nous contentons de l'élaguer un peu pour le simplifier jusqu'à ce qu'il coïncide avec nos modèles. C'est vraiment très facile à faire, même si la plupart des gens s'imaginent que la physique est difficile. »

Le soir où Doyne et lui se rencontrèrent pour la première fois et rentrèrent ensemble de la réunion scoute, ils parlèrent de la mine d'or d'Ingerson et comptèrent que, même si elle ne rapportait que dix-sept millions de dollars, on pourrait construire une fusée pour aller sur Mars. « Tom estimait que le programme spatial était mené en dépit du bon sens, dit Doyne. Des vieux chnoques comme Wernher von Braun fabriquaient des fusées idiotes, mais Ingerson connaissait un moyen meilleur marché et plus efficace de le faire. » Quand il était encore à l'école, avec des produits chimiques qu'il avait commandés sur des annonces parues au dos de la revue *Popular Science,* Ingerson avait construit et mis à feu des dizaines de fusées pour des lancements allant jusqu'à huit kilomètres dans le désert. Puis au lycée, il avait travaillé l'été à la base de lancement de missiles de White Sands et avait testé des fusées plus grosses. « Et n'oublie pas, disait Doyne, que Tom savait de quoi il parlait. »

Doyne se retrouva bientôt membre attitré de ce qui allait devenir la principale occupation d'Ingerson pour échapper à la monotonie de Silver City. Un beau jour, le jeune professeur annonça que sa maison était désormais l'Explorer Post 114 (Poste des Explorateurs n° 114). Construction d'un étage située sous un bouquet d'ormes chinois dans une rue donnant sur le Ditch, la maison d'Ingerson fut bientôt envahie de garçons occupés à souder des postes de radio, à se familiariser avec l'emploi de l'alphabet Morse, à démonter des vélos rouillés, et à régler le moteur d'une camionnette Dodge. Baptisé le Blue Bus, ce véhicule pouvait transporter l'itinérant Ingerson et sa famille nombreuse sur des milliers et des milliers de kilomètres, depuis l'Alaska jusqu'aux Andes.

Leur première expédition les mena à Boulder, dans le Colorado, où les Explorateurs accompagnèrent Ingerson pour sa soutenance de thèse. La manie des voyages s'empara d'eux, et ils allèrent passer le plus clair de leur temps sur les terres vierges de la Gila et dans le désert de Sonora. À Noël, ils allèrent au Mexique et en été, ils firent de grands voyages dans le Yucatan, au Panama et au Pérou. Lorsqu'ils n'étaient pas sur la route, ils dépensaient toute leur énergie à Silver City à réunir de l'argent en organisant des ventes publiques, des tirs à la dinde, des lavages de voitures, des concours de démolition, et une foire annuelle baptisée « Au temps de la ruée vers l'or », où les Explorateurs recréaient une ville avec Indiens, shérifs, prospecteurs, vérificateurs d'or et fraudeurs cherchant des cachettes de pépites. « Ma personnalité me porte essentiellement vers le travail collégial, disait Ingerson. Tout seul, je ne fais pas grand-chose mais avec quelqu'un d'autre, il y a des trucs qui se passent. Mon plus grand plaisir dans la vie est de voir les autres contents. »

À part les voyages, l'Explorer Post 114 se spécialisa dans les réparations de matériel électronique. Ingerson attirait les garçons qui avaient l'esprit scientifique, ou peut-être était-ce lui qui éveillait cet intérêt chez eux. « J'ai toujours été troublé, disait-il, par mon influence sur les enfants. Je n'ai jamais imaginé en faire des physiciens. Je ne me souciais pas de ce qu'ils deviendraient. J'aimais leur compagnie et je pensais pouvoir les aider à devenir adultes d'une façon meilleure qu'une autre. »

La petite troupe fit siennes d'autres caractéristiques de son chef, dont un solide mépris pour l'approbation de la société : « Aussi longtemps qu'a duré le Poste, dit Doyne, nous étions très fiers qu'aucun de nos membres n'ait reçu un seul badge et n'ait avancé d'un pas dans la hiérarchie scoute. » Lorsque Johnny Reynolds annonça qu'il avait envie de passer l'épreuve qui lui manquait pour obtenir le badge de secouriste, on le dissuada par une série d'arguments physiques connus sous le nom de prises indiennes, béquilles et frites.

Puis Doyne s'acheta une Honda 50 et Tom une Yamaha 100, et les motos devinrent une part importante de l'activité du Poste. « Ma maison était déjà pas mal encombrée mais c'est devenu bien pire avec des moteurs de motos dans tous les coins du salon, des carters dans l'évier, des boîtes de graisse et des bidons d'huile un peu partout. C'était affreux. » Tout en travaillant dans l'allée sur du métal inerte, Ingerson et les garçons passaient des heures à discuter des motos et de la vie. « On parlait de physique, dit Doyne, de mœurs sexuelles, d'histoire, de politique, de tout. »

« J'accepte toutes les questions, disait Ingerson, même si je dois avouer que personne ne connaît la réponse. S'ils demandent combien il y a d'étoiles dans notre galaxie ou quelle est l'origine de l'univers, c'est que ces enfants ont eu des parents et des professeurs qui ignoraient si *quelqu'un* détenait la réponse. »

Au cours de sa première année de lycée, Doyne alla habiter chez Ingerson dans la chambre d'amis. Sa famille qui comptait maintenant un petit frère quittait Silver City pour aller au Pérou, où son père allait être ingénieur dans les mines. Après le désert péruvien, les Farmer s'installèrent dans une mine de fer de la jungle vénézuélienne et passèrent sept ans en Amérique du Sud. Doyne allait les voir pour les vacances et travaillait parfois dans les mines comme ouvrier, mais pendant ses deux premières années de lycée, il vécut surtout avec Tom.

« Je n'ai jamais considéré que Doyne et moi avions une relation enfant adulte, dit Ingerson. Il a toujours été mon meilleur ami. Nous menions une vie commune. J'avais plutôt l'impression d'être son grand frère. Je n'ai jamais imposé de règles. Il n'y a eu aucun sermon paternaliste sur une discipline quelconque. Il m'a toujours paru adulte. Il était lui et il faisait ce qu'il pensait devoir faire. » Doyne avait beau être le plus intelligent de sa classe, il n'en avait pas moins des ennuis avec ses professeurs qui se rendaient compte, sans guère apprécier, de l'ennui évident que lui procurait l'école. « Au lycée de Silver, il fallait être idiot pour récolter des B. Les C étaient réservés à ceux qui ne parlaient pas anglais. Autrement dit, tous ceux qui avaient une once d'intelligence et parlaient anglais avaient des A partout. »

Doyne avait d'autres centres d'intérêt plus importants pour lui que l'école. Il jouait de la viole et de la guitare, et se mit ensuite à l'harmonica. Il passa un test pour avoir une licence de radio amateur et travailla à des projets scientifiques avec Tom, dont un essai malheureux de fabrication d'une machine à fac-similés pour envoyer des photos par radio. Il jouait dans les pièces de théâtre au lycée et se fit une réputation de téméraire. Au cours d'un concours du plus gros mangeur de poulet qui se tint lors d'une soirée « on se sert à volonté » au Holiday Inn, il gagna haut la main en dévorant trente-deux morceaux de poulet frit. « Et encore, on est sortis pour aller prendre le dessert ailleurs. »

Adolescent grand et mince, Doyne avait soif d'aventure, de livres, d'amis, de tout ce que son esprit pouvait appréhender et absorber. Il savait aussi comme personne rendre ses enthousiasmes contagieux. « On admirait Doyne et sa bande, dit une de ses anciennes camarades de classe. Pendant qu'ils voyageaient en Alaska et en Amérique du Sud, nous on restait là, en ville, et ce qu'on pouvait faire alors n'avait rien de comparable : on s'occupait du journal de l'école ou on faisait les idiotes. Sans le savoir, Doyne a brisé plus d'un cœur à Silver City. »

Le Poste des Explorateurs n° 114 se réunissait tous les mercredis soir pour faire des jeux de camp, et assister à une conférence sur un sujet d'intérêt général. Un soir, elle fut animée par un garçon de douze ans nommé Norman Packard. Il traita de la conception et de la construction des postes de radio à galène en parlant d'une voix à peine audible. Doté d'une tête démesurée perchée sur un corps d'asperge, Norman pouvait fournir tous les renseignements imaginables sur les radios et l'électronique en général.

Bien qu'il lui manquât deux ans pour avoir l'âge d'être un Explorateur, il fut quand même admis au Poste. C'était la première fois que Doyne le rencontrait « consciemment », et le début d'une amitié durable avec son jeune « protégé ». Je dis « consciemment » parce qu'à Silver City, tout le monde connaissait tout le monde.

« Quand je regarde des photos de moi enfant, disait Norman, j'ai l'impression que ma tête a toujours été trop grosse pour mon corps. Cela accentuait ce côté cérébral qui vous dessert automatiquement aux yeux des autres. » Se préparant à atteindre son mètre quatre-vingt-dix, Norman raconte : « Je grandissais un peu et alors il fallait que je me souvienne où était ma main. Mon père m'appelait " Dingo ", histoire de me rappeler qu'il me manquait une case. »

Aîné de six enfants, Norman Harry Packard était né à Billings dans le Montana où son père était gérant du magasin Sears et Roebuck « mais il n'avait pas tout à fait le profil de l'emploi », disait Norman. Avec la perspective d'une nouvelle carrière, Mr. Packard fut attiré à Silver City, où ses beaux-parents avaient transformé une chaîne de magasins « à cinq et dix cents » en commerce de plus grande envergure. « À cette époque-là, mon grand-père possédait la moitié des logements des classes modeste et moyenne de Silver City. Mon père était censé faire son chemin dans l'immobilier en gérant des appartements, mais ce n'était pas vraiment son truc. »

Les parents de Norman se lancèrent simultanément dans une nouvelle carrière. Ils retournèrent sur les bancs de l'école, obtinrent leurs diplômes d'enseignants et partirent avec leur famille vers le sud pour s'installer à Hachita, petit bourg proche de la frontière mexicaine peuplé de soixante-douze personnes, y compris les huit Packard. S'étendant sur un grand plateau désertique coincé entre les monts Hatchet et Cedar, cette région est un pays d'élevage. « C'était vraiment isolé, dit Norman, mais ce n'était pas désagréable d'avoir autant d'espace de tous côtés. Comme cour, nous avions une chaîne de montagnes et des kilomètres d'étendue sans rien, plus qu'on n'oserait rêver en parcourir à pied. »

Au moment où Norman donna sa première conférence à l'Explorer Post, la famille était venue se réinstaller à Silver City, où sa mère était institutrice et son père professeur de math. Les Packard occupaient une maison de brique au coin des rues Bayard et Broadway, la vieille artère commerçante de la ville. Leur résidence était la plus grande de Silver City, mais ses vingt-trois pièces avaient souffert de dégradations considérables, et la maison avait été divisée en plusieurs appartements, presque tous occupés par la famille Packard qui ne cessait de s'agrandir. Cependant, une politique de laisser-faire permettait à plusieurs pensionnaires de rester sur place jusqu'à ce qu'ils meurent ou déménagent. Dans une maison si grande qu'il fallait désigner les pièces par un numéro, c'est à peine si on remarquait une ou deux personnes supplémentaires descendant ou montant l'escalier. Doyne lui-même, lorsqu'il était en dernière année de lycée, habita chez eux.

Juste en face de chez les Packard se trouvait le bureau de poste avant qu'il ne soit transféré, il y a quelques années, dans un quartier en expansion. Alors que pas mal de piétons passaient encore par là, Norman en profita pour ouvrir deux de ses trois affaires qui prospérèrent. Sur une terrasse fermée, juste en face de Broadway, il ouvrit le plus grand magasin de fournitures pour poissons tropicaux du Grant County. Les horaires d'ouverture de l'Aquarium de Silver City étaient « après la classe », heures pendant lesquelles Norman restait également ouvert pour les réparations de télévisions. N'étant encore qu'en cinquième, il avait réussi à convaincre la quincaillerie Colby de l'engager comme assistant-réparateur de télévisions. Il était censé aider le responsable de cette tâche, mais en réalité, c'était lui qui s'en occupait. Quittant sa place au bout d'un an et demi parce que Mr. Colby avait refusé d'augmenter son salaire qui était de 1,50 dollar de l'heure, Norman transforma sa chambre en atelier de réparation électronique avec plusieurs arrivées de courant et une table couverte de téléviseurs en pièces détachées.

Norman se rendait également tous les jours au dépôt de journaux, où James Wetsel et les autres durs à cuire avaient été remplacés par une équipe un peu plus sobre. Voici ce que dit Norman des premiers succès de sa carrière dans les affaires : « J'étais un vendeur de journaux assez lamentable ; lamentable pour ce qui est de gagner de l'argent. C'était ma première expérience fondée sur un schéma monétaire qui semblait bon en théorie mais dont l'application s'avéra désastreuse. J'aurais dû me faire quarante dollars par semaine, mais je n'ai jamais approché cette somme. J'aimais les poissons tropicaux et j'ai probablement suffisamment vendu de gravier et de nourriture à poissons pour couvrir mes dépenses personnelles. L'atelier de réparation de télévisions était plus lucratif tout en étant assez simple, exception faite des quelques problèmes techniques que je n'arrivais pas à résoudre. »

Norman s'était présenté à Tom Ingerson pour lui poser des questions à propos d'une radio qu'il était en train de fabriquer. Mais bien avant de rencontrer Tom, Norman savait qu'il était fait pour la physique. « Depuis l'école primaire, je savais que je voulais faire des sciences ; ça me passionnait. Je me rappelle une institutrice stagiaire qui me gardait après la classe en première année de cours moyen et qui me demandait ce que je voulais faire plus tard. Je lui ai répondu sans l'ombre d'une hésitation : " Physicien nucléaire ". J'avais pris le chemin de devenir physicien avant de rencontrer Tom, mais ça m'a aidé de l'avoir près de moi pour développer cet aspect de ma vie. Aux yeux d'un adolescent, Tom savait tout ce qu'il fallait savoir en physique. »

Ingerson tint quatre ans à Silver City. S'il était resté si longtemps, dit-il, c'était surtout pour s'occuper de ses Explorateurs. Il alla ensuite à l'université de l'Idaho, où il avait des collègues dans un vrai département de physique. Mais il avait laissé à Silver City le germe d'une idée qui allait bientôt être exploitée d'une manière inattendue.

Ingerson est un personnage compliqué. Il parle de lui-même avec une telle clairvoyance qu'on oublie qu'il expose des contradictions. « Comme physicien, je suis yin-yang, dit-il. Je possède les connaissances pratiques qui me permettent de faire des choses, des connaissances en informatique, en électronique, en télescopie, en mécanique. Je sais construire des choses et leur faire faire ce que je veux. Mais d'un autre côté, fondamentalement, je suis un physicien théorique qui aime jouer avec les idées sans pour autant être prêt à sacrifier toutes les autres choses dans la vie. Les idées en elles-mêmes m'ennuient. Si je devais choisir entre les idées et les gens, je me passerais de la physique théorique. »

Ingerson est l'exemple parfait, presque la caricature, de l'être humain rationnnel. Il parle en termes de calculs, de variables, de choix pesés. Il ordonne ses émotions quantitativement et les libère en fonction de leur valeur en probabilité absolue.

Dans une lettre adressée à Doyne plusieurs années après avoir quitté Silver City, Ingerson échafaudait des suppositions à propos de sa mine d'or du Texas occidental : « Je ne crois pas qu'il y ait $10^8$ dollar d'or dans ce trou. Je serais plutôt enclin à penser qu'il y en a pour $5 \times 10^6$. Avec un peu de chance et une organisation correcte, nous devrions en garder un cinquième après le passage des divers gouvernements. Il y a donc lieu d'espérer en tirer un million de dollars. » Un esprit moins rigoureux aurait pu *parier* sur le chiffre d'un million de dollars. Ingerson, lui, devait le *déduire*.

S'il encourageait ses disciples à étudier la physique, il leur inculquait également une méfiance de bon aloi vis-à-vis de la profession. Le penchant personnel d'Ingerson à être un loup solitaire, ajouté aux mauvais traitements que lui firent subir les mandarins universitaires, créèrent en lui une agitation tant physique qu'intellectuelle qui le firent passer sans cesse d'un endroit à un autre. Il s'envoya des milliers et des milliers de kilomètres dans son Blue Bus puis s'envola pour l'Europe et poussa même jusqu'en Russie. Il alla passer une année sabbatique au Chili, d'où il partit vers la Nouvelle-Zélande, la Thaïlande, le Népal et revint en ayant fait le tour du monde.

Ingerson gravissait les échelons de l'enseignement universitaire classique, les journaux et les revues commencèrent à le citer en tant qu'expert en syzygies planétaires et autres phénomènes astronomiques. Il se rendit indispensable auprès de ses collègues car c'était un technicien capable de construire tout ce dont ils pouvaient avoir besoin, depuis des fusées jusqu'à des capteurs solaires. Pour ce qui est de manier des idées et des machines techniques, il y a peu de gens qui soient aussi à l'aise dans le XXe siècle qu'Ingerson.

Tout en cherchant un moyen de se libérer de l'enseignement pour voler de ses propres ailes, il ramenait toujours le problème à une indépendance financière. « L'argent est la clef de la liberté, dit-il à Doyne et à Norman. Il y a deux façons d'en gagner : le capitalisme et le vol. » Pour le vol, les risques sont trop gros. Reste le capitalisme. Ingerson imagina donc de fonder une société, une sorte d'alambic capitaliste au sein duquel ses amis et lui transformeraient les idées en or. La société exploiterait les inventions, les concepts, et de nouveaux modes de production, sur lesquels il ne manquait pas d'idées.

Après avoir recherché des sources de financement, s'être renseigné sur le contrôle fiscal, les lois concernant les constitutions d'associations, les impôts et les patentes, il dressa une liste des idées qui valaient la peine d'être exploitées par sa société. Il y avait d'abord la mine d'or de famille. Puis, dans le désordre, venaient les fusées pour Mars, des amplificateurs haute-fidélité digitaux, une télévision à balayage lent transmis par ondes radio, un logiciel pour programmer sur ordinateur le robot d'Isaac Asimov, des bibliothèques sur disquettes laser pour le bureau, des maisons souterraines « autarciques », des microcartes informatisées, des dirigeables et des cubes sans poids. « J'ai un cahier plein de super bonnes idées, écrivait-il à Doyne du Chili, dont certaines sont éminemment exploitables. »

Ingerson et ses jeunes amis discutèrent pendant des heures sur les moyens de monnayer des inventions. S'ils fondaient une société, comment répartiraient-ils le travail ? Quel genre d'organisation serait à la fois démocratique et efficace ? Ingerson imaginait cette entreprise autour d'une communauté, comme un centre anti-entropique résistant aux « pressions fissurantes » de la société. « Pour moi, l'homme est une unité tribale, dit-il. On s'en sort mieux à l'intérieur d'une famille que dans une mégalopolis. » Il voulait fonder sa compagnie dans un endroit reculé et autarcique qui serait toutefois accessible au flux de la technologie et des idées qu'Ingerson en tant que « technocrate de haut niveau » pensait être, à ce stade dangereux de notre existence, nécessaires à la survie.

Comme il l'écrivit à Doyne au milieu des années 70 : « Les prophètes de malheur ont toujours existé, partout et dans tous les temps. Je ne devrais pas être trop pessimiste, mais il est certain que je ne suis pas très optimiste en ce qui concerne l'avenir de notre civilisation. Je commence à avoir l'impression que l'avenir considérera peut-être les années 60 comme l'apogée de notre civilisation. Nous avons agi en nous imaginant que l'on disposait de ressources infinies d'énergie bon marché, de matières premières bon marché, et d'espace sur la planète où mettre du monde. Il est clair qu'aujourd'hui ce genre d'hypothèse ne tient pas. En soi, ce n'est pas si terrible car je pense que la technologie a les moyens de corriger la situation. Mais je ne pense pas que le pouvoir politique en aucun pays du monde soit en mesure de profiter de la technologie pour arranger les choses. »

Il écrivait aussi : « Le monde va s'écrouler autour de nous, c'est une question de quelques années et, à ce moment-là, j'aimerais être capable de sentir au fond de moi que j'aurais au moins *essayé* d'arrêter ce processus, même si j'échoue, ce qui ne manquera pas de se produire. »

Ingerson comprenait qu'en tout cas, il lançait un défi à ses amis : et que feraient-ils, *eux*, face à ces contradictions ? « Je me rends de mieux en mieux compte de ce que c'est que d'être rêveur. On adore penser, rêver, imaginer. Mais quand on revient aux choses concrètes, on a trop de difficultés à passer à l'acte pour faire quelque chose d'important, parce que tout ce qui vaut la peine s'accompagne d'une tonne d'emmerdements qui n'ont rien d'amusant. Un gosse adore rêver à des projets bien définis, et peu lui importe qu'ils se réalisent ou non. L'adulte finit par se défaire de ce plaisir, ce qui est vraiment un crime, à cause de la nécessité purement matérielle de gagner sa vie, jusqu'à ce que sa rêverie disparaisse tout à fait et qu'il devienne un vieux machin.

« J'ai eu beaucoup de chance sur ce point, concluait Ingerson, car je suis tombé sur un job qui me permet dans une large mesure de me comporter comme un gamin, parce que l'université me paie suffisamment pour que je puisse me permettre de n'aboutir à rien. Le résultat est que j'attire les gosses autour de moi, ceux qui, comme moi, veulent rester des enfants, mais jusqu'à présent, aucun d'eux n'a trouvé le moyen de le faire. »

Lorsque Ingerson partit pour l'Idaho, l'Explorer Post 114 voyagea moins et fit plus de courses de motos. Mais il était temps pour tous les membres de songer à passer à autre chose. À cheval sur la frontière ouest de l'État d'Idaho avec l'État de Washington, l'université de l'Idaho domine la ville de Moscow, avant-poste dans les monts Clearwater à mi-chemin entre Spokane et Walla Walla. Passant devant les monts Teton, et franchissant la chaîne des Bitterroot jusqu'au cours supérieur de la rivière Snake, Ingerson avait atteint Moscow après avoir conduit le Blue Bus sur près de deux mille kilomètres en suivant la ligne de partage des eaux vers le nord. Doyne estimait que c'était un bon itinéraire.

Avant d'avoir terminé le lycée, Doyne avait été admis à l'université de l'Idaho mais sa mère, estimant qu'il avait besoin d'apprendre « les bonnes manières », le poussa à entrer dans une pension catholique à Tulsa, Oklahoma. Il y tint quatre jours, puis prit l'avion pour Moscow où il emménagea dans le grenier de Tom et commença la fac.

Mais sa mère avait raison. Doyne n'avait pas de manières. Il pétait bruyamment en public et mangeait comme un ogre. Un soir qu'il était invité à dîner chez quelqu'un, il dévora douze côtelettes de porc plus une assiette de reliefs destinés au chien. Il n'avait pas de manières, mais il avait un esprit d'envergure. Il se branchait sur une idée et la poursuivait avec une ardeur messianique. Le moteur de cette énergie débordante était, pour reprendre les termes d'un de ses amis, « la peur de l'ennui, la peur de laisser passer quelque chose dans la vie, le désir de tout atteindre, de tout toucher, de tout goûter, la crainte de n'écumer que la surface des choses et de se réveiller des années ou des dizaines d'années plus tard en regrettant les occasions manquées ».

À l'université, Doyne étudia la physique pour la première fois de façon formelle. Cette année-là, c'était Ingerson qui faisait les cours. Simultanément, il devait terminer sa dernière année de lycée. « C'était, dit-il, une véritable " vie de schizo ". À cette époque, j'ai commencé à me laisser pousser les cheveux, à fumer de la marijuana et à flirter avec des filles du lycée et de la fac. Ç'a été une grande année pour les filles. Il y avait les sorties ordinaires au ciné ou en boîte, suivies d'un séjour dans le Blue Bus garé quelque part. Mais j'ai commis l'erreur de tomber amoureux d'une mormone, et pour obtenir un malheureux baiser, il fallait manœuvrer pendant des heures. »

Le Bus, un combi Dodge Sportsman avec un moteur 6 cylindres en V qui en était bientôt à son deuxième tour de compteur, avait été transformé et finissait par ressembler, à ce stade de son existence, à un croisement entre un atelier d'artiste et une benne de ramassage d'ordures. Un étage avait été ajouté sur le toit et une cuisine dépassait à l'arrière. L'intérieur avait été aménagé avec des couchettes, une estrade recouverte de moquette et des placards de rangement. On pouvait y dormir confortablement à huit, et c'est ce qui arriva une fois pendant deux mois, le record absolu étant de trente-sept boy-scouts entassés à l'intérieur.

En 1969, avec la solidarité en vigueur dans le pays, même un bled aussi reculé que Moscow dans l'Idaho vota contre la guerre du Vietnam en mettant une bombe au siège du Centre de formation des officiers de réserve. « Mais je savais que c'était assez superficiel, dit Doyne. Au bout d'un an dans l'Idaho, j'avais envie d'aller là où les choses étaient vraiment en train de bouger et de remuer. Je voulais rencontrer des intellectuels et des hippies dégénérés et branchés sur la drogue. Je comprenais aussi qu'il fallait que je m'éloigne de Tom. Pour voler de mes propres ailes et développer ma personnalité propre. » Dans la vie de Doyne, Ingerson avait joué le rôle de père, de frère, de maître et d'ami. Il est donc facile d'imaginer à quel point leur affection était profondément ancrée.

Cet été-là, Doyne acheta une Ducati 250 pour soixante-quinze dollars et refit le moteur. Se servant d'une paire de chaussures de randonnée comme « freins chinois à pied », il mit dix jours pour aller jusqu'à Los Angeles, d'où il prit un avion pour le Venezuela. Il passa l'été à travailler dans la mine de fer de son père, puis l'automne venu, revint pour la rentrée universitaire en seconde année à l'université de Stanford.

De tous les endroits du monde, pour trouver les intellectuels et des hippies branchés sur les drogues, il est certain que la région de la baie de San Francisco était en 1970 le meilleur. « Je passai ma deuxième année de fac à fumer de l'herbe, à rencontrer plein de gens, à courir après les filles, à jouer à l'existentialiste, au frustré, au déprimé, à traverser une sérieuse crise d'identité et à me laisser pousser les cheveux. » L'autre diversion de Doyne, cette année-là, fut l'harmonica de blues, et il joua dans un groupe de rock.

« J'ai tellement réussi à bâcler ma première année à Stanford que j'ai été mis en stage probatoire. J'ai même songé à tout laisser tomber. Avec un ami, Dan Browne, j'avais envie d'aller à San Francisco et de vendre des milk-shakes sur le trottoir ou de faire des chantiers de peinture. Ensuite on a pensé à trafiquer les motos. »

En arrivant à Stanford, Doyne s'était installé à Jordan House, un ancien foyer d'étudiantes Delta Delta Delta que l'université avait mis à la disposition d' « une bande d'aspirants hippies. On était trente-cinq à vivre là-dedans avec une organisation en coopérative. On aurait pu appeler ça une communauté. On se faisait notre cuisine et on gérait nos affaires nous-mêmes ». Quand Jordan House ferma pour les vacances, ses habitants élurent domicile à l'établissement frère, Ecology House. Pour ne pas payer de loyer, Doyne et Dan Browne campaient derrière sur le parking et se mirent au boulot pour commencer leur trafic de motos : il fallait reconstruire une BSA 250. Doyne l'emmena un peu plus tard le même été jusqu'à Guadalajara ; il coula une bielle et échangea la machine contre une Vincent Black Shadow qui n'était plus en état de marche et qu'on emballa et expédia par bateau à Norman à Juarez. Voilà pour le trafic de motos.

Avant son départ pour le Mexique, Doyne était en train de refaire le changement de vitesse sur la BSA lorsqu'une fille vint se présenter à lui : c'était une ex-résidente de Jordan House revenue à Stanford après avoir quitté l'université pendant un an pour travailler à New York. Elle s'appelait Letty Belin. Ce nom lui disait quelque chose : il l'avait vu un jour en vidant un placard et en découvrant une pile de devoirs pour un cours de programmation sur ordinateur. Les devoirs étaient ceux de Letty. Ils avaient tous A. Doyne avait aussi entendu parler de cette intelligente jeune fille blonde et elle, de son côté, avait entendu parler du sauvage qui campait sur le parking. « C'était une de ces histoires, raconta plus tard Letty, où tout a fait tilt entre nous dès le début. J'ai un souvenir assez confus de cet été-là. » Un aspirant trafiquant en motos et une jeune Bostonienne de bonne famille tombant amoureux sur le parking d'Ecology House... Ces choses-là n'arrivent pas tous les jours.

Letty faisait beaucoup plus côte Ouest que Doyne. Grande, une silhouette de jeune garçon, et des cheveux blonds et raides encadrant un visage régulier et classique à la bouche sensuelle, elle traversait l'existence avec une aisance apparente. Les A des devoirs d'informatique faisaient partie d'une longue liste de réussites qui allaient d'un prix pour avoir attrapé un veau au lasso dans des camps de vacances jusqu'à son admission au club des meilleurs étudiants. Gracieuse à l'excès, si son nouvel ami n'avait pas de manières, elle en avait à revendre.

Portant généralement des jeans, une chemise Oxford et des running shoes, Letty s'arrangeait toujours pour avoir des vêtements très classe mais quand même légèrement usés, comme une pelouse entretenue qui retournerait à l'état de nature. Née en 1951, cadette de cinq enfants, produit de la Shady Hill School de Cambridge et de St Timothy à côté de Baltimore, issue d'une famille de juristes, de pédagogues et de hauts fonctionnaires bien placés dans les milieux politiques, Alletta d'Andelot Belin essayait de se détacher de ce qu'elle appelait son « éducation côte Est ».

Physiquement, elle formait avec Doyne un couple étonnant. Mais ils s'occupaient aussi de la communauté, de politique, et de mener une vie où bien des choses étaient remises en cause : les anciennes valeurs de classe, les préjugés sociaux, les vieilles structures de séparation des sexes. Il fallait tout revoir, tout repenser point par point pour chercher de nouvelles formes d'organisation sociale. Espérant mettre leur talent au service de quelque chose de fort et d'intelligent, ils étaient à la recherche d'un vrai départ.

Au lieu de laisser tomber la fac, Doyne retourna à Jordan House avec Letty et passa le reste de ses études à Stanford à « devenir sérieux. J'allais consacrer à la physique un quart de mon potentiel pour voir comment je m'en tirais. Soit j'avais des A partout, soit j'abandonnais ». Pour prendre la physique comme matière principale aussi tard, il lui fallait suivre cinq cours obligatoires chaque trimestre. C'était la matière la plus dure de tout le campus. Potassant tous ses cours de mécanique quantique et de statistiques, il trouva « un incroyable esprit de rivalité. Personne ne parlait à personne des devoirs à faire et personne ne posait de questions pendant les cours. Je me retrouvai encore une fois dans une situation schizophrénique. Je vivais en communauté mais je prenais tous mes cours avec des polars en sciences. La nuit, je fréquentais des artistes et le jour je vivais au milieu de tarés ».

En 1973, Doyne sortit de Stanford. Pour la remise des diplômes, il s'était déguisé en King-Kong. Dans son esprit, c'était un hommage aux Vietcongs, mais le journal *San Francisco Chronicle* ne fit pas le rapprochement. Ils le présentèrent en première page comme un exemple d'étudiant plaisantin et léger. « Je suis un Yippie, me dit-il plus tard. Ma stratégie globale est de tout détruire. Je crois qu'il est impossible de travailler à l'intérieur du système tout en gardant les mains propres. »

Doyne avait terminé avec d'assez bons résultats pour être admis en troisième cycle de physique dans plusieurs établissements. Mais il fit un petit tour à moto dans le campus de l'université de Californie de Santa Cruz, et cela suffit pour le décider à faire encore quatre-vingts kilomètres vers le sud jusqu'à Monterey Bay. « Je voulais être astrophysicien mais j'avais encore des doutes en entrant à la fac : est-ce que je voulais vraiment être physicien, oui ou non ? Je n'étais pas convaincu du tout que c'était ce que j'avais de mieux à faire. » Il se replongea dans les études, pour suivre des cours sur la géométrie différentielle, la relativité générale, et autres sujets touchant au mouvement des corps à l'intérieur et à l'extérieur de la galaxie. « Je suis le genre de type à pouvoir rester vingt-quatre heures sans bouger à réfléchir sur un problème jusqu'à ce qu'une étincelle jaillisse dans mon esprit et me permette de le comprendre. Ou il m'arrive parfois de rêver la réponse. Mais je panique complètement dès que quelqu'un me met une feuille blanche sous le nez et me donne une heure pour rédiger une solution. » Le premier obstacle à franchir pour obtenir son doctorat de physique, c'était une journée entière d'examens. Il passa un an à s'y préparer en apprenant à gérer son temps avec des tests blancs. À la fin de sa deuxième année à Santa Cruz, il était le seul d'une classe de six à être admis aux examens.

« Arrivé là, j'avais l'impression d'être au sommet, j'étais bon en physique et content de moi. George Blumenthal m'accepta comme élève ; j'étais sur la bonne voie pour devenir astrophysicien comme lui. Mais cet été-là, je suis allé travailler à l'Entretien des forêts à Libby, dans le Montana : ma carrière allait commencer. »

Pendant ce temps, Norman Packard lui aussi se lançait, après Silver City, dans la grande aventure. Refusant les bourses d'étude de l'Institut de Technologie de Californie et de Stanford, il opta pour le Reed College de Portland, dans l'Oregon. « J'avais l'ambition, dit-il, de devenir une sorte de personnage de la Renaissance. » La petite population de Reed semblait plus accueillante à ce pianiste physicien chanteur de grégorien. Déjà musicien accompli, Norman trouva que les *Variations Goldberg* de Bach était le meilleur antidote à d'éventuels accès de dépression. Et puis, en étudiant la philosophie extrême-orientale, il entreprit de parvenir à l'absence de conscience de soi du Zen.

L'été qui précéda son départ pour le Reed College, alors qu'il rentrait à Silver City après un concert des Rolling Stones à Albuquerque, Norman avait eu, en quittant la route, un accident qui avait failli lui coûter la vie. Il sortit de l'hôpital six semaines plus tard avec une broche métallique dans la jambe et l'aspect d'un prodige détraqué. Il pesait soixante kilos et marchait avec une canne quand il arriva au College pour y faire sa première année.

« Quand je me suis mis à clopiner à travers le campus, aussitôt, toutes sortes de bruits ont commencé à circuler sur mon compte. J'avais sauté la première année de physique et on me prenait visiblement pour un génie. Un infirme maigrichon n'a pas la vie facile quand il fait ses débuts universitaires, mais à Reed, on est très tolérant pour les êtres un peu bizarres. Je n'étais donc pas tellement déplacé. »

À la fin de la troisième année, s'attendant, comme Doyne, à faire fortune dans les casinos de l'Ouest, Norman attaqua lui aussi un été consacré au jeu.

# 2

## *Le jeu*

Il est absolument impossible de gagner à la roulette, à moins de voler de l'argent sur la table pendant que le croupier a le dos tourné.

Albert Einstein

En août 1975, dans la salle des jeux de cartes Oxford de Missoula, Montana, Doyne Farmer fit son entrée dans le monde du jeu. Cet été-là, il remplissait en principe les fonctions d'inspecteur des bâtiments au Service des forêts, poste pour lequel il n'avait ni qualification ni réelle motivation. Donc, installé là, il lisait le *Complete Guide to Winning Poker* (Guide complet pour gagner au poker) de A. H. Morehead. Après avoir assimilé cet ouvrage de la première ligne à la dernière, il émergea de son bivouac sur les bords du lac Koocanusa transformé en parfait tricheur au poker. Son seul problème était que, n'ayant jamais joué, il avait un peu de mal à manier les cartes. Il tripotait maladroitement son jeu, et distribuait les cartes dans le mauvais sens, mais au bout de cinq soirées dans la salle Oxford, le poker lui avait rapporté plus que son travail de tout l'été au Service des forêts.

Accompagnant Doyne dans sa tournée des salles de jeux de cartes du Montana, Dan Browne, ancien trafiquant de motos originaire de Moscow dans l'Idaho, était l'ami qui lui avait prêté le livre de Morehead et l'avait convaincu qu'en jouant, on pouvait gagner de l'argent. Browne est le type même du bavard des salles de jeu. Dès qu'il y a un silence, il le remplit. Joueur d'échecs et de clarinette, diplômé de physique de l'université de l'Idaho, pendant ses années de faculté, il passait tous ses week-ends à jouer au poker à Spokane, et il réussissait à ranger la maison juste à temps pour rentrer à Moscow et arriver au cours du lundi matin à onze heures.

Avant de pénétrer dans la salle Oxford, Browne et son poulain se mirent d'accord sur une stratégie. « Ne dis pas que tu es étudiant en physique, dit Browne, ou personne ne voudra jouer avec toi. » En gilet et casquette de laine, il reprit son pseudonyme d'enfance. George « Bug » Browne, Bug (insecte) à cause de sa petite taille. Muni d'un chapeau de paille, de bretelles et d'un nasillement du sud-ouest, Doyne se rebaptisa « Clem ». Faisant leur entrée dans l'Oxford, ils s'assirent de chaque côté d'une dame en robe noire décolletée. Elle gloussa quand Browne se présenta sous le nom de Bug et éclata carrément de rire en entendant que celui de Doyne était Clem (ce qui veut dire « clamser »). Il la regarda droit dans les yeux et lui dit : « Qu'est-ce que c'est m'dame ? Y a quelque chose qui vous déplaît dans mon nom ? » Elle rougit et s'excusa tout de suite.

« Ensuite, dit Browne, Clem, du Nouveau-Mexique, s'est installé pour jouer sérieusement. En le regardant, on l'aurait vraiment pris pour un plouc. Il s'embrouillait dans ses cartes, répandait ses jetons. Il ne savait pas battre les cartes et les distribuait à peu près comme quelqu'un qui serait en train d'apprendre à compter. *Une,* et *deux,* et *trois,* et *quatre.* Au grand déplaisir de toutes les personnes présentes, sauf moi, Clem s'est avéré excellent joueur. Il savait par cœur ce que Morehead avait écrit sur le poker et il en tirait profit. »

Après leurs soirées à l'Oxford, Clem et Bug retournaient à Lolo Hot Springs pour piquer une tête, faire un brin de méditation transcendantale et regarder le soleil se lever sur les Rocheuses. « Le temps n'avait plus d'importance, raconte Browne, et on se bornait à manger, dormir et jouer au poker. » Mais, ayant frôlé de près la catastrophe, ils durent mettre brusquement un terme à leur tournée.

Si Clem jouait bien au poker, il lui restait encore à acquérir la subtilité de Bug pour dissimuler ses gains. « Quand j'ai commencé au poker, dit Browne, je ne misais que quand j'avais l'avantage. Mais quand on pique de l'argent aux gens, il arrive qu'ils s'énervent un peu. Un jour, je me suis fait vider d'une salle de jeu pour avoir joué trop petit, ce qui, en fait, était bon pour moi. Depuis, je suis plus détendu, je raconte des histoires, je plaisante, je mise de temps en temps sans avoir l'avantage, je lance une carte contre le mur et je demande à voir, je paie une tournée générale. Quand j'ai commencé à jouer à Spokane après ça, je suis devenu un habitué, un vieux pote qu'ils n'avaient jamais songé à mettre à la porte. »

Mais pendant sa dernière soirée à la salle d'Oxford, Clem, du Nouveau-Mexique, n'avait pas desserré une seule fois les dents et n'avait pas décollé de la able pendant deux heures d'affilée. Il finit par avoir une quinte impériale, la ombinaison la plus forte au poker. Il ramassa un bon paquet et se dirige droit vers la banque Autour des tables, on prononça les mots de tricheur » et de

« truqué ». Tout à coup, un ancien lutteur professionnel répondant au nom d'Emo se baissa et ramassa un neuf de trèfle sous la chaise de Doyne. « Je ne savais absolument pas d'où il pouvait venir, dit Browne. Mais on a dû discuter longtemps pour que cette carte ne sonne pas notre glas. De toute façon, il était temps de reprendre le chemin de la fac. »

Cet été-là, Norman Packard s'était également lancé dans le jeu et lui aussi suivait un livre, *Beat the Dealer* (Battre le croupier), d'Edward Thorp, qui expliquait un système pour compter les cartes que Norman et un partenaire mettaient en pratique aux tables de black-jack de Las Vegas. Après avoir discuté du projet avec Ingerson et calculé les probabilités, Norman pensait gagner dix mille dollars en deux mois.

La force du système de comptage des cartes de Thorp repose sur son ampleur. Thorp y était parvenu par un usage répété de simulations sur ordinateur. Alors qu'il enseignait au MIT (Massachusetts Institute of Technology), il avait programmé un mainframe IBM 704 pour calculer les variations des probabilités pour gagner au black-jack lorsque l'on distribue les cartes de haut en bas du paquet. « Il aurait fallu environ dix mille ans pour faire les mêmes calculs avec une simple calculatrice », écrivait Thorp à propos d'une machine qui avait fait le travail pour lui en trois heures.

Le système de Thorp se base sur le fait que les chances d'un joueur pour gagner au black-jack varient en fonction des cartes qui ont été distribuées au cours des tours précédents. Par exemple, la table gagnera plus souvent si les as sont déjà sortis. Permettant aux joueurs de profiter de ces variations de probabilités, Thorp mit au point un « système de comptage des points » et une « stratégie de base » de réponses optimales. En réagissant au mieux et en ne commettant aucune erreur, la stratégie du comptage des cartes de Thorp « suffit à donner au joueur une marge confortable de 3 % ».

Thorp sortit son livre au début des années 60 et fit beaucoup de bruit autour. Se servant d'un capital fourni par des joueurs professionnels, il s'était assis aux tables de black-jack de Las Vegas, encadré par des journalistes du *Time* et de *Life*. « Un prof bat les joueurs », annonçait un article dans *The Atlantic Monthly,* mais le *Scientific American* était moins enthousiaste sur les exploits de Thorp. « Le système, déclarait-il, ne favorisera que les riches oisifs. La marge fournie est tellement réduite qu'il faut un gros capital de départ et beaucoup de temps pour acquérir des gains substantiels. » Il y avait apparemment assez de « riches oisifs » dans le monde pour faire du livre de Thorp un best-seller et obliger les casinos à prendre leurs précautions contre les compteurs de cartes. Les directeurs de casinos instituèrent l'utilisation de plusieurs jeux de cartes pendant le même tour, décidèrent de battre les cartes entre chaque donne et écartèrent tout joueur soupçonné de compter les cartes, y compris Thorp.

Norman savait que l'application du système de Thorp à Las Vegas n'irait pas sans poser de problèmes. Il en discuta avec Len Zane, le beau-frère d'Ingerson, excellent compteur de cartes et président du département de physique de l'université du Nevada à Las Vegas. Zane fit part à Norman d'un système amélioré, mis au point par Lawrence Revere (un pseudonyme), et qui était spécialement adapté au comptage dans les casinos. « Comment s'y prendre avec les chefs de partie, comment gagner sans étonner la direction, tels sont, déclarait Zane, les éléments de base de toute méthode. » Il aida Norman à perfectionner sa tenue : lunettes noires, barbe, chapeau de paille à ruban rose.

Étant des joueurs à système, ni Norman ni Doyne ne se considéraient comme des vrais joueurs. C'étaient des scientifiques tirant partie des fluctuations stochastiques. Un système de jeu bien conçu est anti-entropique. Il repère les probabilités fluctuantes — variations des avantages ou des désavantages d'une partie en cours — et accumule des gains modestes mais non négligeables.

« Lorsque l'on applique un système, dit Norman, on ne peut pas " jouer ". Dès que vous " jouez " un tant soit peu, vous ne respectez plus le système. C'est pourquoi, aux yeux des joueurs, cette conception est ennuyeuse, inutile, stupide et enlève le plaisir du jeu. Pour eux, c'est la chance qui fait l'intérêt, alors qu'un joueur à système ne caresse pas de patte de lapin et n'a pas de coup au cœur quand il gagne. Son comportement est fixé d'avance et il doit agir comme un automate. »

Norman et son partenaire à Las Vegas, ancien camarade de classe de Reed du nom de Jack Biles, reportaient sur un graphique leurs évolutions du jour au casino. « Il y avait des fluctuations étonnantes, découvrit Norman. Pendant quatre jours d'affilée, la courbe des gains montait. On passait alors à des mises plus importantes et, à ce moment-là, la courbe montait encore plus ! Mais ensuite, elle déclinait invariablement, lentement mais régulièrement. »

Vers la fin de l'été, ils se rendirent au Club du livre de jeu : « Nous avons acheté tout ce qu'on trouvait sur les jeux de cartes à Las Vegas. Nous avons fini par arriver à la conclusion que l'on nous roulait. On peut repérer cela par des manœuvres caractéristiques de la part du donneur et quand nous avons compris ce qu'il fallait regarder, nous avons reconnu tous les signes de manière flagrante.

« Au total, c'est à peine si nous nous y retrouvions. Cela signifie que notre système fonctionnait dans une certaine mesure parce qu'un joueur de black-jack typique perd à un taux de 12 %, ce qui est énorme. Nous ne perdions pas aussi vite que cela, mais nous ne gagnions pas non plus. »

Découragés par leur manque de chance, Norman et Jack firent leur dernière partie et s'arrêtèrent pour boire un verre dans un des casinos du Strip. Ils étaient assis au bar et discutaient de la possibilité de battre la table à d'autres jeux que le black-jack. Texan à lunettes cerclées d'or, Biles cligne des yeux et bégaie d'excitation dès qu'il y a des idées nouvelles. Confus dans ses propositions, les soutenant et les abandonnant sans plus y penser, il déclara : « Je te parie qu'on peut battre la roulette en s'appuyant sur la physique. » Il y eut un long silence. Norman se caressait la barbe. « T'as raison, dit-il enfin. S'appuyer sur les lois de Newton et trouver un moyen d'entrer les informations initiales. C'est de la physique classique. »

« Au dos de son livre, raconte Norman, Thorp annonce dans une ou deux phrases hermétiques qu'il avait inventé un système pour battre la roulette mais qu'il n'avait pas réussi à l'appliquer. En lisant ça, je m'étais dit que c'était du bluff. La roulette est un jeu de hasard. On ne peut inventer aucune méthode qui puisse gagner. Mais en relisant Thorp, nous nous sommes rendu compte qu'on pouvait peut-être mettre au point une façon de *prévoir* et c'est bien de cela qu'il parlait. »

Décidés à vérifier leur intuition selon laquelle la roulette est un jeu où l'on peut prévoir, Jack et Norman empruntèrent un magnétophone et le fourrèrent dans un sac en plastique. En restant près des roulettes dans plusieurs casinos, ils branchaient le micro du magnétophone chaque fois que la bille passait devant un point fixe. Après avoir retranscrit ces *clic* sur du papier millimétré, ils s'aperçurent qu'effectivement la bille avait une décélération, tombait et atterrissait d'une manière régulière. Excités par leur découverte, ils se dirent a posteriori que jouer au black-jack et au poker était une prétention naïve. Il était évident qu'il fallait s'attaquer à la roulette.

« J'avais rendez-vous avec Norman à la fin de l'été, dit Doyne, et nous devions comparer nos observations sur nos expériences de jeu. Lorsque je l'ai retrouvé à la gare des Greyhounds de Portland, il avait encore son chapeau de paille et tout son accoutrement de compteur de cartes. Loin d'être battu par ses pertes au black-jack, il ne parlait que d'une chose : battre la table à la roulette. Je lui ai dit qu'il perdrait son temps, mais il a tellement insisté qu'il a fini par me convaincre de me pencher aussi sur la question.

« J'ai pensé que quelqu'un pouvait fixer la bille et faire un clap au moment où elle passait devant un point fixe. Je me suis basé sur un dixième de seconde pour la précision humaine. Ensuite, j'ai griffonné des calculs rapides pour voir le taux d'erreur que cela donne pour savoir où la bille va s'arrêter. La marge d'erreur s'étend dans le temps, mais à ma grande surprise, les calculs donnaient de bons résultats. Il était théoriquement possible de prédire la position finale de la bille à quelques numéros près. C'est en comprenant cela que j'ai commencé à m'intéresser à la roulette. »

Norman, Jack et Doyne passèrent trois jours sur le problème. Comment faire pour chronométrer la bille et entrer les informations ? Pouvaient-ils avoir des boutons au fond de leurs poches et garder leurs mains à l'intérieur, ou bien se servir de leurs orteils ? Pouvaient-ils avoir un laser pour lancer un rayon infrarouge qui intercepterait la course de la bille ? Est-ce que les ultrasons pourraient la suivre avec une espèce d'effet Doppler ? « Nous avons écarté un grand nombre d'idées, raconte Doyne, et nous avons décidé de tenter le coup sur le projet. »

Dans les débuts de la division du travail, Jack et Norman entreprirent de construire une horloge électronique qui analyserait leurs informations enregistrées sur magnétophone. De retour à Santa Cruz, Doyne et Dan Browne étudieraient la possibilité du projet. Leur recherche initiale était centrée sur les problèmes de sauts et de rebonds. Les sauts résultent du fait que la bille, après avoir quitté son orbite, voit parfois sa course interrompue par les losanges de métal, ou galets, qui se trouvent sur le plan incliné, ou carcasse, de la roulette. Le rebond fait référence au fait que la bille saute d'un trou à l'autre sur le disque central ou cylindre, avant de s'arrêter définitivement. Le rebond et le saut tendent à augmenter l'effet du hasard, et l'un comme l'autre, s'ils sont exagérés, pourraient provoquer une faille dans les calculs de Doyne, par ailleurs fort encourageants.

Pour observer de plus près des roulettes en action, Doyne et Dan Browne allèrent de Santa Cruz jusqu'à South Lake Tahoe en voiture. « Pour notre premier contact avec les casinos, raconte Browne, nos buts principaux étaient : un, de déterminer exactement ce qui se passait à une table de roulette dans un casino et deux, de faire quelques observations, de prendre quelques informations si vous voulez, sur les sauts de la bille. Combien de cavités sautait-elle en général avant de s'arrêter ? Alors, calepin en main, nous volions de casino en casino, observions la roulette, prenions des notes. Doyne répertoriait exactement l'endroit où la bille touchait les numéros et moi, je notais celui où elle s'arrêtait. Puis nous changions les rôles et répétions le processus, jusqu'à ce que finalement nous, ou l'un de nous, ait vu tellement de roues tourner, et de numéros rouges, et de numéros noirs, et de petites boules blanches sans parler des filles du keno, qu'il n'avait plus les yeux en face des trous.

« Avec l'obsession de réunir le plus grand nombre d'informations dans les casinos, dit Doyne, nous mémorisions une suite de dix numéros, puis nous filions aux toilettes pour les écrire. Ce n'est que plus tard que nous avons remarqué qu'un tas de gens étaient en train de calculer des systèmes mathématiques sur leur calepin et qu'on avait l'air encore plus suspects en disparaissant aux toilettes toutes les dix minutes. »

Lorsqu'ils reportèrent toutes ces données sur des courbes en rentrant à Santa Cruz, ils découvrirent la possibilité de profiter d'un net avantage sur la table. Le hasard intervient sous forme de sauts et de rebonds, mais pas au point de supprimer la possibilité de prévoir le point d'arrivée de la bille. Il y en a beaucoup qui passent entre les galets du plan incliné fixe. D'autres atterrissent dans une case pratiquement sans hésiter. Même lorsque la course d'une bille est modifiée, on peut encore prédire assez précisément son point d'arrêt.

« Ces premières informations étaient grossières mais très importantes, dit Browne. Elles montraient qu'en moyenne, la bille ne rebondissait que sur un quart ou un tiers de sa course autour de la piste. Si l'on arrivait à construire une machine capable de prévoir à quel moment la bille allait quitter la piste circulaire — problème de physique difficile, mais clair —, on pourrait battre la roulette.

Remarquez, on était à cent lieues de savoir réaliser une telle machine, mais nous étions sûrs qu'elle existait, en tout cas dans le domaine du possible. »

Au printemps suivant, ils retournèrent dans le Nevada. « Doyne et moi, on a pris mon break Opel pour aller chez Paul, un magasin d'articles de jeux à Reno. Nous avions entendu dire que Paul fabriquait des roulettes professionnelles, qu'il restaurait les vieilles, et que c'étaient les modèles standards utilisés à Reno et à Las Vegas. Nous sommes partis de Santa Cruz de bonne heure pour arriver à Reno vers Midi et aller directement à l'atelier de Paul. On lui a raconté qu'on avait besoin d'une roulette pour une fête de charité. Je doute fort qu'il ait cru à notre histoire, mais par contre je suis certain qu'il n'avait pas la moindre idée de ce à quoi on allait utiliser l'instrument. Il nous a montré tout ce qu'il avait, et, désignant le meilleur modèle refait, on lui a dit : “ On va prendre celle-là. ” »

Fabriquée à Detroit, incrustée de teck, d'ébène, d'acajou et autres bois exotiques, c'était une machine à régulation B. C. Wills. Pour cet excellent modèle que Paul venait de refaire, et la caisse en bois, ils payèrent quinze cents dollars cash. « Il nous a trouvés bizarres, raconte Doyne, parce que la seule chose qui nous importait était l'état de la piste. »

« Paul nous a fait un long discours, dit Browne, sur cette roulette de première qualité, sur sa mécanique traditionnelle, précise, sur les douze essences de bois africains, mais ça ne m'empêche toujours pas de penser que, pour ce prix-là, elle aurait pu avoir quatre pneus et un volant. »

De retour à Santa Cruz, ils emballèrent l'objet et le firent transporter à Portland, dans l'Oregon, où Jack et Norman devaient l'étudier avec leur horloge électronique. Elle arriva jusqu'à Oakland, mais là, le transporteur téléphona pour dire qu'il y avait un problème au déchargement. Doyne prit sa voiture, alla dans la Bay Area et, sur le quai, deux agents du FBI l'attendaient ; ils lui dirent que l'embarquement de matériel de jeu destiné à franchir des frontières entre États était une affaire de leur ressort. Doyne protesta, arguant qu'une roulette comme celle-ci, incrustée de douze essences de bois africains, n'était qu'une pièce de collection et il arriva à les convaincre de lui laisser l'emporter à Santa Cruz.

Ayant réussi ses examens de printemps, Doyne était censé faire des recherches pour une thèse sur l'astrophysique. « J'essayais de comprendre la question de la formation de galaxie dans la cosmologie Hoyle-Narlikar. Au départ, on a un univers, et ça fait “ bang ”. On a alors une matière distribuée de manière homogène, partout, et on veut la grouper en galaxies. Mais quand on calcule la vitesse à laquelle les choses devraient se regrouper, elles ne vont pas assez vite. C’est un test important pour une cosmologie de voir si elle explique la formation de galaxies sans avoir à recourir à quelque chose d’aussi tiré par les cheveux que les trous noirs originels par exemple. »

L’étude de la physique se divise en divers domaines définis pour des raisons structurelles ou intellectuelles. « Si l’on veut être à l’avant-garde philosophique de la physique, explique Doyne, on se lance dans la physique des particules. C’est une branche ésotérique tout à fait révolutionnaire qui est cependant solidement installée. Elle est abstraite. Les gens à l’esprit concret se dirigent vers la physique des solides. » Le moins concret et le plus romantique de tous les domaines de la physique, c’est la cosmologie. Plus tard dans sa carrière, Doyne allait avoir la chance de passer du romantisme à la révolution. Avec plusieurs collègues de Santa Cruz, il allait se trouver au centre de ce que Thomas Kuhn appelle un changement de paradigme : une remise en question radicale des catégories utilisées dans la conception de la physique. Mais, pour le moment, même le romantisme ne marchait pas bien. Doyne s’ennuyait à la fac et était distrait. Bien plus intéressante pour lui que Hoyle-Narlikar se posait la question de la formation de galaxies dans le cosmos de la roulette.

Assistant à Cowell College, une des facultés dispersées dans les forêts de séquoias de l’université de Californie à Santa Cruz, Doyne vivait dans deux pièces dépendant d’un foyer. « Le gros problème pour faire des expériences chez Doyne, dit Browne, était de cacher la roulette. Nous ne voulions pas que quelqu’un découvre ce que nous faisions. Mais, avec des gens qui n’arrêtaient pas d’entrer et de sortir, il n’était pas simple de camoufler un cendrier d’un mètre de diamètre. »

Le problème se corsa lorsque la mère de Doyne vint lui rendre visite pendant une semaine, de Fort Smith, Arkansas, où elle venait de s’installer avec son mari et d’ouvrir une pâtisserie pour mettre à profit ses recettes secrètes et les innovations en techniques culinaires du mari. Bavard appréciant une bavarde, Dan Browne décrivit Mrs. Farmer comme « une femme agréable, aimable, un peu cinglée, vive, un vrai moulin à paroles, tout en haut du registre des ondes de haute fréquence, et probablement incapable de tenir sa langue, surtout sur un projet aussi extravagant que le nôtre ».

Chaque soir, Doyne et Browne emmenaient la roulette jusqu'au laboratoire de physique auquel Doyne avait accès en tant que chef assistant responsable de l'installation des expériences de jour. Ils travaillaient alors de huit heures du soir jusqu'à trois ou quatre heures du matin. Avec l'horloge électronique de Norman, des détecteurs à infrarouges et un filmage accéléré, ils mesuraient les forces physiques qui interviennent dans la roulette. La trajectoire, la décélération, les sauts et les rebonds de la bille et sa position par rapport au cylindre en rotation, tout cela était quantifié pour permettre une prévision physique précise.

« J'ai d'excellents souvenirs de ces longues soirées passées au laboratoire de physique, dit Browne. Après ça, on prenait un bain de minuit dans la piscine de l'université et on arrivait chez Farrel juste au moment où les beignets à la cannelle sortaient du four. Nous n'avons eu qu'une sérieuse alerte pendant tout le temps où nous avons dû trimbaler notre caisse sur le campus. Un gardien du nom de Fred Faria, qui appelait Doyne " Monsieur le Professeur " avait une envie folle de savoir ce que nous fabriquions tous les soirs au laboratoire de physique. Il a fini par nous surprendre à un moment où la roulette était découverte. Il a été impressionné mais pas particulièrement surpris. Il a dû se dire que nous avions organisé un cercle de jeu pour payer nos études. Rien d'extraordinaire. »

Tandis que ses résultats universitaires passaient d' « excellents » à « satisfaisants », Doyne finit par aller voir son directeur de thèse : « Je lui ai dit ce que j'étais en train de faire, que je n'étais plus intéressé par l'astrophysique en ce moment et que je voulais prendre un an pour m'occuper de la roulette. Je lui ai expliqué que, si j'étais moins assidu depuis quatre mois, c'était que je passais tout mon temps à travailler sur ce qui me passionnait. »

George Blumenthal, le directeur de thèse de Doyne, se montra compréhensif. Il regarda les équations et jugea que ça se présentait bien. Il raconta à Doyne sa propre carrière de compteur de black-jack, qui avait été brusquement interrompue par un croupier qui trichait.

Un peu plus tard au printemps, un groupe se réunit chez Doyne : c'étaient les gens décidés à travailler tout l'été à construire une machine à prédiction capable de battre la roulette. Norman Packard et Jack Biles arrivèrent de Portland pour rejoindre Dan Browne, qui campait déjà à Santa Cruz et dormait par terre chez Doyne. Un autre étudiant en physique, John Boyd, vint de Moscow, Idaho. Le seul littéraire parmi eux était Steve Lawton, un ami de Doyne et Letty du temps de Stanford, au début de leurs études.

Grand garçon à la calvitie naissante, sociable et plus athlétique que son air dans les nuages ne le laissait supposer, il était spécialiste de littérature utopiste. Il venait de constituer un groupe de lecture sur ce sujet et, lorsqu'il ne servait pas de grouillot pour des virées d'achats à Silicon Valley, il lançait des discussions sur la meilleure façon d'organiser des communautés utopistes. Un mélange de théorie et de pratique caractérisait la vie dans l'appartement de Doyne pendant les premiers temps de ce qui reçut le nom de code de « Projet Rosetta Stone », ou « Projet » en abrégé.

« Je pensais beaucoup à une communauté, dit Doyne. Comment rassembler des gens et faire quelque chose ensemble ? On voulait établir un réseau de personnes en qui avoir confiance et acquérir du matériel. On a lancé le Projet en pensant que ce serait un moyen d'organiser une communauté de ce genre. Cela permettrait de financer un pied-à-terre pour tous. Peut-être que je ne serais pas à la maison très souvent, mais c'est bien d'avoir un endroit où aller quand on revient. Autrement, c'est dingue de vivre dans cette société où les gens se trimbalent à Philadelphie ou à Tombouctou uniquement parce que c'est là que se trouve leur boulot. Il doit y avoir une meilleure façon de passer sa vie là où on en a envie et de rester en rapport les uns avec les autres.

« On considérait cette histoire de roulette comme un moyen de se faire de l'argent pour nous permettre de financer d'autres projets intéressants, précise Norman. Déjà à l'époque de Silver City, on avait pensé à démarrer une société pour financer nos projets d'électronique, voyager dans les pays lointains et étudier la physique. Mettre sur pied une communauté qui nous permettrait de réaliser les fruits de nos idées, c'était un vieux rêve. »

Tom Ingerson, qui avait pris une année sabbatique pour aller à l'observatoire de Cerro Tololo à La Serena au Chili, passait son temps à repérer des corps astraux, connus sous le nom de Seyferts, dans le ciel nocturne de l'hémisphère sud. Il était souvent question de lui dans les discussions du début et de l'esprit dans lequel il menait sa vie, mais ses conseils pratiques mettaient plus longtemps à arriver par la poste. En de longues épîtres remplissant recto verso cinq feuilles dactylographiées, et parfois davantage, il mêlait la philosophie et la physique, et faisait de nombreuses suggestions concrètes qui furent plus tard adoptées par ceux qui participaient au Projet.

Dans l'immédiat, leurs tâches allaient de la recherche de base à la conception et à la construction d'un ordinateur. Ils avaient besoin d'investisseurs, de tuyaux pour obtenir des crédits, d'un compte en banque, de fournitures. Qui pourrait prendre la tête du projet et de quelle manière rétribuer, à la fin, tous ceux qui y auraient investi du temps ou de l'argent ? Ils commencèrent par aller chercher des formulaires pour l'enregistrement. En dépit de son statut officiel, la société devait être gérée démocratiquement, toutes les décisions prises à l'unanimité et tous les profits à venir partagés équitablement entre investisseurs et travailleurs.

« On avait besoin d'une façade pour traiter avec le monde extérieur et entreprendre quoi que ce soit, acheter du matériel électronique par exemple, dit Norman. Il fallait une raison sociale avec un compte en banque et une comptabilité parce que l'on essayait d'être sérieux avec l'argent. On gardait très présente dans la tête une image bien précise : les bénéfices. On voulait calculer exactement qui aurait quoi, pour qu'il ne puisse pas y avoir de conflits par la suite quand le Projet rapporterait des centaines de milliers de dollars. »

En feuilletant le dictionnaire, Doyne tomba sur le mot *eudémonisme.* Aristote postule l'existence de nombreux démons, ou génies, parmi lesquels son préféré était l'eudémon, le bon démon, ou génie de la rationalité. L'eudémonisme décrit le bonheur particulier auquel on accède grâce à une vie rationnelle et active. Le dictionnaire de Doyne donnait comme définition : « État de félicité ou de béatitude auquel on accède par une vie en accord avec la raison. » Soumis au vote et en concurrence avec « Utopian Ventures » et « Amphibian Productions », le nom de « Eudaemonic Enterprises » fut choisi à l'unanimité pour baptiser la nouvelle société.

Ne disposant encore à ce stade de son existence ni de capital, ni de réserves constituées, ni d'appui financier d'aucune sorte, tout ce que les Eudaemonic Enterprises pouvaient offrir à leurs travailleurs-propriétaires en matière de paiement était une part des bénéfices à venir. Cette part serait prélevée sur quelque chose qui portait le nom de « Gâteau eudémonique ». Constitué de la totalité des gains futurs, le Gâteau serait coupé en portions dont la taille varierait en fonction du nombre d'heures ou de la somme d'argent consacrées au Projet. Tous les travaux, depuis la construction des microcircuits jusqu'au lancer de la bille de roulette seraient rémunérés de la même façon. Quant aux conseils pour la conception du matériel, aux comptes rendus techniques de la physique mise en œuvre, ou aux suggestions concernant l'efficacité du Projet qui pourraient venir de l'extérieur, ils seraient également comptabilisés et payés par un morceau de Gâteau en fonction du nombre d'heures. Personne ne doutait que ce mets conceptuel serait un jour assez riche pour nourrir tous ceux qui avaient participé à sa réalisation.

Les Eudaemonic Enterprises prévoyaient même la fabrication d'un grand nombre de gâteaux. Le Projet Rosetta Stone procurerait le capital pour lancer d'autres aventures, celles-ci allant de la conception de dirigeables et de cubes sans poids, jusqu'à la construction de maisons énergétiques et d'une bibliothèque de prêt d'ouvrages utopistes. L'argent gagné à la roulette permettrait également d'acheter du terrain dans la chaîne côtière de l'État de Washington ou en Californie. Là, les E. E. élaboreraient leur propre utopie : une commune technologique d'amis et de matériel réunis dans le but de mettre la science au service de l'homme. Entre deux séjours à Tombouctou ou à Philadelphie, tous les eudémonistes auraient un endroit où ils pourraient se sentir chez eux.

« L'assemblée de tous les Projeteurs était un heureux événement, dit Norman. Nous étions surexcités et prêts à mener à bien cette tentative prometteuse qui, bien plus qu'une simple idée farfelue pour passer l'été, était une possibilité d'ouverture sur de nouveaux niveaux de la vie. »

Tout en discutant des fruits de l'eudémonisme, les Projeteurs se mirent de façon concrète au travail en étudiant la roulette. « On a commencé par une minutieuse étude pour déterminer si le projet était réalisable, dit Doyne. Il fallait comprendre la trajectoire de la bille, puis cerner les problèmes des sauts et des rebonds. En même temps, on devait commencer à chercher le matériel électronique nécessaire pour construire l'instrument. Quel genre d'ordinateur fallait-il fabriquer pour entrer des informations et sortir des prévisions ? » C'était le problème ultime des équations elles-mêmes. Quel algorithme pourrait intégrer toutes les forces du jeu avec suffisamment de précision pour en prédire l'issue ?

Lorsqu'ils ne passaient pas leurs nuits à travailler au labo de physique, les Projeteurs dormaient par terre chez Doyne ou dans les bois du campus. Tom Ingerson avait donné le Blue Bas à Doyne comme cadeau de diplôme, et Norman s'y était installé avec Lorna Lyons, une amie qui était venue le voir de Portland. Solide et bien bâtie, Lorna a un visage qui, sous certains angles, rappelle un portrait de Léonard de Vinci, mais sa voix est plus américaine. Imaginez le ton d'un commentateur de la Bourse de Chicago pour parler du sexisme ou des drogues et de leurs effets sur le psychisme. Sillonnant le campus pour passer sur tous les parkings — de courte ou de longue durée — de l'université, Lorna et Norman entamaient là une aventure qui allait s'avérer durable.

Plus tard cet été-là, quand le professeur Nauenberg du département de physique loua à Doyne sa maison de Laurent Street, les Projecteurs se retrouvèrent plus au large dans un logis dominant la baie de Monterey. Ils répartirent les tâches entre eux de la façon suivante : Dan Browne, Steve Lawton et John Boyd entreprenaient l'étude physique de la trajectoire et des sauts de la bille. Norman Packard et Jack Biles faisaient les recherches concernant l'ordinateur et les pièces (le hardware). Doyne Farmer analysait les informations et établissaient les équations de la roulette. « On pensait avoir terminé vers la fin de l'été, dit Norman. Certainement que pour Noël, tout serait prêt à fonctionner dans les casinos. » Mais battre la roulette se révéla plus difficile que Norman ne l'avait imaginé. Son estimation était exagérément optimiste et il avait un an d'avance. Ce n'est qu'à Noël de l'année suivante qu'ils arrivèrent au Nevada avec leur premier ordinateur.

Soigneusement entretenu et huilé, le cylindre d'une roulette connaît peu de variations dans sa vitesse de rotation. La bille, par contre, a de nombreuses occasions de subir une modification entropique. Lorsqu'elle tombe de son orbite et décrit un arc de cercle pour se rendre à son rendez-vous avec le cylindre en rotation, elle traverse un véritable champ de mines piégé. Elle affronte la résistance de l'air, le frottement et l'inévitable force de gravité. L'analyse de la trajectoire de la bille serait cependant encore relativement simple sans les complications supplémentaires. Plusieurs losanges métalliques placés horizontalement ou verticalement — les galets — décorent le plan incliné de la carcasse d'une roulette. Les Projeteurs s'aperçurent que, lorsqu'elle heurte un galet, la bille est déviée, soit vers le haut, soit vers le bas où, en heurtant le cylindre, elle subit encore plus d'interférences de la part des cloisons métalliques qui séparent les cases.

« Il y a plusieurs questions qui doivent être résolues avant de savoir si oui ou non on peut prévoir l'issue de ce jeu, explique Norman. Il faut d'abord se demander si le mouvement du cylindre tout seul est prévisible ; c'est-à-dire, si l'on entre deux *top* dans l'ordinateur, celui-ci pourra-t-il déterminer la position du cylindre après plusieurs révolutions ? Il est clair que si l'on entre les *top* avec une précision suffisante, l'ordinateur en est capable ; mais il convient alors de savoir si les *top,* plus les erreurs commises à cause du manque de réflexe de l'être humain, sont *encore* assez précis pour permettre une prédiction.

« Ensuite il faut se poser la même question pour la bille : lorsqu'elle tourne sur la piste, est-ce qu'elle ralentit de manière uniforme ? Si la piste est rugueuse ou irrégulière, ce ne sera probablement pas le cas. Enfin la dernière question, qui est la plus importante : dans le cas où l'on pourrait prévoir le mouvement du cylindre et celui de la bille de manière à savoir exactement *où* et *quand* la bille va descendre et *où* exactement elle va toucher le cylindre — à supposer que l'on s'en donne les moyens —, que va-t-il se passer après ? Il se passe qu'après, la bille rebondit beaucoup. Et si elle rebondit trop, tout le pouvoir de prévision qui s'est exercé jusqu'alors n'a plus de raison d'être. »

Installée dans le sous-sol et couverte de petits appareils électroniques, la roulette B. C. Wills fut soumise à une série de tests qui la firent ressembler à un malade cardiaque en salle de réanimation. La partie expérimentale du Projet commença par l'installation de résistances photo-électriques tout autour. Réagissant à de petites ampoules fixées à la piste, les résistances enregistraient la trajectoire de la bille lorsque celle-ci roulait. « Quand on faisait les expériences la nuit, dit Doyne, ça ressemblait un peu à Halloween, mais on n'arrivait toujours pas à obtenir des signaux assez intenses pour déclencher le timer sur l'horloge de Norman. »

Ensuite ils découvrirent les optrons : de minuscules appareils sensibles aux infrarouges qui fonctionnaient à courte distance comme un radar. Ils étaient équipés de diodes luminescentes qui brillaient d'une magnifique couleur rubis au moment où la bille passait à leur niveau. « On en a installé huit autour de la roulette, dit Doyne. À cause de l'enchevêtrement des fils branchés sur les optrons pour alimenter un amplificateur et le relier ensuite à l'horloge de Norman, chaque poste était à peu près de la taille d'un paquet de cigarettes. Les optrons se déclenchaient dès que la bille passait devant eux. En notant le temps que la bille mettait pour aller de l'un à l'autre, on obtiendrait facilement sa vitesse avec l'ordinateur. »

Les Projeteurs mesurèrent les sauts et les rebonds de la bille au moyen d'un appareil qu'ils appelaient la guillotine. Cet instrument était composé d'un échafaudage auquel était suspendus une caméra et un flash stroboscopique. L'appareil photo, le flash et l'horloge de Norman étaient déclenchés par un second amplificateur qui captait le bruit de la bille chaque fois qu'elle touchait le métal. Ces films gardaient la trace du premier heurt et de l'arrêt de la bille sur le cylindre. En reportant sur deux axes cette relation entre heurt et arrêt, on peut tracer la courbe du décalage moyen de la bille, soit vers l'arrière, soit vers l'avant par rapport à la carcasse de la roulette.

Ce graphique d'une répartition de fréquence est connu en statistique sous le nom d'histogramme. Les variations de comportement sont reportées sur l'axe des abscisses et la fréquence à laquelle elles se produisent sur l'axe des ordonnées. Outre celui qui représente le rapport *heurt-arrêt,* un autre histogramme d'un intérêt évident pour les Projeteurs, surtout une fois que leur ordinateur serait terminé, enregistrerait le décalage de la bille vers l'avant ou vers l'arrière par rapport au numéro prévu. Tout au long de l'histoire du Projet, ils allaient établir des centaines de ces histogrammes *prévu-réel.*

Dans les premiers histogrammes *heurt-arrêt,* où seul le comportement de la bille était étudié, l'amplitude de décalage dans l'une ou l'autre direction était insignifiante. Le Projet ne s'occupait que de ce qui était significatif. « Ce que nous cherchions à voir avec cette information, dit Norman, c'était s'il y avait un pic aigu, une tendance de la bille à se décaler avec régularité dans l'une ou l'autre direction. Mais nous obtenions quelque chose qui avait davantage l'aspect d'une bosse. À la roulette, la prévisibilité est inversement proportionnelle à l'amplitude de la bosse. Si celle-ci s'étendait sur plus de dix-neuf chiffres, c'est-à-dire plus de la moitié de la roulette, il deviendrait très difficile de prévoir l'endroit où la bille allait s'arrêter. »

Les Projeteurs étudièrent aussi la nature des billes de roulette elles-mêmes. Celles-ci sont fabriquées dans des matériaux comme l'ivoire ou l'os humain, ou, plus souvent, des matières telles que le nylon, le Téflon, l'acétate, ou le composé des boules de billard américain. Les propriétés de ces différents matériaux sont sensiblement variables. Le Téflon a une décélération 100 % plus grande que le composé des boules de billard, et le nylon, lui, rebondit plus que les autres. À Las Vegas, la bille standard est en acétate, ce qui était heureux pour l'équipe d'expérimentateurs car, réfléchissant très bien les rayons infrarouges, les billes d'acétate sont faciles à suivre.

« Tout en rassemblant des informations, dit Doyne, je réfléchissais beaucoup à la théorie de la roulette. À quel genre d'équation correspond la bille de roulette ? Une bille roulant sur une piste circulaire ne pose aucun problème, mais dans les cours de physique, on n'étudie pas beaucoup les frottements. Il est rare que l'on dépasse le schéma incroyablement simpliste qui prend en considération soit le frottement statique, soit le frottement dynamique. J'avais supposé que le frottement le plus important se produisait entre la bille et la piste jusqu'au moment où j'ai pensé au frottement de l'air, qui est proportionnel au carré de la vitesse. J'ai fait une estimation de ce coefficient de frottement et j'ai eu la surprise de m'apercevoir que ce type de friction est le principal facteur provoquant le ralentissement de la bille. »

Ensuite, les Projeteurs découvrirent l'importance de l'inclinaison. Une roulette idéale tourne sur un plan parfaitement à niveau, surface qui n'existe dans aucun casino en ce bas monde. Ayant installé la leur sur des vérins en acier, ils avaient passé des heures à la mettre à niveau en essayant d'atteindre la perfection. « Je me suis alors livré à un petit calcul, ajoute Doyne. Étant donné une quantité $x$ d'inclinaison sur la piste, comment agit-elle sur le ralentissement de la bille ? Il s'avéra qu'une inclinaison de deux millimètres suffisait à modifier d'une manière significative l'endroit auquel la bille quittait la piste. Il est très difficile de régler le niveau de la roulette à deux millimètres près. Il devenait donc évident que l'inclinaison allait également jouer un rôle important dans la prévision. »

Une fois établies ces variations dans l'inclinaison, les rebonds, les sauts et le frottement, les Projeteurs trouvèrent plusieurs failles dans l'univers de la roulette lorsqu'ils en louèrent une deuxième dans un magasin de San Francisco. Installée sous la guillotine pour être photographiée avec une pellicule très rapide, la roulette révéla deux nouvelles singularités. Celle de San Francisco n'était plus qu'une épave par rapport à ce qu'elle avait été. Il y avait du jeu dans l'axe central, et elle ralentissait plus vite que la B. C. Wills. La piste était toute grêlée, du coup la bille ralentissait plus vite et descendait plus tôt. Cela signifiait que l'algorithme définitif de précision, s'il était suffisamment souple pour prendre en compte des différences telles que celles-là, exigerait ce que l'on appelle en physique des *paramètres ajustables.*

« Après avoir loué la deuxième roulette, expliqua Doyne, nous avons compris que les paramètres seraient différents selon les roulettes avec lesquelles nous allions jouer. Je n'avais donc plus qu'à établir des fonctions mathématiques pour ces paramètres qui seraient ensuite ajustables. Et ensuite, il fallait que je trouve un moyen pour concevoir le programme de l'ordinateur de telle sorte qu'il puisse changer ces paramètres chaque fois que nous jouerions avec une nouvelle roulette. »

Doyne n'isola pas moins de cinq variables nécessitant un ajustement. Il y en avait déjà deux rien que pour la bille : une pour mesurer le taux de décélération et la seconde pour établir la vitesse même à laquelle elle descendait de la piste. Il appelait le premier, *paramètre de décélération de la bille,* et le second portait le nom de *paramètre du moment de chute.* Ceux-là variaient en fonction du genre de bille, de la courbure et de l'état de la piste elle-même. Une autre variable mesurait le taux de ralentissement des trous du cylindre.

Les deux derniers paramètres déterminaient l'inclinaison ou, donnant une indication approximative de sa magnitude, décalaient la prévision vers le haut de la roulette, car c'est dans cette partie que la bille tend à quitter la piste.

Pendant que les équations de la roulette étaient mises au point en détail, une autre équipe, dirigée par Norman Packard et Jack Biles, s'occupait de leur mise en application. C'était bien d'avoir une roulette clignotant de tous ses optrons mais il fallait quelque chose de plus subtil pour jouer à la roulette à Las Vegas. Attiré par les technologies exotiques, Jack suggéra de se servir de lasers ou de radars. Mais une solution plus simple consistait à utiliser des microcommutateurs actionnées par les doigts ou les orteils. Deux clics enregistrant les passages successifs de la bille devant un point de référence fixe détermineraient sa position, sa vitesse et son taux de décélération. « À supposer, comme disait Norman, que nous ayons les réflexes nécessaires. »

Les Projeteurs se livrèrent à une série de tests auxquels ils donnaient le nom d'expériences Homme contre Machine, menées avec une installation de coordination œil-orteil qui faisait également fonction de machine à rétro-action biologique pour l'amélioration des réflexes humains. En chronométrant la bille en train de tourner sur la piste, les humains appuyant sur leurs microswitchs se trouvaient en compétition avec les optrons. Les humains perdirent, bien sûr. Mais leurs performances n'étaient pas désespérantes. Prouvant que les plus sportifs réussissaient mieux que les purs cérébraux, les résultats étaient encourageants : avec un bon entraînement, un humain serait capable de faire fonctionner les microcommutateurs. Sans savoir à quoi ressembleraient un ordinateur pour roulette ni son programme définitif, les Projeteurs décidèrent en théorie que le système devrait être manipulé par une équipe de deux personnes. Un preneur de données se tiendrait près de la roulette, passerait quelques minutes à ajuster les paramètres nécessaires et à chronométrer la bille et le cylindre. Un joueur, qui en apparence n'aurait aucun lien avec le premier, resterait à l'autre bout de la table tout en étant relié en fait à l'ordinateur par radio ou quelque autre procédé, il recevrait ainsi les instructions et les appliquerait pour faire de grosses mises.

À la recherche d'interfaces de sortie et d'un périphérique permettant d'assurer la liaison entre le preneur d'informations et le joueur, les Projeteurs écrivirent à des fabricants de prothèses auditives et rassemblèrent des brochures sur la technologie des ultrasons. Ils se rendirent dans une société de fournitures hospitalières pour assister à la démonstration d'un matériel d'électrochocs. Ils songèrent à des lunettes polarisées, à des détecteurs au laser, à des diodes lumineuses camouflées dans des bracelets-montres, et à des ondes radio de toutes les fréquences possibles. Trouver la liaison idéale — fiable et non repérable par les casinos — devrait exiger des trésors d'imagination.

Travaillant jour et nuit, avec la guillotine, les films accélérés, les optrons et les histogrammes, le Projet accumula une masse de documentation allant de la résistance de l'air à la perception humaine. En tant que théoricien en chef, Doyne était censé tout digérer. Son rôle consistait à isoler les équations de mouvement gouvernant chaque partie du fonctionnement, puis de les intégrer en une équation de synthèse, ou algorithme, capable de fournir la prévision. C'est à ce stade que Doyne, pour la première fois de sa vie, eut recours à l'ordinateur.

« Jusque-là, dit Norman, il avait mis un point d'honneur à ne jamais se servir d'un ordinateur. Les physiciens méprisent les gens qui ont l'esprit calculateur, catégorie représentée par le technicien. Ce mépris vient du fait que la véritable compréhension d'un problème de physique ne dépend pas des nombres ou des quantités spécifiques à tel ou tel cas. Je ne pense pas que Doyne ait même jamais employé de calculatrice pour ses travaux. Il a toujours préféré un papier et un crayon. »

D'autres membres du groupe qui, sans les connaître parfaitement, étaient initiés à plusieurs langages informatiques amenèrent Doyne à l'ordinateur. Travaillant sur un PDP 11/45 de l'université construit par la Digital Equipment Corporation, il mit une semaine à programmer en BASIC. Plus tard, Doyne et d'autres physiciens avec qui il travailla à Santa Cruz allaient passer maîtres dans cette technologie nouvelle, mais déjà à ce stade, il fut impressionné par ce que les ordinateurs pouvaient faire. Des choses simples mais essentielles, comme simuler l'erreur humaine par exemple.

La recherche eudémoniste se déroulait dans l'ambiance décontractée particulière à cette partie du monde. Des bains de soleil nus sur la terrasse alternaient avec des coups de téléphone à Advanced Kinetics à Costa Mesa, American Laser System à Goleta, Automation Industries à Danbury, Connecticut, Arenberg Ultrasonics à Jamaica Plains, Massachusetts et Hewlett-Packard de Sunnyvale, en Californie, dont le cousin de Norman Packard, David, était président-directeur. Le truc consistait à passer ces coups de téléphone à midi, dans l'espoir que les cadres, sortis pour aller déjeuner, les rappelleraient à leurs frais. Après tout, les Eudaemonic Enterprises étaient peut-être une société de Silicon Valley en pleine expansion, pourquoi pas ? Flairant l'éventualité d'une grosse vente, ces cadres étaient loin de se douter qu'à l'autre bout du fil se trouvait un physicien maniaque de la roulette.

À la fin de l'été, la maison du professeur Nauenberg était transformée de la cave au grenier en laboratoire de physique. Jour et nuit, on pouvait trouver les résidents-chercheurs agglutinés autour de leur roulette chargée d'une guillotine, de flashes stroboscopiques, d'appareils photo, de miniboutons, d'une horloge électronique et de billes de toutes les tailles et de toutes les matières. Un autre problème de physique appliquée — comment empêcher deux corps d'entrer en collision — avait obligé à séparer la maison en zones distinctes : une pour Rembrandt, le berger allemand du professeur, et l'autre pour Pote, le bigle de treize ans de Jack Biles, qui marqua une victoire décisive dans la guerre des chiens entamée pendant l'été.

Ceux-ci s'attaquaient et saccageaient réciproquement leurs domaines. La pelouse jaunit, roussit, et mourut. La maison subissait le règne du chaos. « De la tarte, des spaghettis, de la glace, dit Lawton, on avalait tout et n'importe quoi au petit déjeuner. C'était comme si l'on vivait avec un vide aspirant tout ce qui se mangeait. Il régnait cette espèce de distraction propre aux scientifiques. Ils pouvaient ingurgiter un pot de caviar ou des chips et l'avoir totalement oublié une heure plus tard. »

À force de vivre et de travailler ensemble, les Projeteurs avaient fini par se connaître peut-être un peu plus qu'ils ne l'auraient souhaité. À mesure que les tests se transformaient en mesures de différences du rebond entre les billes en nylon et les billes en Téflon, Jack Biles commençait à s'impatienter. Il avait hâte de se précipiter dans les casinos avec un calculateur dans un sac en papier et de faire ses tests avec une pile de jetons devant lui. « Jack était content quand il avait une ou deux bonnes idées, dit Lawton, mais il n'était pas d'une grande aide pour les concrétiser. Il aimait mieux parler que mettre ses idées en pratique. »

« Il y avait deux courants de pensée au sein du groupe, expliquait Norman. “ L'école du Fais attention ”, sous les auspices de laquelle les essais étaient réalisés, voulait savoir si la prévision était théoriquement possible avant de nous lancer dans la fabrication d'un micro-ordinateur. L'autre école disait : “ On n'a pas le temps. En constatant la régularité de la bille, on voit bien que la prévision est possible. Il faut construire un ordinateur et mesurer notre avantage d'après les résultats qu'il donne. ”

« Le problème, avec la conception de Jack, est qu'on ignorait si la prévision était théoriquement réalisable. C'est-à-dire qu'on ne pourrait jamais savoir si c'était l'ordinateur qui ne marchait pas ou le jeu qui n'était pas prévisible, ce qui nous gênait beaucoup. »

Défini par un observateur extérieur comme le « jeune inventeur classique qui flirte sans arrêt avec de nouvelles idées, toujours plein d'entrain pour ses enthousiasmes du moment », Jack commençait à déchanter. « Il se sentait, dit Norman, délaissé par un projet qui lui échappait ». Il partit pour l'Oregon à la fin de l'été et, plus le Projet traînait à Santa Cruz, plus il s'en éloignait.

Si Biles était toujours pressé, son contraire à Santa Cruz était bien John Boyd, surnommé Juano. Grand, maigre, avec des lunettes noires toutes sales et des cheveux maigres lui tombant sur le visage, c'était d'après Lawton « le personnage qu'on voyait mais qu'on n'entendait pas. Une fois qu'il s'était mis à un projet, il y travaillait sans relâche. C'était le contraire de Jack. Une fois en route, il ne pouvait plus s'arrêter, mais s'il s'arrêtait, il fallait le regonfler pour qu'il reparte ».

Quant aux deux éléments moteur du Projet, Doyne et Norman : « On s'affairait sérieusement, dit Doyne. On travaillait comme des bêtes, et on était ravis. Norman m'étonnait particulièrement. Je n'arrivais pas à comprendre comment quelqu'un pouvait travailler autant d'heures par jour tout en restant aimable. Cet été-là, il a même trouvé le moyen de se lancer dans une histoire d'amour avec Lorna. Pour moi en tout cas, c'est Norman qui donnait le rythme. »

Si celui-ci était un travailleur solide comme un roc et infatigable, Doyne, lui, était un maniaque : le savant fou. Son esprit faisait le yo-yo entre la mécanique newtonienne et les tâches bassement matérielles consistant à commander des transistors chez des bricoleurs de Sunnyvale. « Sa capacité d'organisation a fini par prendre le dessus, dit Lawton. Il pouvait en un clin d'œil organiser cinq personnes qui avaient du mal à s'organiser toutes seules. Il sait fournir un noyau d'initiative tout en laissant un rayon d'action aux autres. »

À la fin de l'été, les études sur la possibilité de la théorie compte tenu des sauts, des rebonds, de la résistance de l'air, de l'inclinaison et autres paramètres propres à chaque roulette amenèrent à la conclusion que la prévision était possible. Étant donné un algorithme solide capable d'intégrer ces forces, les Eudaemonic Enterprises confirmèrent que l'on pouvait bénéficier d'un avantage de 44 % sur les casinos. Maintenant, il ne restait plus qu'à formuler l'algorithme et construire l'appareil à prévision.

Jack Biles suggéra de démonter et de reprogrammer une calculatrice électronique, mais reconnut par la suite que ç'aurait été un vague bricolage, une approche indigne d'un problème qui appelait quelque chose de plus élégant. Le Projet opta donc pour une technologie relativement nouvelle et ésotérique. Ils allaient créer un programme pour un microprocesseur et l'intégrer à un ordinateur suffisamment petit pour pouvoir opérer dans les casinos sans se faire repérer. Pour autant qu'ils sachent, leur microprocesseur serait le premier à ouvrir une piste allant de Silicon Valley aux tables de jeu de Glitter Gulch.

« Étant donné la technologie actuelle, dit Norman, l'ordinateur que nous avons construit est la machine à prévision élémentaire. Si l'on demandait à n'importe quel bon électronicien de concevoir une telle machine, c'est à cela qu'il aboutirait. Nous avons donné l'exemple rare d'un problème résolu par la technologie absolument optimale. »

« À la fin de l'été, dit Doyne, on avait une vague idée des composants qu'il faudrait se procurer pour l'ordinateur. On a fait le compte des puces et on a calculé que, si on concevait un système spécial sans aucune puce superflue (pour clavier, magnétophone ou voyant à diode LED (électroluminescente), on pourrait arriver à fabriquer un ordinateur de la taille d'un paquet de cigarettes, ce qui s'avéra exact. »

À part la roulette, les participants du Projet avaient fabriqué tout ce dont ils avaient eu besoin. Il en irait de même pour leur premier ordinateur. Par correspondance, sur catalogue, ils commandèrent une puce de microprocesseur et un kit de montage qui promettaient tout ce qu'il fallait pour fabriquer l'essentiel d'un ordinateur nu. Le point positif était sa flexibilité — cette puce pouvait être programmée pour faire n'importe quoi. Le point négatif était son ignorance — livrée sans aucun programme, elle ignorait même la multiplication de un par un. Avant de lui inculquer les hautes règles mathématiques de la roulette, quelqu'un allait devoir apprendre à compter à cet ordinateur.

# 3

## *La piste des modes*

Berlin est une ville agréable, et offre à un étudiant bien des occasions d'y passer le temps de manière plaisante, par exemple avec des jolies filles. Mais au lieu de cela, il nous fallait nous plonger dans des calculs terriblement longs et compliqués.

Konrad Zuse

Il est curieux de noter que l'invention de l'ordinateur, celle du jeu de la roulette et celle des lois de base de la probabilité sont toutes trois attribuées à un mathématicien et philosophe, Pascal. Pascal était le joueur qui, dans son fameux « pari », incitait les gens à miser sur l'existence de Dieu. C'est un Pascal aux préoccupations d'un ordre moins existentiel qui, en 1642, à l'âge de dix-neuf ans, inventa la machine à additionner mécanique. Son père, fonctionnaire provincial à Rouen, l'avait engagé pour calculer l'impôt sur le revenu de l'année. Pour le jeune Blaise, cette tâche était fort fastidieuse mais c'est de cette accumulation de nécessité et d'ennui que jaillit sa première invention.

Pascal remarqua que l'on pouvait arranger les chiffres sur des roues de telle sorte que chaque roue, en faisant elle-même une révolution entière, entraînerait la roue voisine d'un dixième de révolution. En observant le mécanisme à travers un voyant, on obtenait la solution des problèmes d'addition et de soustraction. Le génie inventif de Pascal, dont la conception demeure à la base de toutes les machines à calculer mécaniques depuis son époque jusqu'à la nôtre, c'est d'avoir pensé à transposer des fonctions arithmétiques sur les pièces physiques concrètes d'une machine. Pour passer de cette étape à l'ordinateur moderne, il suffit d'ajouter l'électricité et de transformer les roues dentées d'une pascaline en charges électroniques entreposées dans la structure cristalline du silicium.

Trente ans après son invention, Leibniz apporta la première amélioration à la pascaline en y ajoutant un élément connu sous le nom de cône de Leibniz qui permet à la machine de faire des multiplications et des divisions, en plus des additions et des soustractions. La modification importante suivante fut tentée au XIX^e^ siècle par Charles Babbage, inventeur imaginatif du compteur de vitesse, du chasse-corps et des premières tables fiables d'espérance de vie. Babbage passa les trente-sept dernières années de sa vie, jusqu'à sa mort en 1871, à forger les roues dentées et les tiges d'un grand Moteur Analytique. La machine possédait, dans sa conception élémentaire, toutes les caractéristiques d'un ordinateur moderne. Celles-ci consistaient essentiellement en un centre logique, que Babbage appelait le « moulin », une mémoire, qui portait le nom de « dépôt », une unité de contrôle pour transmettre les instructions et un système de cartes perforées semblables à celles qu'utilisait Jacquard pour donner des informations aux métiers à tisser. Mais l'époque de la machine à vapeur et des mécaniques n'était pas faite pour une machine aussi complexe que la sienne, et Babbage mourut en laissant inachevée une grande partie de son projet.

À ce stade de son histoire, l'ordinateur joint sa destinée aux fortunes de la guerre. Né d'Athéna, patronne du filage, du tissage, des villes et des bureaucrates, l'ordinateur est élevé par Mars. Le rêve de Babbage ne se réalise que pour défendre les intérêts nationaux de part et d'autre de la ligne Maginot. En 1936, le jeune ingénieur Konrad Zuse remplit l'appartement de ses parents avec un ordinateur construit en partie à partir d'un jeu de construction allemand et de pièces de récupération. Les successeurs du premier ordinateur de Zuse, le Z1, construits de manière plus fiable avec des relais de téléphone électromagnétiques, furent utilisés par la machine de guerre nazie pour la conception d'avions et de missiles, où leurs prouesses dans la manipulation de chiffres attirèrent sur eux l'attention de Hitler. Comme on lui conseillait de se lancer dans un programme intensif pour fabriquer davantage d'ordinateurs Zuse, le Führer fit l'erreur tactique — et pour nous heureuse — de croire qu'il pouvait s'en passer pour gagner la guerre.

Parallèlement, au début du conflit, les Britanniques avaient réuni une équipe de mathématiciens d'élite et de joueurs d'échecs dans une maison du Hertfordshire qui portait le nom de Bletchley Park. Leur tâche était de percer le secret des codes allemands mis au point par les « Machines à Énigmes », dont l'une avait été interceptée et envoyée en Angleterre par les services secrets polonais. Seul un ordinateur pouvait déchiffrer des codes aussi complexes, et l'équipe de Bletchley Park réussit admirablement à fabriquer un grand nombre de machines à décoder élémentaires mais efficaces. Il y avait le Colosse et ses dix successeurs, qui étaient les premiers ordinateurs à utiliser des tubes à vide au lieu d'interrupteurs ou de relais pour ouvrir ou fermer le circuit électrique, ce qui permet à l'ordinateur moderne de « penser ». Contrairement à Pascal, Leibniz et Babbage, Zuse et ceux de Bletchley Park, dont Alan Turing était le plus connu, avaient remplacé le système décimal par le système binaire. Cela permit un bond en avant dans la vitesse à laquelle l'information pouvait être traitée. Au lieu de passer de tube en tube par séries de 1 et de 0, la matière de la conception de missiles et du décodage traversait le circuit électronique à la cadence de deux cents décisions logiques par seconde.

Tout comme Zuse et les Anglais, les Américains comprirent également que l'on pouvait étendre l'application des ordinateurs à la guerre. Howard Aiken, qui servait dans la marine, acheva la construction du Mark I à Harvard en 1943 pendant une permission. C'était une machine électromécanique dont le « doux cliquetis des relais » rappelait « une assemblée de dames en train de tricoter », comme disait un observateur. Conçu pour le calcul des tables balistiques, l'ordinateur d'Aiken fut vite dépassé par une machine beaucoup plus performante, fabriquée avec des tubes à vide à l'université de Pennsylvanie. L'ENIAC (Electronic Numerical Integrator and Calculator), pesant trente tonnes et contenant dix-huit mille tubes, passa le début de son existence à manipuler des chiffres pour les calculs des tables d'artillerie de la base d'essais d'Aberdeen dans le Maryland.

Lorsque l'on dit que l'avènement de l'ordinateur est une « révolution », nous avons tendance à oublier ce qu'il a révolutionné à l'origine. Comme le dit Joseph Weizenbaum, professeur d'informatique au MIT : « Dans sa forme moderne, l'ordinateur a été mis au monde par les militaires. De même que pour de nombreuses autres technologies modernes de la même famille, pratiquement chaque progrès technologique dans le domaine de l'informatique, y compris ceux qu'exigeait le domaine militaire, a eu des retentissements — des retombées — dans le domaine civil. Toujours est-il que les ordinateurs ont été construits avant tout en vue de permettre des calculs efficaces pour tirer des obus de la façon la plus précise et la plus efficiente possible afin de tuer des êtres humains. »

Les ordinateurs furent gardés en captivité bureaucratique depuis les années 40 jusqu'aux années 70, mais entre-temps — on peut faire remonter leur ultime évasion à l'invention du microprocesseur —, ils se libérèrent de la loi militaire et s'ouvrirent à la fantaisie et au foisonnement démocratique dont nous commençons à entrevoir les applications véritablement révolutionnaires. Le microprocesseur, qui n'est rien de plus qu'une puce de silicium gravée dans les architectures de la mémoire, fausse compagnie aux autorités et à leurs unités centrales de traitement. Cette technologie nouvelle entraîna un passage fondamental des ordinateurs mainframe centralisés, fixes et protégés par les hiérarchies protocolaires à des ordinateurs miniaturisés, transportables, indépendants et démocratiques, capables de fonctionner de manière complètement autonome. Avec l'avènement du microprocesseur en 1970, tout le monde, en théorie du moins, pouvait se promener avec la puissance d'un ENIAC dissimulée dans sa chaussure. Une fois libre de se mettre au service d'Éros et du jeu gratuit, l'ordinateur pouvait affiner ses talents pour le jeu, la poésie, la musique et — comme il convient à son origine pascalienne — pour la roulette.

La condition préalable pour la construction d'un ENIAC à l'intérieur d'une chaussure était la miniaturisation de l'ordinateur. C'était un autre pas en avant de la technologie, amorcé par les militaires, en particulier ceux du secteur spatial. Lancées à la poursuite acharnée du spoutnik et autres menaces galactiques, la NASA et l'armée de l'Air avaient besoin d'ordinateurs suffisamment légers pour le décollage. Les fournisseurs principaux de l'armée rendirent des services en réduisant la taille de leur produit avec trois progrès remarquables en trente ans, et ce fut la troisième amélioration qui permit à l'ordinateur de trouver définitivement la liberté.

Dans les années 50, le transistor vint remplacer le tube à vide. Dirigé par des jonctions localisées dans la structure des cristaux de silicium, et traversant une résistance à transfert ou transistor (de *trans*fer res*istor*), le courant pouvait amplifier le son ou envoyer des signaux à l'intérieur d'un espace cent fois moins grand qu'avec la vieille technologie du tube. Le second bond en avant arriva avec l'intégration à grande échelle, ou LSI (large-scale-integration), nouvelle technique qui permettait à des circuits composés de plusieurs *milliers* de transistors d'être gravés dans des petites plaques de silicium de la taille d'un ongle. Le coup final de la libération fut lancé lorsque Ted Hoff, ingénieur à la firme Intel, à Santa Clara en Californie, arriva à faire tenir *tout* l'ensemble des circuits mathématiques et logiques d'un ordinateur dans une *seule* puce de silicium. « C'est une véritable révolution, disait Robert Noyce, co-inventeur du circuit intégré et l'un des fondateurs de l'Intel, de cet événement marquant. Changement d'ordre qualitatif dans la technologie, le circuit micro-électronique intégré a permis aussi un changement qualitatif des capacités humaines. »

Hoff avait trente-trois ans lorsqu'il inventa le microprocesseur. Sorti depuis peu de Stanford pour travailler comme des centaines d'étudiants brillants diplômés du département de physique, dans les usines de technologie de pointe du Camino Real, il avait hâte, disait-il, « d'entrer dans le monde des affaires et de voir si jamais mes idées pouvaient avoir quelque valeur commerciale ». Noyce lui avait donné carte blanche pour se pencher sur un problème soulevé par des fabricants japonais de calculatrices de bureau. Ils voulaient une calculatrice avec des circuits de mathématiques et de logique gravés sur onze puces au maximum. Perdu dans un labyrinthe de circuits correspondants à cette demande, Hoff inventa une nouvelle façon de concevoir les architectures du silicium.

En ajoutant des dimensions supplémentaires à un univers déjà infinitésimal, il entrevit un moyen de condenser les onze puces en un seul circuit micro-électronique qui constituerait le CPU (central processing unit, ou unité centrale de traitement) d'une nouvelle race d'ordinateurs. Cet « ordinateur sur une puce », comme le désignait Intel, exigeait le soutien de puces supplémentaires pour lui procurer une mémoire et un programme, ainsi que des circuits d'entrée-sortie et une horloge pour synchroniser les opérations. Mais le microprocesseur de Hoff, construit sur une puce unique mesurant trois millimètres sur quatre et ne contenant pas moins de deux mille deux cent cinquante transistors microminiaturisés, devint le cerveau pleinement développé d'un ordinateur.

Au début, même les militaires ne surent que faire de ce microprocesseur. Il leur fallait encore comprendre que Noyce avait raison quand il disait que « l'avenir appartient forcément à la *décentralisation* du pouvoir de l'ordinateur ».

Intel, qui s'était auparavant spécialisé dans la fabrication de mémoires à semi-conducteurs pour ordinateurs, ne tarda pas à devenir le plus gros fournisseur d'ordinateurs du monde. Sans savoir du tout qui allait pouvoir acheter un article tellement exotique, ils baptisèrent leur premier microprocesseur le 4004, le fixèrent à un morceau de plastique de la taille d'un livre de poche, joignirent une horloge, des instruments de contrôle et quatre puces de mémoire supplémentaires, et lancèrent sur le marché le MCS-4, « le premier ordinateur microprogrammable sur une seule puce ».

Sa beauté résidait dans sa souplesse. Apprenez à un microprocesseur comment on fait une addition, enseignez-lui à résoudre les équations différentielles, programmez-le avec un algorithme capable d'intégrer les lois du mouvement de Newton, et il pourra faire atterrir un navire spatial sur Mars, ou encore jouer à la roulette. « Un circuit intégré individuel sur une puce qui mesure moins d'un centimètre carré et demi, écrivit Noyce, peut actuellement renfermer davantage d'éléments électroniques que le plus complexe des matériels électroniques que l'on pouvait fabriquer en 1950. Le micro-ordinateur d'aujourd'hui, pour un coût d'environ trois cents dollars, a plus de capacité de calcul que le premier gros ordinateur ENIAC. Il est vingt fois plus rapide, mille fois plus fiable, a une mémoire plus grande, consomme autant d'électricité qu'une ampoule et pas autant qu'une locomotive, occupe un trente millième du volume et coûte dix mille fois moins cher. On peut le commander par correspondance dans n'importe quel magasin. »

Le 8 septembre 1976, dans un colis postal adressé à Mr. « Dwang » Farmer, les Eudaemonic Enterprises reçurent leur premier ordinateur. Expédié par MOS Technology, Inc., à Norristown, Pennsylvanie, le colis contenait, en kit, les éléments nécessaires pour construire un ordinateur KIM (Keyboard Input Module). Pour la somme de deux cent cinquante dollars, le kit comprenait un microprocesseur 6502, le même qui devait être utilisé plus tard dans la fabrication des ordinateurs Apple, une deuxième puce pour servir de mémoire, deux autres puces spécialisées pour entrer et sortir des données, une horloge à quartz, une interface permettant de stocker le programme sur une cassette, un clavier coréen primitif, un panneau avec suffisamment de diodes lumineuses pour afficher une ligne de chiffres et une plaque en plastique pour souder ensemble tous ces éléments. En ajoutant quatre puces de mémoire supplémentaires, les Eudaemonic Enterprises avaient acquis, pour un total de quatre cents dollars, un ordinateur assez intelligent pour naviguer dans l'univers newtonien.

Reprenant le travail déjà effectué par le PDP 11/45 de l'université, le KIM serait l'ordinateur père du Projet. L'intérêt de passer du mainframe au micro résidait dans la facilité d'adaptation de ce dernier.

Pour cent dollars de plus, le Projet put adapter sur le KIM un programmateur de mémoire, appareil permettant de programmer des puces secondaires. Capable de se reproduire à l'infini, le KIM, une fois qu'il serait bien programmé avec un algorithme de roulette, pouvait être dupliqué pour donner des ordinateurs plus petits qui seraient introduits dans les casinos. Le KIM serait le père de l'opération, dirigeant le travail de ses petits à Las Vegas, tout en se reposant à l'ombre des séquoias de Santa Cruz.

Une fois soudé sur sa carte en plastique, le KIM fonctionnait comme un micro-ordinateur huit bits avec cinq kilo-octets de mémoire à accès direct. En parlant de *bits* et d'*octets* il faut se rappeler que les ordinateurs numériques opèrent dans le monde rudimentaire des mathématiques binaires. Ils manipulent des éléments binaires, ou *bits,* (*bi*nary digi*ts,* chiffres binaires) qui sont des unités d'information. Ils pensent par chaînes de 1 et de 0 qui sont eux-mêmes la représentation symbolique d'électrons passant à travers des transistors. Des milliers d'emplacements transistorés sont gravés dans une minuscule plaque de silicium. Chacun de ces emplacements peut être à son tour orienté sur « on » ou « off », c'est-à-dire 1 ou 0. En fixant de façon définitive la charge magnétique qui oriente ces transistors, on obtient une puce qui fonctionne comme une ROM (*R*ead-*o*nly *m*emory, mémoire à lecture seule ou mémoire morte). Si l'on ne fixe pas de façon permanente les transistors pour pouvoir les réorienter, on obtient une puce plus interactive qui porte le nom de RAM (*r*andom-*a*ccess *m*emory, mémoire à accès direct ou mémoire vive).

Régis par une horloge à quartz qui oscille à un million de cycles — ou plus — par seconde, les électrons sont propulsés à travers les circuits de silicium pour produire des chiffres binaires (bits) qui sont la plus petite (et parfois l'unique) unité d'information de l'ordinateur. Ces pulsations se mesurent en nanosecondes (un milliard de fois plus petites que la seconde) mais pour accélérer encore le processus, les ordinateurs assemblent les bits et les envoient par paquets de quatre, huit, seize, soixante-quatre ou, tout récemment, deux cent soixante bits à la fois. L'augmentation constante de l'importance de ces paquets est due à l'architecture cristalline du silicium. Un groupe de huit chiffres binaires (bits) adjacents regroupés constitue un *octet.* Ce qui fait l'importance de l'octet, c'est qu'il est capable de représenter une lettre de l'alphabet. Un kilo-octet équivaut à $2^{10}$ octets, c'est-à-dire 1024 octets, bien que l'on ait coutume d'arrondir ce chiffre à 1000 et d'écrire un K.

Le KIM — micoprocesseur à huit bits avec 5K de RAM — envoyait huit pulsations électroniques à la fois à travers une mémoire pouvant contenir jusqu'à 5000 octets. Ces chiffres en eux-mêmes n'ont rien d'impressionnant. Un jeu de Space Invaders fonctionne à une échelle à peine inférieure. Mais, alors que le jeu vidéo est figé en une perpétuelle lutte galactique avec une ROM, le KIM restait grand ouvert à tout accès direct. Dans les limites de la logique d'un ordinateur, il pouvait être programmé pour faire n'importe quoi.

Après leur été chez le professeur Nauenberg, les Projeteurs allèrent s'installer, à l'automne, dans une maison à eux. Doyne, Norman et Letty avaient sillonné la région à la recherche d'un local suffisamment spacieux pour accueillir la première maisonnée eudémonique. Ils finirent par trouver une maison à charpente de bois, pleine de coins et de recoins, au 707, Riverside Street, à quelques centaines de mètres de la plage et juste derrière la digue qui empêche le San Lorenzo d'inonder la ville construite sur ses rives. La maison et la grange régnaient autrefois seules sur cette berge par ailleurs inhabitée. Mais il y avait longtemps que le terrain avait été vendu pour accueillir des bungalows de plage et des appartements ; la grange s'effondrait et la maison elle-même avait besoin, sans qu'il faille toucher au gros œuvre, d'un petit coup de neuf.

Le quartier de Riverside, grâce à son hospitalité démocratique, offrait un échantillonnage de tous les éléments que l'on pouvait trouver dans cette ville ensoleillée de cinquante mille habitants. Les touristes déchargeaient enfants et chaises pliantes dans des maisons de week-end louées à la semaine. Des couples de retraités transformaient leurs jardins en miniplantations d'agrumes ou en petits paradis envahis par les bougainvillées et les fuchsias. Les techniciens, employés de chez Intel, après un trajet d'une heure pour franchir la chaîne de montagnes, entraient leur Porsche dans la cour de leur maison, qui n'avait par ailleurs aucune autre décoration. D'autres citoyens, se débrouillant pour survivre on ne sait comment dans une économie fondée sur le choux de Bruxelles, le poisson, l'université, la fabrique de chewing-gum Wrigley, les bons d'alimentation, les puces de silicium et le tourisme, se servaient de leur pelouse pour planter des petits pois, mettre des gratte-ciel dans des minibus Dodge, monter des planches à voile, faire cuire des légumes sur des grills japonais, ou se plonger dans la lecture de *Good Times,* le journal local dont le slogan, sous le titre, était : « Plus léger que l'air. »

La promenade bordée de fleurs et les cafés de Santa Cruz étaient juste de l'autre côté du pont enjambant le San Lorenzo. On pouvait aussi aller se promener sur le port, étendue d'eau bleue situé à l'endroit où la baie de Monterey fait une dernière enclave dans la côte avant de rejoindre le Pacifique à Lighthouse Point. Venant de là-bas, les surfers filaient sur les crêtes de Steamer Lane, l'un des endroits de la côte où les vagues sont les meilleures. Dans les eaux plus calmes de la baie, on trouvait un port de plaisance, une jetée avec des marchands de poisson vendant la pêche du jour, et une promenade avec tout ce qu'il faut, parc d'attractions et scenic railway. Le seul élément incongru dans ce quartier agréable mais auquel ses habitants ne prêtaient même plus attention, c'étaient les cris des gens sur le scenic railway au moment d'amorcer la grande descente.

En plus de sa situation, le 707 Riverside présentait beaucoup d'autres avantages. Des fondations en pierre, qui avaient déjà résisté à de multiples tremblements de terre, soutenaient un escalier, une terrasse à colonnes et un pignon à claire-voie dont le toit débordant et courbé comme celui d'une pagode donnait au bâtiment un petit air chinois. Malgré sa hauteur, il n'y avait qu'un seul étage habitable, mais il était tellement grand qu'il comprenait six chambres à coucher, un salon, une salle à manger et une grande cuisine. Au sous-sol, il y avait deux autres pièces utilisables avec des fenêtres donnant sur un grand jardin derrière la maison et sur la grange.

Alors qu'elle était en troisième année de droit à Stanford, Letty paya un peu plus de cinquante mille dollars pour la maison. « Norman et moi avions envisagé de l'acheter nous-mêmes, mais la banque refusait de nous prêter le moindre sou. Et elle n'a eu confiance en Letty que lorsque celle-ci a produit ses relevés de titres ; alors, tous les obstacles sont tombés. »

À l'automne, Norman quitta Portland, s'installa à Santa Cruz et entra en première année de troisième cycle à l'université. Letty descendait de Palo Alto aussi souvent que possible ; Juano, qui s'était fait ratisser au poker dans les salles de jeu du Montana, revint en ville. La maison se remplit d'autres habitants, parmi lesquels on compta, au fil des ans, des scientifiques, des enseignants, des juristes, un pianiste, une infirmière, un entraîneur de volley-ball, deux actrices de cinéma hollandaises, et un gauchiste italien de Milan. Poste de repos pour voyageurs et siège social des Eudaemonic Enterprises, le 707, Riverside tenait à la fois de la communauté, du laboratoire de physique et du casino.

Les membres de la famille eudémonique clôturèrent le jardin et le cultivèrent. Ils construisirent des tables et des lits et achetèrent le reste de leurs meubles au marché aux puces du Sky View Drive-In. Dans une petite pièce blanche qui donnait sur l'entrée, et qui prit le nom de salle du Projet, Doyne monta le nouvel ordinateur. Du sol au plafond, il tapissa les murs d'étagères qu'il remplit de boîtes à chaussures contenant des pièces électroniques, des manuels techniques, des puces de secours, des diagrammes de branchement et autres matériaux nécessaires à l'assemblage et à la programmation du KIM.

Les filigranes de silicium dans un ordinateur, son clavier, le circuit électrique et l'horloge s'appellent le hardware. L'abstraction du second degré d'un programme — suite des instructions qui dote le matériel de mémoire et de logique — s'appelle le logiciel. Le KIM, comme d'autres anciens kits de microprocesseurs, était livré par l'usine sans logiciel. Et il n'en existait aucun.

En tant qu'ordinateur, le KIM ne savait rien faire, ne connaissait ni langage ni nombres, ni leur manipulation symbolique. Cela signifie qu'il fallait lui fournir des indications élémentaires au niveau des électrons. Lorsqu'il est dans cet état d'ignorance totale, il faut s'adresser à lui avec un code machine, combinaison de bits électroniques qui n'est pas plus complexe qu'un ou deux doigts que l'on agite devant les yeux d'un bébé qui gazouille. Mais cette opération répétée un nombre suffisant de fois, même à une machine stupide, peut arranger le branchement de ses synapses de sorte qu'elle arrive à reconnaître les noms et les nombres. En jouant avec l'ordinateur dix heures par jour, sept jours par semaine, au bout d'un mois, Doyne avait appris à KIM à faire des multiplications. « J'ai commencé par lui apprendre à compter jusqu'à dix, puis à l'envers, dit-il. Le microprocesseur 6502 manipule les données par octet (huit bits à la fois), c'est-à-dire qu'il ne reconnaît que $2^8$, ou 256 chiffres de 0 à 255. Cela rend les choses plus compliquées si l'on veut multiplier 256 par 257. Il faut aussi comprendre que ces premiers micro-ordinateurs ne possédaient pas la fonction " multiplier " mais seulement " additionner " et " soustraire ". Il fallait donc apprendre à l'ordinateur à décomposer toutes les multiplications et toutes les divisions que l'on pourrait avoir à lui demander en additions et soustractions de nombres entre 0 et 255, ce qui n'est pas une mince affaire : cela m'a pris un mois. Ensuite, il a fallu que j'apprenne à la machine à faire des séquences d'opérations avec des données variables, ce qui est nécessaire pour résoudre des équations. L'apprentissage par l'ordinateur du maniement des logarithmes a été encore plus long, car ce ne sont pas des fonctions mathématiques que l'on peut exprimer d'une manière exacte par la combinaison d'un nombre fini d'additions, soustractions, multiplications et divisions, bien que l'on puisse obtenir une approche approximative par des séries d'étapes de cet ordre. Il fallait que j'apprenne à programmer un ordinateur ; de toute façon, comme il n'y avait pas de logiciel, j'avais intérêt à écrire mes programmes moi-même. J'étais également préoccupé par le problème de la rapidité. Lorsque j'avais calculé le temps qu'il fallait pour obtenir le résultat d'un logarithme, cela m'avait paru beaucoup et m'inquiétait. Il me fallait absolument avoir la réponse finale en moins d'une seconde, et je visais le dixième de seconde. J'arrivai finalement à descendre en dessous du dixième de seconde sans problème. »

Doyne avait tracé un « plan global » d'organisation de son travail dans la salle du Projet. Il réservait un moment chaque jour à l'élaboration d'une théorie sur la roulette, mais il consacrait le plus gros de son temps à l'étude des ordinateurs. Après avoir soudé toutes les pièces pour assembler le KIM et lui avoir enseigné l'arithmétique, il lui fallait l'instruire de la logique de la pensée.

« Cela faisait deux ans que les microprocesseurs existaient mais les puces que nous utilisions n'avaient fait leur apparition que depuis cinq ou six mois. Le manuel sortait de l'imprimerie, il était bourré de fautes, et personne n'avait écrit de langage évolué ni d'assembleurs, ni de logiciels. Il fallait que j'apprenne à programmer directement en entrant des nombres binaires dans l'ordinateur. Un programme n'est rien de plus qu'une séquence numérique. Les premiers chiffres sont une instruction, qui correspond à l'une des deux cent cinquante-six choses que l'ordinateur peut faire. Il sait alors ce qu'il doit attendre du chiffre suivant qui sera soit une autre instruction, soit un élément de donnée d'après lequel il devra agir. Plus loin dans la séquence, l'ordinateur peut prendre des décisions, effectuer des calculs arithmétiques ou déclencher ses organes d'entrée-sortie. Il sait également comprendre des “ interruptions ” qui lui demandent de passer à une autre partie du programme et d'aller chercher d'autres séries d'instructions. L'ordinateur ne lit pas obligatoirement son programme de façon linéaire. Il peut faire des boucles, des branchements, des sauts d'un chiffre à l'autre — ruptures de programmes assez compliquées — et c'est pour cela que les ordinateurs sont capables de faire de grandes choses. »

Comme prévu dans le plan global, le travail de programmation du KIM ne représentait, pour Doyne, qu'une petite part, malgré son importance, de l'attaque de la roulette par le Projet. Il lui fallait également résoudre les équations nécessaires pour battre la table effectivement. « C'était un processus de longue haleine pour découvrir le moyen de faire des prévisions tout en dérivant minutieusement des formules et en les testant. Cela me prenait pas mal de temps, rien que pour parvenir à l'idée de base du programme. »

Le jeu de la roulette, avec la bille tournant autour d'un disque en rotation, représente un univers modèle régi par les lois de la mécanique newtonienne. La bille représentant la planète tourne autour du disque solaire, jusqu'à ce que la force de gravité l'aspire, la fasse quitter son orbite et entraîne son arrêt définitif. Les équations du mouvement qui détermine ce drame galactique sont compréhensibles par n'importe quel jeune étudiant en physique qui a assimilé le sens de $F = ma$. Mais plusieurs pierres d'achoppement se dressent sur la voie qui mène au calcul de ce rendez-vous céleste et en font un problème classique de physique depuis l'époque de Pascal et de Newton, jusqu'à nos jours.

Mais, si le cosmos de la roulette fonctionne selon les lois de la pesanteur et du mouvement planétaire, ses conditions initiales varient chaque fois que le tour est lancé. Cela est comparable au Dieu de l'univers de l'horloger de Newton qui interviendrait cinquante fois par heure pour altérer le mécanisme. Pour parvenir à la prévisibilité dans un monde aussi changeant, il faut chronométrer les vitesses et reporter les positions respectives de la bille et du cylindre au début de chaque tour, pour calculer leur rendez-vous final bien avant que les dix ou vingt secondes qui séparent le lancement de la bille cosmique de sa chute de son orbite ne se soient écoulées.

Les humains étant bien trop lents pour cela, le seul appareil compétent pour analyser cette navigation céleste est l'ordinateur. Mais lorsque l'on réfléchit à tout, programmer un tel ordinateur devient une tâche décourageante. Il faut dériver et, si possible, résoudre les équations du mouvement qui régit la roulette. Les fonctions qui décrivent les parties constituantes de la roulette doivent être intégrées en une fonction globale, un algorithme, capable de faire une prévision en une fraction de seconde. D'autres contraintes rendent la conception de cet ordinateur encore plus difficile.

La machine a besoin, même en des formes simplifiées, de ce que l'on appelle des organes périphériques d'interface. Sous ce nom sont regroupés les claviers, terminaux, manettes de jeux, solénoïdes vibrants, microcommutateurs, synthèses vocales, voyants LED (Light Emitting Diode, diode électroluminescente), et autres moyens par lesquels l'homme peut entrer et sortir des informations dans l'unité centrale, ou cerveau, de l'ordinateur. Au moyen de tels organes, ou d'une combinaison de plusieurs unités, l'ordinateur, au début de chaque session, doit être informé des conditions initiales du tour. Ensuite, ayant calculé la trajectoire et le point de contact final de la bille, l'ordinateur va avoir besoin de sortir son information. La machine, avec ses périphériques, doit être alimentée par une batterie longue durée, facilement dissimulable, silencieuse, fiable, rapide et impossible à repérer.

Pour prévoir l'avenir et dévoiler tous ses mystères jusqu'à la fin des temps, prétendait l'astronome Laplace, tout ce dont on a besoin, c'est de connaître la position et la vitesse de la matière à *un moment* donné. Le même principe s'applique aux mystères de la roulette. Pour devenir son intelligence laplacienne, son dieu de la prévisibilité, il faut faire quatre choses : prévoir jusqu'où la bille va tourner avant de descendre de la piste ; déterminer quand elle va quitter son orbite ; prévoir jusqu'où les cases numérotées du cylindre auront tourné au moment où la bille tombera dans l'une d'elles ; ajouter la distance parcourue par la bille à celle parcourue par le cylindre pour établir la corrélation de leurs mouvements respectifs et la synchronisation de leur conjonction finale.

Une fois déterminées les bonnes équations et les variables exactes, quatre *top* émis à l'aide du gros orteil enregistreront tout ce dont la roulette a besoin pour une intelligence laplacienne ; faire un *top* au moment où un point déterminé du cylindre — le 00 par exemple — passe devant un point fixe sur la carcasse de la roulette ; enregistrer le second tour du cylindre devant le point de référence ; marquer le passage de la bille devant ce même point ; noter les révolutions suivantes de la bille en face de la marque. Plus on fera de *top* pour la bille, plus l'ordinateur aura de précision dans la prévision de sa décélération, mais rien que deux informations qui s'ajoutent aux deux autres déjà entrées pour le cylindre, pourront suffire.

« Pendant que je dérivais mes équations pour la roulette, dit Doyne, j'ai repris tout ce que j'avais déjà fait sur l'ordinateur de la fac, écrit en BASIC, qui est un langage évolué, et je le traduisais en langage machine. Ensuite, il a fallu que je trouve un moyen de programmer les corrections en rétro-action. De quels paramètres avions-nous besoin et comment allions-nous les classer ? Si l'on entre des données au moyen de microswitchs placés sous les orteils, comment l'ordinateur pourra-t-il différencier les *top* et déterminer ce que chacun d'entre eux signifie ?

« Ce n'est pas facile d'écrire un programme pour prévoir le numéro gagnant, même quand on sait comment on veut qu'il soit écrit. Apprendre à l'ordinateur comment faire les calculs m'avait pris quatre fois moins de temps que le programme. Le reste du temps, je l'ai consacré à lui expliquer la signification des données et le moyen de ressortir des informations vers le monde extérieur. Rien que de s'assurer que l'ordinateur ne se tromperait pas et ferait bien ce qu'il était censé faire, c'était un gros travail. »

Une bonne partie du programme de Doyne concernait la détermination des paramètres variables d'une roulette à l'autre. « Il y a fondamentalement cinq chiffres que l'on a besoin de connaître. Nous avons mis au point une méthode de tâtonnements pour établir ces cinq paramètres. L'ordinateur est programmé d'avance avec des valeurs idéales. On fait le *top* avec l'orteil pour entrer les données et on les compare à ce que l'ordinateur s'attendait à trouver. Puis on manipule ces prévisions jusqu'à ce que chacune corresponde à la réalité. »

Pour ce qui est de cette manipulation, Doyne divisa le programme en huit domaines spécialisés, ou *modes,* dont cinq étaient consacrés à la mise au point des paramètres pour la bille, le cylindre et l'inclinaison de la roulette. Deux autres modes servaient de bloc-notes pour inscrire les courbes mathématiques indiquant si l'ordinateur obtenait de bons résultats. Un dernier mode — contenant tous les paramètres ajustables — était réservé pour jouer la partie elle-même.

Il est facile de se perdre dans un programme comme celui-là, surtout quand il faut communiquer avec l'ordinateur au moyen de ses doigts de pied. Doyne inventa un schéma qu'il baptisa « la piste des modes ». Pour représenter les interrelations entre les huit modes, il avait tracé un diagramme avec une série de boucles entrelacées. Par une façon spécifique d'émettre des *top* avec les orteils, on commutait l'ordinateur d'un mode à l'autre, procédé qui reçut le nom de « circulation sur la piste des modes ».

Il fallait bien deux gros orteils pour faire la piste d'un bout à l'autre. Pendant que le gauche commutait l'ordinateur, le droit augmentait ou diminuait la valeur des paramètres. Le parcours total, y compris les arrêts pour ajuster les variables, prenait bien un quart d'heure, après quoi l'ordinateur passait sur le mode jeu. Une fois ses paramètres réglés en fonction de la roulette, la machine avait une étonnante faculté de prévision. Peut-être Laplace lui-même aurait-il été surpris par l'intelligence dont est capable un gros orteil.

# 4

## *Les radios d'autres planètes*

L'ordinateur ne sait pas faire passer d'émotion. Il peut donner le modèle mathématique exact, mais n'arrivera jamais à être aussi expressif qu'un sourcil.

Frank Zappa

Si le KIM eudoménique était un ordinateur-père destiné à la reproduction, sa première progéniture serait, toutes proportions gardées, un géant. Le prototype de l'ordinateur pour la roulette (dix centimètres sur douze, c'est-à-dire environ le quart d'une feuille de papier machine) devait donner naissance à des choses qui ne dépasseraient pas le format de la fiche de classement. Il y avait une raison d'ordre strictement pratique pour commencer par du grand modèle : les transistors sont plus faciles à compter lorsqu'ils sont disposés sur des surfaces plus grandes qu'une tête d'épingle.

Juano avait été nommément chargé de construire le prototype de l'ordinateur, mais Doyne et Norman avaient participé à sa conception et Jack Biles l'avait aidé pour l'assemblage. Ils décidèrent, en règle générale, de donner à leurs ordinateurs le deuxième prénom du constructeur en chef ; le premier ordinateur du Projet monté par John Raymond Boyde fut donc baptisé Raymond.

Raymond fut une source d'ennuis dès le départ. Composé d'un microprocesseur et de puces achetés au rabais dans des maisons de Silicon Valley, il leur montra qu'ils avaient encore beaucoup à apprendre sur le bricolage d'ordinateurs. « À Silicon Valley, dit Norman, les fournisseurs commençaient à connaître nos têtes, car nous avions accumulé une jolie petite réserve de puces grillées. »

Même sous la houlette de Dan Browne, Juano avait perdu sa chemise au poker. De retour à Santa Cruz, il chercha officiellement du travail ; mais, avec ses cheveux noirs tombant sur ses lunettes et jusqu'au milieu du dos, Juano, qui était en réalité le plus inoffensif des humains, ressemblait à un rescapé de la grande époque des drogues et du Flower Power de San Francisco. Après avoir fait des enquêtes par téléphone, puis trié des composants électroniques pour une société de Santa Cruz, il cherchait à utiliser son diplôme de physique en travaillant comme technicien à Silicon Valley.

Lorsqu'il allait là-bas, de l'autre côté de la chaîne côtière, il en profitait pour faire l'approvisionnement en puces, résistances, condensateurs, diodes, quartz et autres ingrédients nécessaires pour fabriquer soi-même un ordinateur.

Sur Raymond, le microprocesseur était identique à celui du KIM. La grosse différence entre les deux venait de leurs mémoires. Le KIM stockait ses programmes sur des cassettes alors que pour Raymond il fallait quelque chose de plus compact. Pour qu'il voie le jour comme ordinateur portatif pour jeu de roulette, il fallait lui incorporer une puce de silicium servant à stocker l'information et appelée PROM, initiales de *P*rogrammable *r*ead-*o*nly *m*emory (mémoire morte programmable). Pour programmer cette nouvelle puce de mémoire, le Projet avait besoin d'un circuit électrique appelé programmateur de PROM, qui peut répliquer la mémoire sur une puce — les orientations de ses 1 et de ses 0 — et la charger sur une autre.

Doyne construisit un chargeur de PROM sur le KIM. Juano retourna à Silicon Valley pour racheter encore une poignée de puces. Ils branchèrent les composants sur une plaque et finirent par arriver à recopier le programme de roulette du KIM sur la mémoire de Raymond. « À partir de là, déclara Doyne, Raymond était un ordinateur à part entière et il était prêt à fonctionner. À nos moments perdus, Norman et moi avions conçu le matériel pour l'ordinateur. Une fois qu'on a un programme, il faut imaginer un circuit pour le faire marcher et un moyen d'entrer et de sortir des données. Alors nous avons mis au point un plan et tracé des schémas. Mais en janvier-février encore et même au printemps, nous travaillions pour terminer Raymond. »

En informatique, faire la chasse aux erreurs s'appelle « déboguer ». Voici la définition qu'en donne Anthony Chandor dans le *Penguin Dictionary of Microprocessors :* « Procédé consistant à tester un programme et à en éliminer les erreurs. Dans l'absolu, cela doit être réalisé en une seule phase au cours de laquelle le programme est revu avec un jeu d'essai pour tester les branchements et les conditionnements qu'il peut comporter. Malheureusement, il arrive souvent que la mise au point d'un programme se prolonge tout au long de sa vie. »

Cette définition n'est en fait qu'un aimable euphémisme pour évoquer l'horreur de cette opération. Elle omet de mentionner à quel point il est cauchemardesque de déboguer un programme pour lequel il n'existe pas de données d'essai et ne précise pas qu'il est encore pire de trouver également des bogues dans le matériel. Les ordinateurs peuvent en être tellement envahis — horreur suprême — qu'ils font des va-et-vient sans se gêner entre le matériel et le logiciel. Cela pourrait se comparer, en médecine, au problème physique-psychique, où un désordre à un niveau prend un malin plaisir à se déplacer vers un autre. Certains philosophes s'appuient sur ce fait pour contester la distinction cartésienne entre le corps et l'esprit, tout comme les programmeurs les plus existentiels sont amenés à se poser des questions sur l'identité du matériel et du logiciel.

Comme Doyne l'explique sans détour : « Pour déboguer Raymond, ç'a été l'enfer. Je me souviens que j'y ai passé au moins un mois, en ne faisant pratiquement que ça. C'était très éprouvant pour les nerfs. »

Norman ne garde pas de meilleurs souvenirs de l'opération : « Déboguer cette saleté était carrément une galère. On était vraiment déprimés parce qu'à un moment on a cru que l'ordinateur ne marchait pas. Alors on a fabriqué une machine séparée qu'on a branchée sur Raymond pour vérifier le programme point par point. C'est comme ça qu'on s'est aperçus qu'on avait oublié de mettre une petite résistance de rien du tout. Le problème n'était pas plus compliqué que ça. On l'a installée et l'ordinateur s'est mis à fonctionner correctement. »

Une fois que Raymond fut en état de marche, le Projet se lança tout de suite dans la construction de son premier micro-ordinateur modèle « casino ». « Raymond était notre prototype, dit Doyne. On s'en servait comme d'un brouillon. On trouvait qu'il était trop gros pour qu'on puisse l'emmener dans les casinos, bien que par la suite on ait quand même fini par le prendre. »

Il ne suffit pas d'une poignée de puces pour fabriquer un ordinateur. Sans électrons pour les traverser, elles sont inertes. Pour engendrer et contrôler ce flux, il faut que les puces soient câblées sur un circuit électronique fait de transistors, de résistances et autres composants. Fragiles et à peine plus grosses qu'une tête d'épingle, les puces de silicium sont coulées dans des conditionnements en plastique ou céramique appelés DIP (*d*ual *i*n-line *P*ackage, boîtiers à double rangée de connexions ou boîtiers DIP). Ils ressemblent à des insectes noirs munis de nombreuses pattes dorées, le long desquelles les électrons montent et descendent, mais seulement une fois les boîtiers DIP montés sur les circuits imprimés qui les maintiennent en place et organisent le flux de courant qui les traverse.

Il y a plusieurs façons de monter des puces sur une carte. Pour Raymond, le Projet avait eu recours à une technique appelée câblage ou connection par enroulement. En enfonçant leurs pattes dans des supports, les boîtiers avaient été branchés sur un circuit intégré, puis une toile d'araignée de câbles de liaison avait été tissée en dessous de la carte pour connecter les pattes les unes avec les autres.

« Nous voulions faire un deuxième ordinateur beaucoup plus petit, dit Doyne, et nous pensions que ce système de câblage ne marcherait pas. Ça paraissait bon pour le prototype, mais pas pour la production. C'est à ce moment-là qu'on a entendu parler d'une nouvelle technique, une espèce de câble magique dont l'isolation était censée fondre quand on le touchait avec un fer à souder. C'est bien ce qui se passait, mais ça coulait aussi et ça fondait sur tout le circuit. Les câbles étaient si ridiculement fins qu'ils se cassaient si on éternuait dessus. On a fini avec un énorme imbroglio de fils enchevêtrés autour de l'ordinateur. En construisant celui-là, nous avions voulu aller trop loin. »

Le premier rejeton de Raymond rejoignit la horde des puces au rebut sans avoir montré de signe de vie et sans avoir reçu de nom ; les Projeteurs revinrent au câblage et entamèrent la construction d'un autre ordinateur. En serrant plus les puces les unes contre les autres et en enfonçant les pattes sur le dessous des boîtiers DIL, ils gagnèrent plus d'un centimètre de chaque côté. Après plusieurs semaines de soudure et de mise au point, ils détectèrent les premiers signes de vie dans le nouvel ordinateur nommé Harry, puisque son géniteur s'appelait Norman Harry Packard. Raymond et Harry avaient donc une place de choix dans cette histoire de famille, étant les premiers ordinateurs eudémoniques à sauter le pas et à aller affronter les tables de jeu du Nevada.

Outre la fabrication et la programmation des ordinateurs, une troisième partie du « plan global » du Projet était restée, au mieux, au stade d'ébauche floue. Pensant que leur présence dans les casinos serait moins suspecte si le travail était réparti entre deux personnes, l'une restant à côté de la roulette pour noter les données et l'autre au bout du tapis pour miser, on opta pour un système de double ordinateur manié en tandem. Le premier entrait les données et établissait les paramètres en chronométrant la bille et le cylindre tout en misant petit, faisant même exprès de perdre. Le second joueur, relié à un ordinateur qui recevait et décodait les signaux envoyés par l'ordinateur du premier, misait gros. Restant loin de la roulette et empilant devant lui des sommes indécentes, le ponte pouvait déjouer les soupçons avec toute une gamme d'apparences innocentes.

Les jetons de casino ont un magnétisme particulier. Ils attirent l'énergie comme un court-circuit. Faites-en une belle pile devant un joueur et vous attirez les foules. C'est à ce moment-là que le directeur commence à se faire du souci et donne l'alerte. Le joueur se retrouve encerclé par une horde de croupiers, chefs de partie, chefs de table, racoleurs, commissaires et détectives privés.

Ils vous font boire de l'alcool, vous harcèlent de questions pour vous distraire, mâchent du chewing-gum, éternuent, se grattent l'entrejambe, tout en se demandant : « D'où vient la veine insolente de ce type ? Est-ce qu'il est régulier ou est-ce qu'il nous joue des tours ? »

Bénéfique du point de vue de la sécurité, un système de roulette à deux personnes demandait une technique compliquée de transmission des signaux d'un ordinateur à l'autre, par radio ou un autre moyen. Une fois transmis, les signaux devaient être transcrits pour devenir compréhensibles par l'homme : voyant à diodes électroluminescentes, LED installé dans une paire de lunettes, sons émis à l'intérieur du canal auditif, chocs ou coups frappés contre une partie du corps. Les problèmes que posait la conception d'un système à deux personnes tel que celui-ci — qui exigeait un mode de communication d'ordinateur à ordinateur d'une part, et d'ordinateur à humain d'autre part — relevaient du domaine de l'ingénierie électrique. La seule personne parmi les Projecteurs experte en la matière était le petit réparateur de télé de Silver City, Norman.

Il commença par s'attaquer aux problèmes de communication entre ordinateurs. Il pensait qu'une liaison radio, qui était assez simple à faire, serait trop repérable. Les grands casinos sont équipés de bout en bout de détecteurs de bombes, appareils photo, revolvers, ou autres objets identifiables dans le spectre normal des fréquences radio, et on pouvait s'attendre à ce qu'il y ait des capteurs dans le plafond au-dessus de toutes les tables de roulette.

Ayant rejeté le système par radio, Norman envisagea et étudia d'autres possibilités, dont les ultrasons, qui exigent des moyens spécifiques de détection et un système optique à base de lasers infrarouges. Dissimulés dans les talons des chaussures, les lasers pouvaient transmettre des signaux grâce à une feuille de lumière infrarouge invisible à l'œil nu. « Les ultrasons et les lasers fonctionnent parfaitement bien, expliqua Norman, à condition qu'il n'y ait personne sur le chemin. »

C'est Tom Ingerson qui mit Norman sur la voie. Se trouvant alors en congé sabbatique au Chili, Ingerson restait en correspondance suivie avec Santa Cruz. Les lettres parlaient de tout, de la philosophie aux diagrammes de circuits. « Je vous conseille de faire comme James Bond, écrivait-il, et de vous mettre un récepteur radio dans une dent. Ce n'est pas difficile aujourd'hui, et on peut émettre des signaux en serrant les mâchoires et entendre les chiffres pour faire les mises par voie osseuse, moyen d'émission inaudible à toute autre oreille. »

Mais Ingerson proposait aussi une autre solution, à savoir la transmission de signaux par induction électromagnétique, dite de Faraday. Celle-ci fonctionne d'après le principe du transformateur : le courant, après avoir traversé une bobine, altère le champ magnétique et crée ainsi un courant dans une seconde bobine. Le flux du voltage passant par des circuits adjacents est défini par la loi de Faraday, d'où le nom de ce genre de signal.

Contrairement aux ondes radio, qui se propagent dans l'espace par un champ de radiation, l'induction Faraday crée des champs magnétiques à variations lentes qui lâchent très peu d'énergie vers l'extérieur. « Ils s'affaiblissent tellement vite, découvrit Norman, qu'à trois ou quatre mètres on ne peut plus les détecter du tout, même avec les meilleurs instruments. C'était évidemment un très gros avantage. Nos signaux seraient pratiquement impossibles à détecter par le Grand Œil céleste ou par qui que ce soit excepté ceux qui seraient juste à côté de nous. »

Norman feuilleta ses manuels d'électricité et des ouvrages sur le magnétisme et entreprit la construction d'une paire d'émetteurs et de récepteurs. Il était loin de se douter qu'ils lui empoisonneraient l'existence pendant plusieurs années. Il allait passer plusieurs milliers d'heures à essayer de déterminer les causes du mauvais fonctionnement de leurs circuits. Cette brillante idée destinée à déjouer la sécurité des casinos devait, par sa complexité, miner la patience exemplaire de Norman. Simultanément, il travaillait à la seconde de ses tâches, à savoir le mode de communication entre les ordinateurs et les humains. En général, on s'adresse à l'ordinateur au moyen d'un clavier et d'un écran, mais, pour des raisons évidentes, les Projeteurs avaient besoin de périphériques plus discrets. Pour entrer les données dans l'ordinateur, ils avaient déjà remplacé le clavier par des microswitchs placés sous les orteils. Maintenant ils cherchaient un moyen de recevoir l'information émise par la machine. Norman avait le choix entre des périphériques visuels, sonores, électriques ou tactiles.

Le visuel et le sonore furent rejetés car trop voyants. Des montres équipées de diodes électroluminescentes (LED) ou des prothèses auditives émettant des sons dans le canal auditif étaient toutes deux facilement repérables. Pour étudier les sorties faisant appel au toucher, il prit contact avec une société de Palo Alto qui fabriquait des appareils à l'usage des aveugles. Leur produit le plus intéressant était une machine qui traduisait un texte écrit par des vibrations lisibles par le bout des doigts. Mais Norman jugea la machine trop fragile et pas assez souple quant au voltage du courant nécessaire à son alimentation.

Ayant écarté les appareils visuels, sonores et tactiles, Norman se pencha sur les interfaces de sortie électriques. « La solution parfaite, avons-nous conclu, c'étaient des décharges électriques produites par des électrodes absolument plates et facilement dissimulables. »

Les chocs électriques envoyés au corps pourraient être décodés pour permettre d'identifier un octant particulier de la roulette. Fait bien commode, des lignes noires sont gravées sur le cylindre, qu'elles découpent en huit portions qui ont la forme d'une part de gâteau. Les trente-huit cases ne sont pas divisibles en huit parts égales, et chacune compte soit quatre, soit cinq numéros. Un ordinateur rétrécissant la fourchette de l'issue du jeu de roulette à un octant déterminé et laissant suffisamment de temps pour couvrir ces quatre ou cinq numéros de mises donnerait un avantage décisif au parieur si les décharges n'avaient déjà par elles-mêmes causé des dégâts définitifs.

Utilisant des couvercles de boîtes de conserve enduites d'un « gel médical spécial très conducteur », il attacha une électrode de masse au creux de ses reins et quatre fils pour transmettre les décharges à divers endroits de son corps : un sur chaque jambe et deux sur le ventre. Avec les combinaisons des vibrations émises par ces quatre fils ensemble, il pouvait transmettre largement assez de signaux différents pour identifier les huit octants, plus un signal « pas de mise ».

« L'idée était d'envoyer un voltage dans le système pour provoquer une sensation légère, pas forcément désagréable, mais c'était difficile de bien doser le voltage. » C'était un euphémisme à la Norman pour ne pas dire qu'à un moment donné, la salle du Projet ressemblait au couloir de la mort à Sing Sing avec des cobayes humains en train de se tortiller par terre, en proie aux premiers signes d'électrocution.

Après avoir abandonné les boîtes de conserve, Norman commanda chez Hewlett-Packard des capteurs médicaux spéciaux utilisés pour les électro-encéphalogrammes et les électrocardiogrammes. « Mais, déclara-t-il, ils ne valaient rien du tout, même après nous être rasé la peau et avoir mis chaque électrode à la masse. Le courant était trop difficile à régler quand il passait dans nos corps. Une fois qu'il était entré, il se baladait et pouvait ressortir n'importe où. Et, après des mois et des mois, nous avons fini par abandonner les électrochocs. »

Malgré les précautions visant à ne rien ébruiter, le Projet commençait à attirer un bon nombre d'amis intéressés. Ceux qui s'y connaissaient en jeu donnaient des conseils pour les casinos. D'autres proposaient leurs services pour être les « joueurs ». Et d'autres encore, plus nombreux, venus là par le bouche à oreille et des rencontres fortuites, offraient des conseils techniques experts. L'un de ceux-ci était Jonathan Kanter, véritable magicien de l'électronique, qui vint miraculeusement résoudre la question des électrodes.

Un jour qu'il allait à l'université dans le Blue Bus, Doyne s'arrêta pour prendre un auto-stoppeur. Kanter sauta dans le véhicule. Mince, vif, ses longs cheveux bruns tressés en dreadlocks jamaïquains, « il ressemblait à un Rasta blanc, dit Doyne. Avec des cheveux comme un nid de souris qu'il n'avait pas dû brosser depuis trois ans ».

Dans le spectre des cinglés de l'informatique, Kanter était vraiment marginal. Il marchait pieds nus et riait comme s'il était perpétuellement défoncé. Venant de New York, il avait quitté le lycée pour aller sur la côte Ouest, vivait dans un garage plein de matériel électronique et gagnait sa vie en fabriquant les « blue boxes », système s'adaptant sur les téléphones pour truquer le compteur, ce qui permettait de ne pas avoir à payer ses communications. Dormant jusqu'à deux heures de l'après-midi et travaillant jusqu'à l'aube, il gardait l'horaire classique des fous de l'ordinateur.

Ils se mirent à bavarder et Doyne lui demanda : « Qu'est-ce que tu fabriques à la fac ?

— Une roulette », répondit Kanter.

Doyne fut surpris d'apprendre que l'idée lui en était venue en lisant le livre de Thorp et qu'il construisait actuellement un ordinateur pour la roulette avec un professeur nommé Ralph Abraham. « J'ai rencontré Ralph en 1975, à la fin de l'année, raconta Kanter. À ce moment-là, il essayait de faire une machine pour battre la Roue de la Fortune. Avec un simple appareil analogique il voulait prévoir où la roue allait s'arrêter. L'appareil donnait un certain voltage chaque fois qu'il entendait un clic et à partir de là on pouvait déduire le taux de décélération. Un batteur et un bassiste doués d'un don du rythme excellent avaient déjà fait la même chose rien qu'à l'oreille, en écoutant la roue tourner.

« Je venais juste d'avoir vingt ans, et je me suis branché sur le projet de Ralph. Je suis allé au lac Tahoe avec un magnéto. C'est là que j'ai lu Thorp et que j'ai compris qu'on pouvait utiliser un ordinateur pour prévoir la roulette. J'ai couru voir Ralph pour lui parler de cette idée et il a dit : “ Non, c'est trop difficile. ” » Mais on s'est quand même mis à travailler là-dessus.

« Il a imaginé des lunettes de soleil stroboscopiques, qu'on a testées avec un stroboscope et une roue de bicyclette tournant à la même vitesse qu'une roulette. On a découvert que la bille perdait de la vitesse trop rapidement pour que ça marche. Ensuite j'ai commencé à travailler sur une machine analogique qui déduirait ses prévisions d'après le bruit que fait la bille sur la piste. Le volume change selon qu'elle approche ou s'éloigne du point de réception. J'ai apporté mes enregistrements au Centre de recherches en acoustique et musique de Stanford pour faire des analyses du spectre. Je voulais voir si la *fréquence* variait avec la décélération de la bille. Un simple coup d'œil au spectre a suffi pour me persuader que ça ne marcherait pas non plus. Par contre, les tests d'*amplitude* ont révélé des variations sonores. À mesure que la bille approche, le volume augmente. Ce que je cherchais donc était un instrument pour détecter les maxima. »

Autre coïncidence, Kanter avait loué une roulette au même magasin de jeux que les Eudaemonic Enterprises, sur Market Street à San Francisco. Il avait essayé de fixer la trajectoire de la bille sur une cassette vidéo mais s'était rendu compte que les images obtenues étaient terriblement floues. Il passa ensuite aux films rapides avec un affichage digital lumineux en arrière-plan.

« Je pensais encore me servir du son, mais j'ai vite compris que ça ne suffirait pas. Avec le son uniquement, on ne pouvait suivre que la bille. C'est à ce moment-là que j'ai pensé au radar et à l'effet Doppler. »

Kanter commanda un radar Doppler en Allemagne de l'Ouest : un Valvo MDX 0520, qui coûtait deux cent soixante-cinq dollars. Des modèles moins chers utilisés pour les alarmes anticambrioleurs peuvent s'acheter chez le quincaillier, mais ils sont munis d'antennes ressemblant à des oreilles métalliques ou à des entonnoirs attachés à leurs corps. Le Valvo était complètement plat, avec une antenne en circuit imprimé fait de spires de cuivre. Ayant la taille et la couleur d'un palet de hockey, cet appareil pouvait, par radar, mesurer la vitesse d'un objet s'éloignant ou s'approchant de lui. Il effectuait cela grâce à l'effet Doppler, qui explique pourquoi, dans son exemple le plus connu, le sifflement d'un train est plus aigu ou plus grave selon qu'il s'approche et passe devant soi.

Après avoir écouté l'histoire de Kanter, Doyne lui raconta la sienne et son travail sur la roulette, l'invitant à venir au 707, Riverside, où roulette, KIM, Raymond et Harry avaient été installés sur une table de camping dans sa chambre à coucher. Doyne fignolait son programme et essayait de mettre les ordinateurs à l'épreuve du jeu en cours.

Kanter était « super impressionné » de trouver un minicasino et un atelier d'électronique dans une chambre à coucher. « Les roulettes que j'avais louées à San Francisco étaient dans un état lamentable par rapport aux leurs, qui étaient jeunes et belles. Ils avaient aussi toute une variété de billes de différentes tailles, et je savais que ça avait aussi son importance. Doyne m'a montré les mesures qu'ils avaient faites avec des diodes photo-électriques montées sur les côtés de la roulette, et c'était visiblement un meilleur moyen d'obtenir des informations que mes tentatives précédentes à San Francisco. Je n'avais encore jamais rencontré des gens qui travaillaient aussi bien en équipe. » Lorsque Kanter apporta son appareil à radar Valvo, ils virent que ça marchait très bien pour la roulette, où il pouvait suivre les cases du cylindre en rotation. Par contre, il marchait moins bien pour mesurer la vitesse des billes, en particulier celles qui étaient en Téflon, qui est pratiquement transparent aux micro-ondes. Les Eudaemonic Enterprises décidèrent de s'en tenir au chronométrage par boutons et *top* déclenchés par les orteils. La précision qui faisait défaut à ce moyen d'entrée était compensée par sa souplesse.

La plupart des difficultés auxquelles se heurtaient les Eudaemonic Enterprises étaient d'ordre mathématique ou électrique, mais certains problèmes psychologiques se posaient également. Étant donné les distractions que l'on trouve dans les casinos, comment les preneurs de données allaient-ils pouvoir maintenir la précision dans les mouvements de leurs orteils ? Et comment les pontes allaient-ils pouvoir garder leur sang-froid dans la fièvre du jeu ?

Pour régler le premier de ces problèmes, Doyne installa une machine à rétro-action biologique œil-orteil et établit un horaire précis de cours d'entraînement pour toute personne désirant jouer dans les casinos. Le premier prix offert au gagnant de ces Sweepstakes Côte d'Azur, c'est-à-dire à la personne ayant montré la meilleure coordination œil-orteil, serait un voyage à Monte-Carlo.

Composée de deux parties, une cellule photo à infrarouges dirigée sur la piste de la roulette et un microswitch monté dans une paire de sandales, la machine de biofeedback était reliée à l'ordinateur KIM, qui enregistrait un *top* d'orteil et un *top* de la cellule à chaque passage de la bille devant un point de la piste. Après comparaison du temps humain et du temps de la cellule photo, le KIM affichait les différences sur un voyant LED. Il fournissait également des moyennes continues. « Il y avait des écarts significatifs entre les gens, dit Doyne. Les meilleurs avaient des erreurs inférieures à trois centièmes de seconde alors que certains avaient un dixième ou même un quart de seconde d'écart avec la réalité. Cela était tout à fait lié au côté sportif des individus, et les hommes réussissaient beaucoup mieux que les femmes. On faisait moins bien quand on était fatigué, et quand on fumait un joint, les moyennes descendaient à chaque bouffée. Pour ce qui est de l'alcool, par contre, certains d'entre nous s'amélioraient avec un petit verre. Nous avons donc établi la quantité d'alcool optimale requise. Le secret était d'être concentré mais détendu, comme pour jouer au tennis. »

Excellent sportif depuis toujours, futur entraîneur professionnel de volley-ball, le vainqueur du Sweepstake Côte d'Azur fut Steve Lawton. Avec une moyenne d'erreurs de moins de trois centièmes de seconde, il reçut de ce fait dans le Projet le surnom de « Stevie l'orteil ».

Bien qu'étant toujours officiellement en congé, Doyne retourna à l'université au printemps comme assistant pour faire le cours d'introduction à l'électronique pour les physiciens : « Je n'avais plus un sou. Mon compte en banque était à zéro. »

« Ç'a été une année solitaire et difficile pour Doyne, dit Letty. Il avait épuisé toutes ses réserves pendant le temps qu'il avait passé hors de la fac. Ses réserves financières, ses réserves de confiance en lui et d'initiative. N'importe qui d'autre qui se serait embarqué dans le Projet aurait abandonné depuis longtemps et ceux qui savaient ce qu'il faisait étaient éblouis par sa ténacité et son énergie. »

Doyne avait investi deux mille dollars dans le Projet et en avait prêté mille cinq cents à Norman pour lui permettre de terminer le lycée et de commencer ses études à Santa Cruz. « Norman, disait Doyne, avait dépassé toutes les limites pour les prêts aux étudiants, et partout. Il avait tellement de dettes que pendant plusieurs années, il a gardé un appareil dentaire sans l'enlever ni le faire resserrer parce qu'il n'avait pas de quoi aller chez le dentiste. J'ai fini par fouiller dans notre boîte à outils d'électronique, j'ai pris les pinces et les cisailles qui avaient servi à la construction de Harry et je lui ai enlevé son appareil moi-même. En réalité, c'était assez simple. Avec un peu d'entraînement, j'aurais pu entrer dans le métier. »

Enseigner l'électronique n'était pas grand-chose non plus (Doyne faisait le cours sur les micro-ordinateurs), et travailler à l'université s'avéra un bon moyen de recruter des éléments brillants pour le Projet. Doyne avait repéré cinq étudiants en particulier : Marianne Walpert, Ingrid Hoermann, Mark Truitt, Rob Lentz et Sandy Wells, ce dernier ayant été embauché dès le printemps pour reconstruire les récepteurs radio de Norman. Les autres finiraient, eux aussi, par aller travailler pour avoir une part du gâteau eudémonique.

De retour au campus, Doyne eut également l'occasion de discuter du projet « roulette et informatique » avec d'éminents professeurs de la faculté. La plupart d'entre eux n'avaient pas idée de ce qui l'avait poussé à s'absenter, et ceux qui étaient au courant du Projet gardaient le silence jusqu'à la paranoïa.

« Tout le monde voulait savoir ce que Doyne faisait, dit Norman. Il leur avait mis la puce à l'oreille en leur disant qu'il travaillait à un projet pour gagner de l'argent qui le libérerait du panier de crabes. La plupart des professeurs hochaient la tête en disant : “ Oui oui, il doit vouloir déposer un brevet, il faut respecter ces choses-là. ” Mais d'autres s'irritaient de ne pas être admis dans le cercle des confidents. Dès que l'on parlait du Projet, les gens étaient très excités à l'idée que nous pourrions réussir. »

George Blumenthal, l'ancien conseiller de Doyne, jugeait que son travail sur la roulette était suffisant pour un doctorat. D'autres professeurs se penchèrent sur ses équations et sur le problème de la roulette en général. Au cours de ces discussions, le nom de Ralph Abraham revenait continuellement. Un système pour jouer n'est valable que s'il est parfaitement dissimulé, et Abraham semblait, de l'avis général, être de tout Santa Cruz l'homme qui connaissait le mieux les problèmes de surveillance des casinos.

Pour une ville modeste et d'accès difficile, Santa Cruz est dotée d'un nombre surprenant de personnages éminents qui hantent ses bois et ses champs comme autant de mandarins intellectuels venus de centres culturels plus traditionnels. En liberté dans les forêts erraient à cette époque Norman O. Brown, Herbert Marcuse, Gregory Bateson et John Cage. Parmi eux se trouvait un satyre qui arborait une barbe grise et un sourire amusé, si ce n'est sardonique : c'était Ralph Abraham. Professeur de mathématiques à Princeton, à Columbia, à Berkeley et à Santa Cruz, auteur d'un ouvrage de référence sur la mécanique classique et de cinq autres ouvrages, spécialiste de l'analyse non linéaire, des systèmes dynamiques, de la morphogenèse et de la formation de modèles, Ralph Abraham était arrivé à Santa Cruz en 1967 à l'âge de trente et un ans et c'est là qu'il avait pris de l'acide pour la première fois. « Ç'a été un tournant pour moi, dit-il. J'ai commencé ma vie de routard, la recherche du miraculeux et aussi ma vie criminelle. »

Le jour de son arrivée à Santa Cruz, l'Abraham qui n'avait pas encore subi sa transformation essayait de trouver, sur la recommandation de son ami Page Stegner, un certain Fred Stranahan. « J'ai loué une Shelly Cobra chez Hertz et me suis rendu chez Jim Houston, dit Abraham. Il m'a dit que je trouverais Stranahan à la Grange à Scotts Valley. »

Domicile des Merry Pranksters (les Joyeux Lurons), la Grange était couverte de peintures psychédéliques, éclairée à la lumière noire et emplie par la musique spatiale des Sons of Eternity qui jouaient sur des instruments en forme de sculptures pornographiques. « Il y avait trois cents personnes là-dedans, dit Abraham, tous en trip d'acide, y compris les gosses et les chiens. C'est là que j'ai pris mon premier trip, et alors j'ai vu ce qui se passait. »

Installé à Santa Cruz, Abraham acheta une demeure victorienne de vingt-quatre pièces sur California Street et commença à « écouter les radios d'autres planètes. J'ai dédié ma vie au *I Ching*. J'ai commencé à voyager, à passer un an en Europe, à dormir par terre, dans des fumeries d'opium ou des gares de chemin de fer ; ensuite, j'ai estimé que j'étais mûr pour affronter l'Inde. J'ai étudié les Veda pendant sept mois tout en gagnant ma vie avec des cours de maths. Je me suis penché sur toutes les formes de mysticisme existant : Gurdjieff, le soufisme, l'astrologie, sans oublier la politique. Mais j'ai décidé que, plutôt que le mysticisme ou la politique, " la voie " pour moi était de voyager, que c'était mieux que d'appartenir à un groupe, de méditer ou d'avoir un gourou.

« Le gouverneur Reagan et le rectorat de l'université exerçaient de fortes pressions pour me renvoyer. Aussi étaient-ils très contents de me voir voyager. À mon retour d'Inde, j'ai fait le tour des professions que je pourrais exercer en accord avec mon mode de vie. Il y avait une liste de critères d'après lesquels je les évaluais : souplesse, bonnes conditions de travail, rentabilité, et occasions de voyager de par le monde. C'est alors que j'ai choisi le jeu comme profession. »

Abraham vendit sa maison et s'installa au St George Hotel sur Pacific Street, où s'arrêtaient les gens de passage. Il élut domicile au Catalyst, un bar situé dans le hall du St George. « C'est là que j'ai pris tous mes repas et que je me suis entraîné à compter les cartes pendant des semaines et des semaines. Je connaissais déjà le livre de Thorp. Je l'ai relu, j'ai appris le système et me suis exercé avec des cartes-mémoire au Catalyst, avant d'inventer un système avec projecteur et diapos qui montrait deux cents possibilités différentes. Après quoi, je me suis mis en route pour le Nevada. »

Abraham et moi buvons du thé et mangeons des tumis (légumes sautés) dans un café de Santa Cruz appelé India Joze pendant qu'il retrace cette époque de sa vie. Portant des lunettes, bronzé, avec un beau front et des yeux noirs perçants, il ressemble à un gourou professoral conscient de l'illusion des choses d'ici-bas tout en y étant attaché. Mais au lieu de costumes de tweed ou de robes couleur safran, il porte un gilet plein de poches et une chemise de cow-boy à boutons-pression. Une longue pause, puis il reprend son récit.

« Je n'arrêtais pas de perdre. Cinq mille dollars en tout. Et puis j'ai découvert le livre de Larry Revere. Sans aucun doute possible, il donne la meilleure méthode pour gagner au black-jack. Je perdais encore plus vite. C'est alors que, pour la centième fois, je me suis replongé dans l'ouvrage de Revere et j'ai découvert, à la dernière page, une phrase disant qu'il est impossible d'apprendre un système dans un livre.

« Je me suis rendu à Las Vegas et j'ai rencontré Revere. Je lui ai donné mon dernier billet de cent dollars et je lui ai dit : “ Je veux être votre élève. ” Il est multimilliardaire. C'était un signe de puissance, une parodie d'humiliation. Je suis devenu son étudiant numéro un. Il m'a appris à marcher, à m'habiller, à m'asseoir et à me lever de table, à faire passer mon argent d'une poche à une autre. C'était un professeur de théâtre, un maître du faux-semblant.

« Revere n'était pas son vrai nom, et Larry n'était pas non plus son prénom. Après son premier cours, je me suis mis à gagner, mais je savais qu'il me tenait. Je voulais qu'il me transmette son savoir. Il avait acheté un casino et jouait sur les deux tableaux, et à l'époque il avait besoin d'une secrétaire ; j'en ai profité pour faire entrer une amie à moi dans sa vie. Je lui ai téléphoné et elle a pris l'avion de Santa Cruz à Las Vegas afin d'aller travailler pour lui.

« Mais comme je l'ai déjà dit, du jour où j'avais rencontré Revere, j'étais devenu un bon professionnel du black-jack. Je me suis établi à Tahoe et me suis mis à gagner dans les deux mille dollars par mois. En jouant deux heures le matin et deux heures l'après-midi, je me faisais vingt dollars de l'heure. J'aurais pu gagner cinq fois plus à Las Vegas mais j'avais horreur de cette ville.

« Avec mon attirail, je pouvais jouer dans le même casino pendant plusieurs semaines sans qu'ils se rendent compte que je gagnais. Le jeu est entièrement entre vos mains, dit Abraham en ouvrant son gilet pour me montrer toutes les poches intérieures ajoutées. Il faut savoir mettre des jetons dedans et les en sortir. Tout en sachant exactement où ils sont, on prend l'air hébété comme tout le monde. On est à une table où tous les autres perdent, et s'ils ne perdaient pas, on ne gagnerait pas. Lorsque l'on glisse tous ses jetons dans ses poches, il faut faire semblant de les sortir.

« Il faut aussi mettre au point une stratégie pour changer ses jetons. Il ne faut pas le faire dans le même casino, mais profiter de l'amabilité qu'ils ont souvent de bien vouloir vous rembourser les jetons des autres établissements. On doit bien avoir en tête les heures où les changeurs se font remplacer pour que les pertes soient réparties sur différents employés, et on fait la tournée des casinos de la ville dans un certain ordre pour ramasser ses gains. Ces techniques sont connues sous le nom de “ gestion monétaire ”.

« Tout en jouant, il faut compter toutes les cartes en vingt-six secondes. Vingt-huit secondes et vous êtes fichu, le jeu passe à côté de vous. Il y a trente tours en une heure, treize cartes par tour, plus de mille cartes à l’heure, et on ne peut pas se permettre de faire une seule erreur. Tous les matins, je m’entraînais pendant une heure avant de me rendre au casino. Il faut compter les cartes du coin de l’œil tout en parlant à son voisin. Il y a beaucoup de bruit, comme dans un aéroport le samedi soir. Les donneurs, les chefs de partie, les serveuses connaissent mille façons de vous déconcentrer. Et de temps en temps, quand un croupier a un soupçon, il essaiera de vous piéger. Il enverra une carte qui vous passera sous le nez à soixante à l’heure, et on ne peut pas l’attraper, sinon il comprend votre manège.

« À cette époque, il devait y avoir environ deux cents joueurs de black-jack professionnels. Maintenant, il y en a des milliers. Ken Uston a pris la suite de Revere quand il est mort et a introduit le concept de jeu en équipe, avec des groupes d’une douzaine de personnes partant en tournée pendant un an. Stanford Wong a mis au point une stratégie reposant sur le passage d’une table à l’autre, le “ wonging ”. Il a appris à observer le visage du donneur pour y déceler des signes qui lui indiquaient aussitôt où il fallait miser.

« Avec la prolifération des méthodes, la guerre fut déclarée entre les casinos et les joueurs professionnels. Revere lui-même a été coopté lorsqu’il a acheté un casino. Il est bientôt devenu impossible de dire qui était qui, surtout quand les casinos ont commencé eux aussi à mettre au point des systèmes. Ils ont compris que personne ne perd d’argent plus vite qu’un joueur qui compte les cartes, une seule erreur et il est perdu.

« À Silicon Valley, le moindre technicien se prend pour un joueur. Le week-end, il va à Tahoe pour compter les cartes ou il passe son temps dans son garage, à brancher des semi-conducteurs pour fabriquer un système de jeu. Mais dans ce domaine, soit on est professionnel, soit on n’est rien. Le monde du casino est une communauté hermétique, une réalité marginale. On vit dans les hôtels et on joue en bas dans les casinos à air conditionné du sous-sol, sans jamais sortir, parce que dehors, rien n’est aussi intéressant que ce qui se passe dedans.

« On voit les chariots des casinos circuler pour ramasser l’argent des caisses. Heure après heure, ils font leur récolte. On est assis à côté de gens qui perdent et qui ne quittent la table que lorsqu'ils n'ont plus d'argent. On voit leurs femmes les tirer par la manche en disant : " Allez, chéri, arrête-toi. C'est tout ce qu'il nous reste pour payer le billet de retour. " Et l'argent part quand même, et on ne sait pas comment ils vont faire pour rentrer là d'où ils sont venus.

« Tout le jeu est géré par la mafia, et c'est ce qui lui rapporte le plus. Mais qu'est-ce qui pousse les gens à jouer ? C'est un instinct animal, une tare atavique, une maladie. Quand on est assis là, au beau milieu de tout ça, c'est comme quand on est sur la 42e Rue à Grand Central Station. On voit toutes les sortes de gens imaginables. Ils laissent de côté toute vanité. Ils murmurent leurs incantations pendant que les dés roulent sur le tapis ou que la carte du dessus va être retournée. Cela surpasse tous les autres niveaux de réalité. C'est la réalité brute. Je veux dire que les casinos sont si déplaisants et si avides — pleurant sur le moindre sou qu'ils perdent tout en flouant et volant les gens sans le moindre scrupule — que le fait de les battre sur leur propre terrain est une opération digne d'un chevalier à l'armure étincelante. »

Après l'arrivée de Reagan au pouvoir, Abraham retourna en Californie. « Je suis un médium, disait-il, un projeteur astral dans d'autres réalités, j'écoute les radios d'autres planètes et c'était assez curieux de se retrouver à l'université. Mon but spécifique est de révolutionner l'avenir de l'espèce. Les mathématiques ne sont qu'un moyen parmi d'autres pour prédire l'avenir. »

Par la suite, ils devinrent tous les trois de bons amis, mais Doyne et Norman hésitèrent avant de parler du Projet à Abraham. Qui sait en quelle autre réalité il pourrait le transformer ? En fait, leur première rencontre ne se passa pas très bien. « J'ai étudié leur algorithme et ça m'a paru pouvoir coller, dit Abraham. J'ai examiné leurs statistiques, le facteur fatigue, l'équipement qu'ils avaient réuni et tout ça m'a eu l'air de pouvoir fonctionner.

« Mais ils n'avaient aucune idée de ce qu'était le système de sécurité d'un casino. Ils croyaient pouvoir s'échanger leurs chargeurs et leur équipement dans les toilettes de l'hôtel, qui sont surveillées par une caméra, naturellement. Je savais que les conséquences pouvaient être graves s'ils se faisaient prendre. Ken Uston était à l'hôpital à ce moment-là, pour se faire réparer le visage par la chirurgie esthétique.

« J'ai essayé de les avertir des dangers de la détection. Ils m'ont répondu que leur technologie était trop perfectionnée. Je pensais qu'ils allaient se faire repérer. Ils trouvaient que j'étais paranoïaque. Moi, je les trouvais prétentieux. Je leur ai dit que la meilleure mise qu'ils pouvaient faire était de vendre l'ordinateur à quelqu'un qui savait ce qu'il faisait. »

# 5

## *Débogage*

Les choses ne sont pas aussi simples qu'elles en ont l'air.

Edward Thorp

Après une année passée à construire, pour leur ordinateur, des émetteurs, des récepteurs, des électrodes et l'appareil à biofeedback, les Eudaemonic Enterprises s'arrêtèrent le temps de faire une grande fête de printemps qui célébrait aussi la licence en droit que Letty venait d'obtenir à la Stanford Law School. Sur le thème « Venez comme vous serez en 1997 », la fête était conçue comme la vingtième réunion annuelle de la classe 1977, distorsion anachronique grâce à laquelle les participants jetteraient un coup d'œil sur ce qu'ils seraient à la veille du troisième millénaire.

Norman fit un calendrier de 1997 qu'il accrocha dans l'entrée et tendit au-dessus de la porte une banderole annonçant : « Bienvenue à la classe 1977. » (Cette banderole attira beaucoup de passants étonnés.) Toutes les pièces de la maison avaient été aménagées en se spécialisant dans une forme de plaisir ou une autre. Plein d'éclairages stroboscopiques, le salon était transformé en discothèque. Dans une salle de projection, on pouvait voir en permanence des films d'Abbot et Costello et des œuvres de champs colorés abstraits de Larry Cuba. Une salle de Rock'n Roll était éclairée à la bougie et une autre pièce avait été transformée en « chambre à toucher », copiée sur l'Exploratorium de San Francisco. Plongés dans l'obscurité totale et tapissés de matelas par terre, la pièce et ses murs étaient pleins de tout ce qu'on peut imaginer, depuis le saucisson jusqu'à la fourrure.

La chambre de Doyne, rebaptisée salle de stimulation neurale, était devenue un temple dédié aux excès des années 60. Sur un autel entouré de symboles faisant allusion au temps « où les hippies s'éclataient et prenaient leur pied avec des drogues qui repoussaient les limites de l'esprit », se dressait une échelle de Jacob avec un courant électrique qui y grimpait et une coupe pleine de punch de Kook-Aid additionné de LSD.

La salle de stimulation neurale présentait également la machine à rétro-action biologique (ou biofeedback) de Doyne, pour la première fois au public, comme machine à tester les réflexes.

D'autres instruments du Projet firent leur apparition pendant la fête. Habillé en néo-hippy de 1997, un Norman barbu portait un bandeau rouge, un burnous qui flottait autour de lui et un collier LED fait de diodes électroluminescentes et d'un prisme. « Voici un exemple de quelque chose qui pourrait me rapporter des millions, dit Norman, mais malheureusement, c'est un truc que je ne suis jamais arrivé à commercialiser. » Sous les traits de Tom Terrific, Doyne arborait un justaucorps et une cape rouges, avec un médaillon péruvien autour du cou et un entonnoir en métal sur la tête au sommet duquel une ampoule, déclenchée par un des microswitchs à orteils du Projet, s'allumait dès qu'il avait une idée.

Beaucoup de gens s'étaient imaginés pour 1997 avec des organes supplémentaires et des mutations. Un invité arriva avec un troisième œil fait avec une bille de roulette. Le premier être humain photosynthétique vint couvert de veines vertes et de feuilles. Vêtu d'un pagne et d'une grosse toile attachée sur une épaule, avec des fétiches autour du cou, Dan Browne représentait l'homme des cavernes d'après la Troisième Guerre mondiale. Letty circulait sur des patins à roulettes à réaction. Bruce Rosenblum, physicien de l'université, portait une veste mexicaine découpée et un cône couvert d'équations de Maxwell sur la tête. Un autre professeur vieilli par des rides dessinées au charbon de bois et des faux seins était déguisé en Tirésias. Juano, vêtu d'un péplum blanc et armé d'une baguette d'argent terminée par un flash, était enveloppé d'un nuage de nitrogène gazeux.

Beaucoup dansèrent jusqu'à l'aube, et d'autres, l'air embarrassé, émergèrent de la chambre à toucher tard le lendemain. Au cours de la soirée, la machine à tester les réflexes eut raison de tout le monde. « Il n'y avait pas de doute, dit Norman, que la plupart des substances consommées pendant la fête étaient mauvaises pour la coordination motrice. »

« Quand Doyne a eu fini de programmer l'ordinateur, confia Norman, nous pensions que ce n'était plus qu'une question de semaines et que l'argent allait commencer à affluer. Une fois le programme terminé, avouons-le, le plus gros était fait. Le Projet était en principe achevé. »

Pour l'optimiste incorrigible qu'était Norman, le Projet Rosetta Stone était déjà un fait accompli, et toutes les roulettes battues de

Monte-Carlo à Macao. « Après ça, on a mis un moment avant de se retrouver vraiment dans un casino, mais tant que nous avions la pêche, il ne nous restait plus que deux ou trois petites choses et *pfuit* (il faisait un bruit avec sa langue en soufflant de l'air entre ses lèvres), on serait sur place sans problème. »

Doyne était tout aussi remonté, jusqu'à ce qu'il soupçonne, vers la fin du printemps, que quelque part, quelque chose ne marchait pas correctement. Ayant entendu dire qu'un voyage au Nevada était imminent, Jack Biles était venu de l'Oregon pour participer à une session marathon de construction de matériel. Mais, au-delà des problèmes courants de soudure et de mise en marche du matériel, Doyne commença à entrevoir qu'il y avait peut-être quelque chose qui n'allait pas dans le programme même. « Le gros travail à faire pendant le printemps et l'été était de faire fonctionner le programme pour qu'il prévoie la roulette en temps réel. » Il recommença à tracer des courbes, à remplir des feuilles de papier avec des graphiques indiquant la fréquence avec laquelle les prévisions de l'ordinateur coïncidaient avec le comportement effectif de la bille. « Je me rappelle être resté assis à tracer courbe après courbe sans pouvoir conclure à un avantage quelconque. J'étais tellement inquiet que j'ai fini par élaborer trois autres systèmes de prévision. »

Doyne pensait que le problème du programme reposait peut-être sur le fait que les roulettes ont des degrés d'inclinaison variables, certaines étant relativement à niveau, d'autres étant inclinées de plusieurs degrés, d'autres encore ressemblant à l'*Andrea Doria* dix minutes avant le dernier appel donnant l'ordre de quitter le bâtiment. Il écrivit des algorithmes pour couvrir ces diverses situations et programma le KIM pour jouer à la roulette avec trois ensembles d'équations différentes.

Mais ce que Doyne ignorait, c'est que deux de ces algorithmes avaient déjà été identifiés par Thorp lorsqu'en compagnie d'un partenaire — dont on tut le nom pendant des années —, il essaya sans succès d'organiser un système de roulette informatisé au début des années 60. L'une des causes de ses difficultés venait du fait que le système de Thorp possédait un nombre limité de paramètres ajustables. Par exemple, il fallait que le joueur devine le nombre exact de révolutions restant à effectuer par la bille avant que celle-ci quitte la piste. Mais le microprocesseur n'avait pas encore été inventé et c'était là une autre raison de la déconvenue de Thorp — qui ne dépendait pas du tout de lui. En introduisant une technologie d'avant-garde dans les casinos, Thorp avait été obligé de travailler avec des approximations plutôt que des équations précises qui, même s'il en avait eu connaissance, n'auraient pas pu être résolues par son ordinateur.

Thorp avait déjà mentionné sa méthode pour la roulette dans son livre, mais elle fut révélée en détail pour la première fois dans un article technique publié en 1969 dans la *Review of the International Statistical Institute.* Cette revue ne s'adresse pas particulièrement aux physiciens ni aux joueurs, qui de toute façon auraient eu du mal à comprendre les équations de Thorp. Et malgré cette infraction au secret, la théorie de la roulette resta une connaissance ésotérique.

« Notre idée de base, écrivait Thorp, en faisant allusion à lui-même et à son mystérieux partenaire, était de déterminer la position initiale et la vitesse de la bille et du cylindre. Nous espérions ainsi prévoir la position d'arrivée de la bille grâce à la méthode permettant de déterminer la position finale d'une planète autour du soleil d'après sa position initiale, d'où le surnom de “ méthode newtonienne ”. »

Comme un trop grand nombre de variables restaient en dehors du champ des approximations linéaires de Thorp pour ses équations non linéaires, son partenaire et lui abandonnèrent la méthode newtonienne et, pour la remplacer, mirent au point une approche appelée méthode des quanta. Celle-ci tirait parti des roulettes qui ne sont pas bien horizontales et du fait que même une légère inclinaison simplifiait l'une des variables entrant en jeu pour la prévision à la roulette : la localisation du point de la piste où la bille va entamer sa chute en spirale pour rejoindre le cylindre. Sur les roulettes biaisées, la bille tourne sur la piste à des vitesses variables. Elle ralentit et accélère alternativement en approchant et en passant au point le plus haut de la roulette. Dans ces conditions, la bille a tendance à quitter la piste au moment où elle est ralentie dans sa montée. Une fois qu'elle a passé le sommet et qu'elle reprend de la vitesse, elle colle à la piste sur une portion baptisée par Thorp « la zone interdite ».

La présence d'une inclinaison ajoute également une nette modification aux lois physiques de la roulette. Elle permet la quantification, ou le regroupement en ensembles discontinus de valeurs, de la position et de la vitesse des billes qui descendent de la piste. Voici comment Thorp expliquait la logique de la méthode des quanta : « Supposons que la bille sorte au-delà du point le plus bas d'une roulette inclinée. C'est qu'elle a tourné plus vite qu'une bille qui serait sortie plus bas et qu'elle va donc atteindre son but plus tôt. Mais comme elle est allée plus loin, les deux effets tendent à s'annuler. »

Étant donné que les différences se compensaient, Thorp comprit que les billes qui sortaient d'une section distincte — ou quantum — de la piste auraient toutes tendance à tomber au même endroit du cylindre. Plus la roulette serait penchée, plus les billes seraient « regroupées ou concentrées avec précision » au moment où elles toucheraient le cylindre. Estimant qu'au moins un tiers des roulettes du Nevada avaient l'inclinaison minimale requise de deux degrés, Thorp calcula un avantage pour la méthode des quanta d'au moins 40 %. C'est un gentil rapport pour un investissement qui peut être répété et payé chaque minute et demie !

À cause de son opacité relative, Doyne ne lut l'essai de Thorp — dont Ralph Abraham lui avait signalé l'existence — qu'après avoir mis au point ses propres algorithmes pour la roulette. Étant parvenu de son côté aux mêmes conclusions, y compris l'importance de l'inclinaison dans la prévision de l'issue du jeu, Doyne adopta cependant la terminologie de Thorp. Il appréciait beaucoup sa façon de récapituler l'histoire de la physique. « Dans la méthode newtonienne, on suppose qu'il y a une continuité de positions à partir desquelles la bille peut quitter la piste. Newton pensait que toute la physique pouvait être décrite avec une telle continuité. Quand la mécanique quantique vint abolir la représentation newtonienne, on ne pouvait plus partir de l'existence d'un continuum et on se retrouva avec une matière divisée en quanta, c'est-à-dire en morceaux indivisibles. »

Au moment où il lisait l'article de Thorp, Doyne avait déjà mis les méthodes de Newton et des quanta en équations qu'il résolut pour la première fois à l'aide de l'ordinateur numérique du Projet. Il avait également mis au point une troisième équation différentielle pour décrire la roulette. Appelée méthode post-newtonienne, elle s'appliquait aux roulettes dont l'inclinaison était intermédiaire entre les horizontales et les penchées.

« À un moment donné, j'ai envisagé d'écrire un article sur les algorithmes et la physique des billes de roulette pour la revue *Physics Today*. J'imagine, dit-il avec un sourire, que je suis le plus grand expert au monde sur ce sujet. »

En travaillant avec l'ordinateur KIM dans sa chambre, où il était placé sur une table pliante à côté de la roulette, Doyne commença à s'inquiéter lorsqu'il constata *qu'aucune* de ses équations ne fonctionnait correctement en temps réel. Elles avaient l'air bien sur le papier, mais affrontées à la roulette, elles ne donnaient plus qu'un faible avantage.

« Je plaçais mes ambitions trop haut, dit-il. J'essayais de battre toutes les sortes de roulettes. Certaines seraient très inclinées, d'autres horizontales, et beaucoup se situeraient entre les deux, et j'avais l'intention de pouvoir jouer à n'importe laquelle, quelle que soit son inclinaison.

« Mais je commençais à me rendre compte que cette histoire traînait en longueur. Je ne pouvais pas me permettre de passer des mois à mettre au point des algorithmes fantaisistes pour prévoir la roulette alors que je n'arrivais même pas à en trouver un qui soit adapté aux roulettes très inclinées, qui sont les plus faciles de toutes. Je paniquais à l'idée que rien ne marchait, qu'il y avait à la base une imperfection que nous n'avions pas prise en compte. Peut-être la bille rebondissait-elle trop sur la piste. Ses sauts faussaient la prévision.

« Nous avions encore des informations stockées dans l'ordinateur de la fac, et je me rendis donc à l'université avec mes algorithmes pour les tester. Mais j'avais beau ajuster les équations, les informations stockées ne correspondaient pas. Je fis plusieurs expériences et je finis par me sentir vraiment déprimé. Apparemment, l'avantage que nous avions constaté n'avait été qu'un coup de veine. C'est alors que j'ai cédé en déclarant : “ O.K. ! on va essayer le plus simple : on penche carrément la roulette, on entre deux *top* et on voit si on peut prévoir où la bille arrive. ” »

Doyne passa tout l'été à reprogrammer les algorithmes qui n'avaient pas réussi à battre les informations sur la roulette stockées dans l'ordinateur de l'université. À ce stade, le Projet ressemblait à un établissement d'enseignement intensif d'une langue en cunéiformes. Écrit en arithmétique à virgule flottante, le langage machine que comprenait l'ordinateur KIM, le programme de Doyne comptait quatre mille instructions. Reproduit en écriture ordinaire, il couvrait cinquante pages de nombres binaires pour distinguer toutes les positions du programme. Chaque position, ou adresse, dans une chaîne de chiffres, représentait huit bits. L'orientation on-off d'un bit peut également être représentée par un bip électronique soit grave, soit aigu qui permettait à Doyne de stocker ces cinquante pages de chiffres sur cassette. En les repassant, ces sons qui ressemblaient au charabia d'un type qui aurait pris trop d'amphétamines et qui aurait décollé, emplissaient dix longues minutes sur la bande.

Ne disposant ni de langages évolués ni d'autres moyens pour l'aider à parcourir les cinquante pages d'un programme en code machine, Doyne se débrouillait en prenant son courage à deux mains. Au début, il n'avait pas le choix. Arrivant tout droit de l'usine, le KIM était programmable uniquement en langage machine. Les programmes de service, outils logiciels appelés compilateurs ou assembleurs, peuvent rassembler les instructions du code machine et simplifier grandement le processus de programmation d'un ordinateur, mais au moment où ils avaient été mis au point pour le microprocesseur 6502, Doyne, à court d'argent, ne s'était pas décidé à faire l'investissement.

Après avoir réussi l'examen d'admission au barreau, Letty prit un travail à Los Angeles au Center for Law in the Public Interest, où on lui donna l'occasion de travailler sur des problèmes d'environnement et de politique qui l'intéressaient. « Nous sommes allés à Los Angeles et avons passé quelques jours chez des amis, dit Doyne. Nous voulions aller voir sur place si un être humain pouvait survivre là-bas. Ensuite, quelque temps après cet été-là, j'ai pris en voiture Letty et toutes ses affaires et je l'ai aidée à trouver un logement. »

De retour à Santa Cruz, Doyne examina encore une fois son programme. Il ne fonctionnait toujours pas correctement. Quelque part, quelque chose l'empêchait d'atteindre l'exactitude qu'il aurait théoriquement dû avoir.

Sur le conseil de Ralph Abraham, Doyne appela Edward Thorp, qui enseignait à ce moment-là à l'université de Californie à Irvine. Ils discutèrent des installations de sécurité dans les casinos et non pas du côté technique du programme, mais ce devait être la première de plusieurs brèves rencontres entre les Eudaemonic Enterprises et Thorp.

« Ralph nous avait convaincus, dit Norman, que Thorp, dans le principe, était de notre côté car il voulait voir les casinos se faire battre. Il ne nous trahirait pas; ce n'était pas un homme des casinos. Ralph pensait aussi que s'il existait d'autres systèmes en cours d'élaboration, Thorp était le plus susceptible d'en avoir entendu parler. Cela nous intéressait de savoir si nous avions des concurrents. Nous voulions aussi que Thorp nous dise pourquoi il avait abandonné, s'il avait effectivement renoncé, et qu'il nous raconte toute l'histoire. »

Thorp les rassura en leur affirmant qu'un système tel que le leur pouvait être employé dans les casinos et qu'on ne l'avait jamais soupçonné lorsqu'il s'était servi d'ordinateurs à Las Vegas. Il énuméra brièvement les quelques raisons de son succès limité qu'il mettait sur le compte des problèmes de matériel. « Mais il resta très vague, dit Doyne, quant à savoir si lui-même ou d'autres travaillaient sur la roulette. »

Revenu de son tour du monde et de son séjour d'un an au Chili, Tom Ingerson arriva à Santa Cruz à la fin de l'été. Tout en faisant ensemble plusieurs kilomètres par jour sur les digues qui longent le San Lorenzo, Doyne et lui parlaient des erreurs dans le programme et d'autres problèmes qui entravaient le bon fonctionnement des récepteurs radio. Ingerson proposa plusieurs bonnes idées, dont un schéma visant à rendre le programme suffisamment « intelligent » pour être capable de filtrer les erreurs à partir des signaux. Mais sa relation au Projet restait ambiguë. Sa sœur et son beau-frère habitaient Las Vegas, et il avait passé pas mal de temps à se promener avec eux dans le désert. Il avait observé Len Zane lorsqu'il était plongé dans le comptage de cartes et l'avait vu craquer un jour lorsqu'un chef de partie au Sahara lui avait mis la main sur l'épaule en lui disant d'aller faire ses affaires ailleurs. Comme Ralph Abraham, Ingerson estimait qu'il pouvait y avoir de graves conséquences si quelqu'un se faisait prendre dans un casino avec un ordinateur sur lui.

Pendant ce temps, Doyne passait de longues journées à travailler tantôt sur le KIM et tantôt sur le PDP 11/45 de l'université. « À la fin de l'été, dit-il, je n'arrivais toujours pas à faire fonctionner le programme. »

Il reprit les études qu'il avait faites l'été précédent pour savoir si le projet était viable. Les mesures d'un tour de roulette en cours avaient été entrées dans l'ordinateur de l'université puis il en avait tiré des simulations sur lesquelles il avait basé ses algorithmes.

« À ce moment-là, les données avaient l'air positives ; mais il y avait quelque chose qui me mettait mal à l'aise, et mon malaise s'aggrava lorsque au printemps, je suis allé à la fac modifier les programmes pour la méthode post-newtonienne. Je commençais à comprendre que la quantité de données était insuffisante.

J'avais le sentiment que nous étions en train de bâcler trop de choses à la fois. Aucune méthode ne convenait mieux qu'une autre, ce que je trouvais louche.

« J'ai donc écrit un programme spécial pour traduire l'arithmétique linéaire à virgule flottante hexadécimale du KIM, qui est une base seize avec des exposants binaires, ou base de deux, en chiffres lisibles par l'ordinateur de la fac. J'ai transcrit les temps d'un ordinateur à l'autre, je les ai classés en séries, pour les comparer avec les temps enregistrés par l'horloge de Norman. »

Thorp découvrit beaucoup de choses étonnantes, en particulier le fait qu'il avait faussé ses calculs en lançant de temps en temps la bille dans le mauvais sens. Mais ce seul fait ne suffisait pas à expliquer le problème et il se mit à l'affût d'autres erreurs dans le programme du KIM.

« Je pensais que nous avions établi de bonnes courbes dès le mois de mai ou avril, mais je me suis rendu compte plus tard que ce n'était rien de plus que des fluctuations statistiques. Des anomalies. De fausses pistes ne menant nulle part. À plusieurs reprises, j'ai cru m'être débarrassé de toutes les erreurs, mais le programme ne marchait toujours pas. Alors je suis retourné à la fac, j'ai repris le programme en le vérifiant point par point, retrouvé une ou deux erreurs et je suis rentré à la maison pour refaire des courbes avec le KIM et la roulette. J'ai fini par découvrir une faute dans la phase finale du programme, là où il calcule la réponse. Après avoir fait le ménage, j'ai été complètement désespéré en constatant que le programme ne marchait toujours pas. »

À ce stade, il ne restait plus à Doyne qu'à tout reprendre depuis le début du Projet et à tout recommencer. Il attacha les cellules photo-électriques à l'horloge de Norman, les fixa sur la roulette et commença à reprendre toutes les données qu'ils avaient déjà recueillies l'été précédent. Avec cette différence qu'il faisait cette fois fonctionner le KIM en même temps que l'horloge, ce qui lui permettait de vérifier que l'horloge et l'ordinateur étaient bien synchrones.

Doyne ne tarda pas à découvrir pourquoi il avait tant de mal à mettre au point son programme. « L'horloge de Norman était en dérangement. » Elle embrouillait les données d'origine d'un bout à l'autre. Probablement à cause de problèmes de matériel, l'horloge faisait des erreurs en enregistrant les temps. Mais c'était typiquement le genre d'erreurs qui passent facilement inaperçues, parce qu'elles ne sont jamais considérables. Elles étaient de l'ordre de cinq centièmes de secondes, ce qui suffit juste à simuler l'erreur humaine tout le long.

Après s'être débarrassé des temps faux pour entrer les justes, les prévisions sur le KIM et l'ordinateur de l'université « correspondaient d'un bout à l'autre. Je me suis précipité à la maison pour en parler à Norman et m'installer avec lui à la roulette. Je me suis déplacé sur la piste des modes, j'ai déterminé tous les paramètres et enclenché le mode jeu ».

Afin de laisser la place à un piano, le Projet avait été relégué dans une petite pièce derrière la cuisine. Elle était pleine à craquer, avec la roulette sur la table de camping, des rayonnages bourrés de composants, un oscilloscope, Raymond, le KIM, et la machine à rétro-action biologique. « On était vraiment serrés à deux là-dedans, avec la roulette et tous les engins. Le KIM et Raymond étaient placés autour de la roulette avec des fils qui couraient partout.

« Pour arriver à enregistrer toutes les données d'un seul coup et faire tourner la roulette à une vitesse raisonnable, c'est pas mal de boulot. Je me suis assis et mis au travail avec Norman. Il fallait aller le plus vite possible, pour lancer la roulette, noter les données et tracer un graphique des résultats. On ne s'arrêtait même pas pour regarder la courbe.

« Nous avons dû noter quatre-vingts tours. Nous étions enfermés là-dedans. J'ai fini par me tourner vers Norman et je lui ai dit : " On va jeter un coup d'œil à la courbe. " Un alignement de points de données passait en plein milieu. L'ordinateur faisait exactement ce qu'il était censé faire. On était très excités. On sautait en l'air en s'embrassant. C'était la grande percée. Un an plus un été après le début du Projet, nous avions enfin la preuve concrète que l'on pouvait battre la roulette. »

Avec ses cheveux d'un blond roux, son sourire espiègle et son don pour jouer l'androgyne, Marianne s'était déguisée en Dionysos pour présider la fête de Halloween des Eudaemonic Enterprises. Drapée dans une longue toge blanche, la tête ceinte d'une couronne de laurier, elle allait d'un invité à l'autre en distribuant du gaz euphorisant enfermé dans un sac poubelle en plastique. Elle avait mijoté sa concoction dans la salle du Projet qu'elle avait transformée l'espace d'une nuit en laboratoire de chimie avec bec Bunsen et Erlenmeyer, pipettes et autres ustensiles nécessaires pour l'ébullition lente et le filtrage du rafraîchissement de la soirée.

Étudiante en physique à l'université, Marianne survolait ses cours, par simple curiosité.. Argonaute pénétrant dans des royaumes inexplorés, elle savait aussi se faire des amis et mettre les gens à l'aise. Ralph Abraham commença à fréquenter la maison de Riverside après que Marianne y eut emménagé avec une autre de ses amies, Alix Youmans. Tous trois convenaient tout à fait à cette période incandescente de l'histoire de l'Eudémonie.

Doyne avait été l'assistant de Marianne en physique 6 A, cours de base pour les étudiants de première année. « Il était très mystérieux à la fac, dit-elle, et ce n'est que deux ans plus tard, quand il m'a invité à dîner pour voir si je voulais emménager dans la maison, qu'il m'a montré sa pièce et m'a expliqué ce qui s'y tramait. Le mystère avait été si bien protégé que je ne savais pas à quoi je devais m'attendre.

« Quand j'ai vu la roulette et une pièce bourrée de matériel électronique, avec des puces et des fils électriques recouvrant tout, j'ai été sidérée. Je n'en croyais pas mes yeux. Nous avons parlé du Projet pendant des heures. Je voulais savoir comment il fonctionnait et ce qu'ils avaient inventé, parce que j'étais sceptique. Parce que personne ne gagne à la roulette. Mais ç'avait l'air d'une excellente idée pour dévaliser les casinos qui ont tant de plaisir à dévaliser tout le monde. Je trouvais ça formidable, et j'avais hâte d'y participer. »

Après avoir emménagé à la maison de Riverside, Marianne s'engagea sur la piste africaine. Elle prit l'avion pour Paris, fit du stop jusqu'à Marseille, s'embarqua sur un bateau qui la mena en Afrique du Nord et traversa le Sahara de la Tunisie jusqu'au Cameroun. Alors qu'elle n'avait vu Dan Browne qu'une seule fois à Santa Cruz, elle l'avait persuadé de la rejoindre pour la dernière partie de son périple. Plein aux as grâce au poker, il était résolu à se lancer dans l'aventure. Ils formèrent une caravane de camions, dont un plein de pièces détachées et un autre plein d'essence et d'eau, et ils mirent un mois à traverser le Sahara.

À la fin de l'été, Marianne rentra à Santa Cruz avec une nouvelle amie qu'elle avait rencontrée dans l'avion, Alix Youmans, une Parisienne de trente ans en instance de divorce de son riche mari à San Diego. Élégante et intelligente, elle s'évertuait à cacher son esprit derrière un vernis de discours sur l'astrologie, la thérapie de groupe « EST » et autres marottes psy. Avec sa garde-robe et son accent français, Doyne imagina qu'Alix pouvait parfaitement jouer le rôle de la femme mondaine et riche habituée à gagner et perdre de grosses sommes à la roulette.

Alix commença par se prêter aux expérimentations d'électrochocs pendant lesquelles le courant, par les électrodes et une crème conductrice, traversait sans distinction tout son corps à des niveaux d'intensité souvent douloureux. Cette méthode pour sortir des informations de l'ordinateur ne fut abandonnée que plus tard, lorsque Jonathan Kanter leur suggéra de passer à une forme plus douce de sortie mécanique par des solénoïdes. Un solénoïde est un petit frappeur que l'on peut régler pour le faire vibrer contre la peau à différentes fréquences. Activé par un champ magnétique, il consiste en un piston métallique qui monte et descend à l'intérieur d'une bobine cylindrique de fil de cuivre. Trois solénoïdes, placés sur des parties du corps adjacentes et vibrant plus ou moins vite, pouvaient transmettre les neuf signaux nécessaires pour prévoir l'issue de la roulette. Pour ce nouveau système, les Projeteurs insérèrent trois petits solénoïdes sur une plaque de métal passée ensuite sous une ceinture serrée autour de l'estomac. Il fallait pas mal d'entraînement pour arriver à traduire des perturbations locales au niveau du duodénum en stratégie de mise. Autrement, le seul problème avec les solénoïdes était de trouver le moyen de maintenir leurs frappeurs en place. Ils sautillaient comme du pop-corn et auraient bondi dans toute la pièce s'il n'y avait rien eu pour les retenir ou les recouvrir.

« On a essayé la cellophane et le sparadrap, dit Doyne, mais la cellophane se trouait comme un rien et le sparadrap gommait le piston. Il fallait quelque chose de fin mais d'assez solide pour résister à ces vibrations répétées. On a fini par trouver la solution idéale : des préservatifs maintenus par des colliers de tuyau. Lors de nos premiers voyages au Nevada, nous emportions toujours une réserve de capotes et d'élastiques. »

En vue d'une expédition dans les casinos qui devait avoir lieu en décembre, Norman, Marianne, Doyne et Alix se trouvèrent pris dans une course à la fabrication du matériel. Ils montèrent les émetteurs, les récepteurs et les antennes devant assurer la liaison entre le preneur de données et le ponte. Ils mirent au point des garde-robes, des déguisements et un langage codé pour les urgences, dans lequel les ordinateurs s'appelaient *cerveaux*, les piles *énergie* et les câbles *nerfs*. Une remarque sur les *ondes alpha* signifiait que l'ordinateur fonctionnait, mais *j'ai les nerfs à vif* voulait dire qu'il y avait des câbles coupés ou un court-circuit dans le système.

Dans l'après-midi du 7 décembre 1977, Doyne et Alix mirent Raymond et Harry, ainsi que les émetteurs, récepteurs et micro-switchs à orteils, dans le Blue Bus. Ils prirent la route inter-États 80 en direction de la Sierra Nevada avec comme destination les casinos situés juste de l'autre côté de la frontière du Nevada. Pris dans une violente tempête de neige sans chaînes, ils eurent du mal à franchir la Donner Pass et à redescendre jusqu'à South Lake Tahoe où ils arrivèrent de nuit.

Dans un registre de laboratoire, à couverture marbrée blanc et noir, ils notaient les événements marquants sur deux colonnes. Marquées « Page de gauche » et « Page de droite », ces colonnes étaient censées correspondre dans leurs fonctions aux deux hémisphères cérébraux. La page de gauche portait comme sous-titre « Journal (vie d'un joueur) » et la page de droite était réservée aux « Événements techniques ».

Dans le journal, il est noté pour le premier jour que Doyne et Alix ont dormi dans le Bus et qu'ils se sont réveillés tard le lendemain matin. « Pas trop froid mais humide », était-il indiqué, puis « réparer le chauffage dans le Bus, faire des rideaux pour toutes les fenêtres, arranger la vitre et réparer la fuite dans le toit ».

Les Événements techniques sont tout aussi austères. Cela commence ainsi : « Les prises électriques des stations-service sont très pratiques pour ressouder les fils dessoudés », et continue par une énumération chronologique, Doyne passant toute la journée à aller d'une station-service à une autre pour réparer les fils dessoudés.

Pendant ce temps, Alix commença un autre journal, cette fois sur un cahier noir à spirale. Elle y notait pour chaque casino de Tahoe — et plus tard pour presque tous ceux de Reno et de Las Vegas — la disposition des roulettes, leur inclinaison, les noms des croupiers, plus quelques indications sur les heures de relève du personnel ou autres renseignements utiles. Le cahier comportait également les rapports financiers pour chaque casino : les dates où l'on a joué, la somme mise à disposition du ponte, le nombre de tours et l'argent gagné ou perdu au bout du compte.

Comme leur liaison radio n'était pas encore au point, Doyne décida de renoncer au système à deux personnes et de jouer les deux rôles à lui tout seul. Sous un pull-over ample, il se brancha de la tête aux pieds avec un ordinateur sous un bras, des piles sous l'autre, la plaque avec les solénoïdes sur le ventre et des boutons sous les orteils. Comme il avait besoin de pas mal de place pour les boutons, il les avait mis dans le genre de chaussures à semelles compensées comme en portent les proxénètes de la 8e Avenue. Elles n'étaient pas particulièrement commodes pour marcher dans la neige, et il y en avait beaucoup cette année-là à Tahoe.

Doyne commença par entrer dans le jeu au Col-Neva Club. Il avait fini d'ajuster les paramètres sur l'ordinateur et s'apprêtait à jouer lorsqu'une série de décharges électriques, provoquées par des courts-circuits dans le câblage, l'obligèrent à aller s'enfermer dans les toilettes. « J'avais beaucoup de mal avec les décharges. Je commençais à transpirer et la transpiration causait d'autres courts-circuits, ce qui me faisait transpirer encore plus. Plusieurs fois, j'ai eu envie d'enlever mon pull et de le balancer. »

Comme il y avait trop de neige dans les parkings pour que Doyne arrive à y circuler dans ses « chaussures de mac » et qu'il ne se passait pas grand-chose dans les casinos, ils décidèrent d'aller à Reno le soir même. Ils se garèrent à l'entrée de la ville et s'endormirent dans le Bus. Le lendemain, Doyne se harnacha et se brancha à l'ordinateur. En entrant au Harrah's, le casino le plus chic, il rejoua en solo pendant qu'Alix recueillait des informations sur les roulettes, jusqu'au moment où le Projet frôla la catastrophe.

Doyne s'était installé à une table et avait fini son parcours sur la piste des modes lorsque des courts-circuits l'obligèrent à s'éloigner de la table. Comme il faisait trop froid pour travailler dehors en se servant des prises de courant des stations-service, il avait emporté avec lui les outils pour réparer l'ordinateur et les avait mis dans un porte-documents.

« Je me suis enfermé dans des cabinets très jolis et très confortables dans le sous-sol du Harrah's. J'avais l'ordinateur ouvert sur ma cuisse, avec l'ohmmètre dont je me servais pour vérifier les voltages le long des fils. Ce n'est pas évident de réparer un ordinateur rien qu'avec un ohmmètre. Ça revient un peu à essayer de refaire le moteur d'une voiture avec une paire de pinces et un tournevis. J'avais une poche pleine de puces de rechange au moment où un surveillant a passé la tête par-dessus la cloison à mi-hauteur. C'était un jeune type à moustache qui devait avoir à peu près mon âge.

“ Hé, qu'est-ce que vous fabriquez là-dedans ?

— Je répare ma radio, dis-je en fourrant l'ordinateur dans mon cartable.

— Ça vous arrive souvent de réparer vos radios dans les toilettes ?

— Non, mais il fait froid dehors. ”

« Et j'inventai toute une histoire, comme quoi j'étais ici en touriste, en vacances, rien de méchant ; que j'étais étudiant en lettres ou quelque chose comme ça. Il m'a demandé mon permis de conduire et m'a pris mon nom sur un bout de papier.

« Après l'avoir noté, il s'est tourné vers moi et m'a dit : “ Écoutez, si j'ai un conseil à vous donner, c'est de ne plus réparer votre radio ici, parce que ce n'est pas du tout l'endroit pour ça. Il y a beaucoup d'ivrognes qui viennent ici et qui meurent, et nous, on doit venir vérifier. Je croyais que vous vous étiez endormi là. ” Je suis sûr que le bout de papier avec mon nom a dû terminer au panier, mais l'incident m'avait beaucoup impressionné. »

Après leur aventure au Harrah's, Doyne et Alix essayèrent de jouer à la roulette dans d'autres casinos le lendemain. Mais ils passèrent le plus clair de leur temps à chercher les pannes sur l'ordinateur, Doyne branchant son fer à souder et travaillant sur le trottoir devant chacune des six ou sept stations-service de Reno équipées de prises de courant à l'extérieur.

« Harry nous avait déjà laissé tomber dès le début du voyage et Raymond ne s'était jamais sérieusement mis à jouer. L'expédition se solda par un échec sur le plan technique. Ç'a été essentiellement un galop d'essai et on n'a réellement joué que deux ou trois heures, mais ça m'a aidé à prendre un peu la température des casinos, et j'ai passé beaucoup de temps à discuter avec les croupiers. »

Retraversant les montagnes le soir même, Doyne et Alix arrivèrent à Sacramento à trois heures du matin. À l'aube, Alix prit l'avion pour San Diego. Épuisé, Doyne s'arrêta sur le côté de la route et dormit une heure avant de faire la route tout seul jusqu'à Santa Cruz.

De Los Angeles, Letty arriva en avion pour passer Noël à Santa Cruz. Ensuite, Doyne, Dan Browne et elle se tassèrent dans le Blue Bus pour le premier voyage du Projet à Las Vegas. Venant en Greyhound de Silver City, Norman devait les retrouver à Glitter Gulch. Après le voyage à Reno, Doyne avait travaillé sans arrêt pour perfectionner le système, et le Projet était prêt, pensait-il, à affronter la Mecque du jeu.

Quittant Santa Cruz le jour de la Saint-Sylvestre, ils allèrent d'abord vers le sud jusqu'à Paso Robles avant d'obliquer vers l'est en direction de Bakersfield et de la Sierra Nevada. « Par une nuit claire avec la brume qui se levait au fond des vallées, la route était très belle, dit Doyne. Letty conduisait pendant que je dormais, puis, à Barstow, nous avons pris la route 15 pour faire le gros morceau dans le Nevada. Dans le sens opposé, il y avait un flot continu de voitures revenant de Las Vegas à Los Angeles. Sur cent cinquante kilomètres devant nous, un ruban de phares serpentait sur les collines, et au loin à l'horizon, on distinguait comme un halo, une lueur orangée. On ne pouvait pas oublier qu'on allait quelque part, que là-bas dans le désert, il y avait quelque chose, quelque chose d'important. »

Arrivés à quatre heures du matin le 1er Janvier, ils campèrent sur une colline dominant les lumières de Las Vegas. En se réveillant, dans la matinée, Dan Browne trouva un ballon de volley en plein désert. Tout le monde pensa que c'était un heureux présage.

De jour, Las Vegas est plat et évasé sur l'horizon. Lorsqu'on ne voit pas les voies d'accès éclairées la nuit, on ne distingue ni arrivée ni centre. La ville s'éparpille sur la prairie, qui lui a donné son nom, (*las vegas* veut dire « les prés » en espagnol), en un réseau de rues et d'immeubles qui l'hiver sont de la même couleur brune que la poussière du désert sur laquelle ils se dressent.

Ils allèrent jusqu'à l'extrémité sud de la ville et trouvèrent le quartier qui borde l'université du Nevada. Tom Ingerson, qui était venu voir sa sœur et son beau-frère pour les fêtes, avait reçu la promesse d'assister à une démonstration de roulette. Doyne déballa la roulette qui était à l'arrière du Bus et l'installa dans le salon de chez Zane. Il ressouda quelques fils, ajusta les préservatifs sur ses solénoïdes, et déclara que tout était prêt pour la démonstration.

« Naturellement, ça a foiré, dit-il. Ça n'a pas marché. Je m'attendais bien à ce que, dès que j'essaierais de faire une démonstration devant quelqu'un, l'ordinateur tombe en panne... D'après la loi de Murphy, les démonstrations sont davantage sujettes à des pannes de matériel que les séances d'essai, parce que l'échec est gênant en public. »

En quelques jours, Doyne avait mis en état de marche le matériel nécessaire pour faire une séance de roulette en solo au Golden Gate Casino, sur Fremont Street. Tous les autres Projeteurs avaient quitté Las Vegas, sauf Dan Browne, et le seul ordinateur fiable était Raymond. Sans liaison radio, Doyne recommencerait à tenter de faire à la fois le preneur de données et le joueur.

Le Golden Gate, l'un des casinos les plus petits et les plus désordonnés, s'adresse à une clientèle de routiers accoudés devant les tapis de craps et de migrants d'hiver venus chercher le soleil du sud, assoupis devant les tables de Reno. La roulette n'attire pas grand monde et les deux tapis en lambeaux que possède le casino sont collés contre le mur. Se limitant à des mises de dix cents, Doyne espérait que son incursion en territoire ennemi ne causerait que des dégâts d'ordre statistique.

Branché sur l'ordinateur Raymond, les piles, la plaque avec les solénoïdes, et les boutons à orteils, Doyne entra dans le Golden Gate. Dan Browne était à côté de lui à la table. Il faisait semblant de jouer à la roulette mais, en réalité, il observait ce qui se passait pour tracer la courbe de réussite des prévisions de l'ordinateur. En partant des mises de Doyne, pour comparer ce que l'ordinateur avait prévu, et les chiffres qui sortaient effectivement, il se retirait toutes les quelques minutes derrière les machines à sous pour prendre des notes.

« C'était ma première vraie séance en solitaire, dit Doyne. Je voulais m'en tenir à une seule roulette et accumuler suffisamment de statistiques pour prouver que nous avions un avantage. J'avais très peur que les croupiers ne me soupçonnent. Mais j'étais résolu à gagner et à montrer que l'ordinateur marchait. Je jouais par dix cents, et je me disais qu'avec des sommes aussi négligeables, je ne devrais pas trop les inquiéter. »

Et effectivement, le système fonctionnait, avec une précision étonnante. On aurait dit que les jetons étaient aspirés pour s'entasser devant Doyne, qui gagnait coup sur coup. Les monceaux attiraient comme d'habitude une foule de chefs de table et de joueurs qui venaient humer le parfum de Dame Fortune. Avec un air de concentration intense, presque imbécile, sur le visage, Doyne ignorait tout le monde autour de lui et ne se concentrait que sur les microswitchs dans ses chaussures et les prévisions qui vibraient sur son ventre.

Au bout d'une demi-heure apparurent les problèmes classiques : les courts-circuits provoqués par des fils qui se détachaient et par la sueur. « Ça aurait pu être catastrophique, raconte Browne, qui s'était alors posté derrière les machines à sous pour regarder. Doyne s'en tirait bien, posait ses jetons de dix cents, lorsque l'un des frappeurs des solénoïdes s'emballa et commença à chauffer. Il se précipita aux toilettes, répara le solénoïde et revint. Mais, ça a recommencé tout de suite après. Il venait de se rasseoir pour jouer lorsqu'il a dû se lever en s'exclamant; “ Ma parole, j'ai la courante ! ”

« Cela s'est reproduit plusieurs fois, le solénoïde devenant de plus en plus chaud, et Doyne courant aux toilettes de plus en plus vite en disant : “ Merde, j'ai la courante aujourd'hui ! Dis donc, j'ai une de ces courantes ! ” La dernière fois qu'il est allé aux toilettes, le chef de table l'a suivi et s'est mis dans les cabinets juste à côté de lui. Les croupiers ont dû croire qu'il était devenu fou, moi aussi d'ailleurs. Doyne sautillait de tous les côtés comme un moustique sur une poêle. Mais je suis sûr qu'ils n'imagineraient jamais quel était le poison qui l'avait mis dans cet état. »

Doyne changea ses jetons et partit après avoir passé quatre heures et demie dans le casino. En misant par dix cents, en plusieurs centaines de tours, le bénéfice n'était pas bien gros. Mais ce qui comptait, c'est que l'ordinateur avait sur la banque un avantage que lui-même et Browne estimaient avec prudence à 25 %.

« J'étais ravi, dit Doyne. Nous avions prouvé que nous pouvions entrer dans un casino, ajuster les paramètres, jouer sur une roulette sans la connaître à l'avance et battre la banque avec un avantage d'au moins 25 %, ce qui est une marge très confortable. Nous n'avions plus qu'à augmenter les mises. »

# 6

## *L'invention de la roulette*

Le principal est le jeu en lui-même. Je jure que la cupidité n'a rien à voir ici, et pourtant, Dieu sait si j'ai besoin d'argent.

Dostoïevski

Bien que la paternité de l'ordinateur, de la loi de la probabilité et du jeu de roulette soit attribuée à Pascal, je suis en mesure d'affirmer, après des recherches approfondies sur ce sujet, que si les deux premières inventions lui doivent en effet quelque chose, il n'en est rien de la troisième. Il y a néanmoins quelques bonnes raisons de lier le nom de Pascal à la conception de la roulette. Il y a méprise sur l'identité, mais l'intention est bonne.

Après avoir inventé la machine à calculer mécanique, Pascal s'assura le monopole de son exploitation et supervisa la fabrication de plus de cinquante pascalines en bois, ivoire, ébène et cuivre. Parmi ses contemporains, sa gloire reposait surtout sur cette invention (dont Descartes lui-même avait demandé une démonstration). Mais de plus en plus, Pascal tournait ses pensées vers des spéculations plus abstraites, sur le jeu ou la théologie, et, faisant une pause dans la voie qui devait le mener à une sainteté sourcilleuse à l'abbaye janséniste de Port-Royal, il inventa les mathématiques de la probabilité.

En 1654, un ami lui avait écrit pour lui demander s'il pouvait résoudre le *problème des partis,* c'est-à-dire des points. Lorsque des joueurs rompent le jeu avant la fin, comment doivent-ils opérer la juste répartition de l'enjeu ? À son tour, Pascal posa la question à Pierre de Fermat, éminent mathématicien et juriste toulousain, et ensemble ils élaborèrent, grâce à un échange de correspondance suivie, la base mathématique du calcul des probabilités. En résolvant ce problème des points, les mises devraient être partagées, disait Pascal, d'après le concept d'attente mathématique, c'est-à-dire en fonction des chances de chaque joueur de gagner la partie : c'est la *règle des partis*.

Ses contemporains trouvaient étonnant que le hasard puisse avoir des lois. Répondant à leur stupéfaction, Pascal déclarait :

« Ainsi, joignant la rigueur des démonstrations de la science à l'incertitude du hasard, et conciliant ces choses en apparence contraires, elle peut, tirant son nom des deux, s'arroger à bon droit ce titre stupéfiant : *La Géométrie du hasard.* »

Les joueurs et les historiens populaires en déduisent que c'est à Pascal que l'on doit l'invention de la roulette. Dans les formes premières de ce jeu, les Grecs faisaient tourner un bouclier sur la pointe d'une épée, et l'empereur romain Auguste avait fait installer une roue de chariot sur un pivot dans la salle de jeux de son palais. Alors que ces modèles utilisaient une roue et une aiguille fixe, le jeu de roulette moderne emploie un mécanisme plus compliqué, avec un cylindre et une bille tournant en sens inverse.

L'histoire de l'invention de la roulette par Pascal vient probablement d'un mal de dents qui s'empara de lui une nuit du printemps 1657 à l'abbaye de Port-Royal. D'après ce que rapporte sa sœur, il sauta du lit et se concentra sur un problème mathématique précis. Après avoir passé plusieurs nuits à faire les cent pas dans sa chambre, il réussit simultanément à soigner son mal de dents et à faire la contribution la plus importante aux mathématiques pures. Il cherchait la formule d'une courbe appelée cycloïde, surnommée l'« Hélène de la géométrie » à cause de la fascination qu'elle avait exercée sur les savants depuis Nicolas de Cusa jusqu'à Galilée et Descartes. Pascal définit cette courbe comme « le chemin que fait en l'air le clou d'une roue..., depuis que ce clou commence à s'élever de terre jusqu'à ce que le roulement... l'ait rapporté de terre... Ce problème considérant le roulement des roues, c'est pourquoi il s'appelle *la roulette* ».

La question de savoir si Pascal a effectivement fait des expériences avec des roues qui tournent reste en suspens, mais ce qui est certain, c'est qu'il a bel et bien résolu les équations nécessaires pour décrire la cycloïde. Dix ans après la mort de Pascal, Leibniz lut son *Histoire de la roulette,* traité de la cycloïde et, généralisant les équations de Pascal, parvint au calcul intégral, qui permet l'étude de quantités en changement constant et demeure à ce jour le grand outil des mathématiques modernes. « Ce qui m'étonna le plus, dit Leibniz, à propos *d'Histoire de la roulette,* c'est le fait que Pascal semblait avoir les yeux aveuglés par quelque mauvais sort ; car je vis du premier coup que le théorème était tout à fait applicable à n'importe quelle forme de courbe. »

La roulette, non pas la courbe de la cycloïde mais le jeu du hasard que nous connaissons aujourd'hui, a joué un rôle important bien que l'on ait cherché à le limiter, dans l'histoire des mathématiques et de la physique. Au nombre des scientifiques qui se sont penchés sur l'étude des lois qui régissent son mouvement, on compte Jacques et Daniel Bernouilli, Laplace, Poisson, Poincaré, Claude Shannon et Edward Thorp, dont beaucoup, en approchant du tapis vert pour examiner de plus près les attributs physiques et statistiques de la roulette, ont découvert que ce jeu est souvent moins lié à la majestueuse procession des planètes qu'à la cupidité des hommes.

La roulette fait sa première apparition officielle en 1765 lorsque Sartine, lieutenant général de police qui pensait y voir un instrument de paris interdisant tout moyen de tricher, l'introduisit dans les maisons de jeu de Paris. Pendant la Révolution de 1789, des émigrés emportèrent leurs roulettes à Bath et dans d'autres stations britanniques. Au début du XIX siècle, le jeu se répandit dans les stations thermales du continent, à Wiesbaden, Bad Homburg, Baden-Baden, Saxon-les-Bains et Spa.

Après avoir appauvri les malheureux émigrés et les hobereaux allemands, les casinos furent fermés par le gouvernement prussien en 1872. Mais un homme intelligent eut l'idée de plier bagage et de se transporter avec sa concession de Bad Homburg à la principauté de Monaco. À l'époque de l'arrivée de Louis Blanc, la capitale de la principauté, Monte-Carlo, se limitait, comme on peut le lire dans une description contemporaine, à « deux ou trois rues perchées sur des rochers abrupts ; huit cents misérables mourant de faim ; un château en ruine et un bataillon de soldats français ». Le fait que la condition de la famille régnante et des Monégasques se soit nettement améliorée depuis vient de ce que Blanc leur donna une part de 10 % du profit, qui ne tarda pas à devenir sérieusement substantiel. Avec la roulette comme principale attraction, Monte-Carlo devint le centre du monde du jeu jusqu'à l'avènement de Las Vegas, après la Seconde Guerre mondiale.

Comme beaucoup de choses exportées par la France, la roulette arriva aux États-Unis via la Nouvelle-Orléans. On y joua beaucoup dans les casinos américains que furent les bateaux à roues à aubes qui voguaient sur les eaux du Mississippi en transportant des chargements de balles de coton et des agents commerciaux. La roulette avait débarqué pour que l'on pût y jouer en privé ou illégalement à Saratoga, New York, la Nouvelle-Orléans, Chicago et Denver alors que Las Vegas faisait le pas décisif de la légaliser, en même temps que d'autres jeux de hasard, en 1931. Les casinos de Fremont Street offraient, au mieux, un faste criard et il fallut attendre encore quinze ans pour que le talent et l'esprit d'entreprise d'un gangster new-yorkais du nom de Benjamin « Bugsy » Siegel transforme Las Vegas en la Mecque du jeu.

En 1946, juste à la limite de la ville, sur une étendue de végétation rabougrie brûlée par le soleil connue sous le nom de Strip, Bugsy Siegel ouvrit le Flamingo Club, le premier des célèbres palais de plaisir du Nevada. Bugsy fut abattu par la pègre au bout d'un an, mais son idée avait déjà fait son chemin. Par un coup de génie, il avait entrevu qu'un univers de délices complètement fermé et conçu autour d'un thème historique grandiose comme celui des émirs arabes, des Grands d'Espagne ou des empereurs romains deviendrait un pôle d'attraction idéal pour le tourisme de la fin du xx^e^ siècle. Par lots de un, trois, cinq, sept jours ou plus, le loisir le plus aristocratique pouvait être à la portée de tous. Mis dans l'ambiance adéquate par le grandiose du décor de Bugsy, le touriste s'approprierait d'autres attributs de la noblesse, l'amour du jeu, la largesse du geste, et le mépris de la perte d'argent. Quel meilleur cadre, s'était dit Siegel, pour plumer les gens aux tables de jeu ?

Au bout de dix ans, une douzaine d'autres boîtes s'étaient ouvertes sur le Strip. Aujourd'hui, Las Vegas en propose plus de cent. La France légalisa le jeu deux ans après le Nevada, et la roulette fit rapidement son apparition dans les casinos de Deauville, Biarritz, Nice et Le Touquet. On pouvait également en trouver à Estoril au Portugal, à Rome, Venise, San Remo et Salzbourg. Lorsque la Grande-Bretagne légalisa le jeu à son tour en 1960, la roulette revint pour occuper une place importante dans ce qui devint vite une industrie majeure dans le pays. (Les Anglais dépensent plus de cinq milliards de dollars par an dans les jeux de hasard, et les Américains dépassent les trente milliards de dollars.) Aujourd'hui, on peut jouer à la roulette aux Antilles, en Amérique du Sud, à Marrakech, Macao, Quintandinha, Constanza et même à Mbabane au Swaziland, où l'ensemble casino-sources thermales offre l'occasion — rare — de voir des Sud-Africains blancs racistes côtoyer des Noirs des tribus Swazi.

En dépit de toute sa régularité, le jeu de la roulette produit des résultats à la fois aléatoires et qui ne peuvent se répéter, illustrant ainsi parfaitement les lois du hasard. Une roulette est composée d'un cylindre fabriqué de façon très précise, qui est posé en équilibre sur un pivot d'acier autour duquel il tourne. Il est divisé en trente-huit cases, ou trous, numérotés de 00 à 36. Ils sont alternativement un par un, pair-impair, rouge-noir, et deux par deux, passe-manque, sauf les deux verts numérotés 0 et 00 qui sont l'un en face de l'autre sur le cylindre. Ces cases vertes — s'ajoutant au fait que le rapport à la roulette est inférieur à trente-huit pour un — garantissent à la banque l'avantage dans un jeu qui autrement serait équitable.

La roulette trône au bout d'une longue table rectangulaire couverte de feutre vert sur laquelle sont tracés des carrés et des colonnes qui forment le tableau des mises. Classés par séquences en trois colonnes allant en augmentant de gauche à droite et de bas en haut, on retrouve les trente-six chiffres qui sont disposés de manière encore plus anarchique sur la roulette. En tête de ces colonnes se trouvent les carrés pour le 0 et le 00, tandis qu'en bas et sur le côté droit du tapis, d'autres carrés représentent les mises sur rouge ou noir, pair ou impair, les douze premiers chiffres, des colonnes entières de chiffres, etc. Comme il est possible de répartir les mises sur des chiffres, des colonnes et des rangées, le tableau du tapis de roulette offre au ponte treize types de paris différents.

Au milieu d'un tour, un tapis de roulette ressemble un peu à une toile de Mondrian corrigée par Jackson Pollock : des traînées de jetons jaunes, rouges, bleus et dorés couvrent les cases gravées sur le tapis et croisent les lignes blanches des séparations. Les joueurs empilent leurs jetons comme des Tours de Pise, changent d'avis, les font passer d'une case à l'autre, et au dernier moment, pris d'une inspiration subite, en éparpillent une poignée sur le tapis. Une fois leur tâche accomplie, ils s'écartent légèrement pour considérer l'effet produit.

Les rapports, à la roulette américaine, favorisent nettement la banque. Une mise sur un numéro plein (y compris le 0 et le 00) est payée au taux de trente-cinq pour un. Si la roulette était un jeu équitable, sans avantage pour la banque, cette mise devrait rapporter trente-sept pour un, sans compter le jeton utilisé pour parier. Toutes les mises étant ainsi rabaissées, la banque se ménage un bon petit profit de 5,26 %, sauf pour les mises sur cinq chiffres qui couvrent le 0, le 00, le 1, le 2 et le 3, pour lesquelles elle empoche un profit de 7,89 %. À la roulette, les chances de gagner sont inférieures à celles du black-jack, du craps, et du baccara, ce dernier jeu ne laissant à la banque qu'un avantage de 1,25 %.

Pour les mathématiques du jeu, le fait que les roulettes européennes n'aient que trente-sept cases au lieu de trente-huit, les casinos ayant supprimé le 00, est très important. À l'origine, c'est Louis Blanc qui l'a supprimé lorsqu'il a repris la concession de Bad Homburg en 1840, et ce moyen promotionnel est devenu une caractéristique permanente de la roulette européenne. Cela, ajouté à d'autres différences existant dans la manière dont le jeu se déroule, réduit l'avantage de la banque à 1,35 %, ce qui explique pourquoi la roulette est restée l'attraction principale dans les casinos d'Europe et de certains autres pays en dehors des États-Unis.

Comme disait John Scarne, prestidigitateur et joueur permanent des Hilton, à propos de la roulette : « C'est le jeu auquel jouent depuis des années le beau héros et l'élégante héroïne dans d'innombrables films et livres. On en a fait le jeu des playboys millionnaires, des rois et des princes. On la chante dans tant et tant d'histoires de fortunes gagnées et perdues, de mages mathématiciens qui ont passé des années à mettre au point des systèmes, et même dans une chanson : *The Man Who Broke the Bank at Monte-Carlo*. La roulette est le jeu le plus ancien encore en pratique, et au fil des ans, elle a été à l'origine de bien des histoires vraies, mais aussi de bien des légendes et des mythes. »

Étant donné les règles du jeu, on peut imaginer trois systèmes pour battre la roulette. Le premier est mathématique : une suite de numéros dans un certain ordre, une façon de placer ses mises successives qui donnerait au joueur l'avantage sur la banque. Un autre genre de système s'appuie sur les roulettes biaisées qui ont tendance à favoriser un numéro par rapport à un autre. Un troisième type d'approche consiste, par la mesure des forces physiques en jeu, à essayer de deviner le numéro qui va sortir.

La roulette se prête très bien aux recherches des amateurs de systèmes. Agglutinés autour de l'appareil, ces joueurs ressemblent à des cabalistes en train de se concentrer sur le chiffre 6. À Monte-Carlo, les magasins de jeux vendent des listes des numéros sortis à la roulette la veille et les abonnés à la *Revue scientifique* peuvent recevoir les numéros chaque mois. Des centaines de livres et d'articles décrivent des méthodes pour « gagner » grâce à des prévisions mathématiques, mais il reste indiscutable, après deux cents ans de pratique continue de ce jeu, qu'il n'existe aucune stratégie permettant de gagner. Edward Thorp est encore plus catégorique lorsqu'il affirme qu' « il n'y a pas de système mathématique pour gagner à la roulette et il est impossible d'en inventer un ».

La majorité de ces systèmes repose sur le principe consistant à

« doubler la mise », fondé sur l'idée que la perte d'un jeton sur une chance à un pour un peut être rattrapée en doublant la mise à chaque tour. Si l'on mise un dollar et qu'on le perd, et qu'ensuite on mise deux dollars et qu'on gagne, on aura engagé en tout trois dollars et on en aura gagné quatre, effectuant ainsi un profit de un dollar. Aussi simple qu'il puisse paraître, ce système a deux failles, la première étant qu'il est indispensable d'avoir des fonds inépuisables. Il est peu probable que quelqu'un puisse perdre dix-neuf fois de suite, mais pour doubler une mise originale, il faudrait dans ce cas une somme de 524 288 dollars pour arriver à récupérer un dollar de bénéfice.

Les casinos, qui possèdent des banques importantes mais tout de même pas inépuisables, se protègent contre ce système par une mesure simple. Ils fixent un plafond pour les mises, généralement de mille dollars, qui torpille effectivement cette méthode dès que la mise dépasse la limite.

« Ce qui est peut-être le plus étonnant, dit Thorp, c'est que ceci est valable également pour tous les systèmes mathématiques, quelle que soit leur complexité et même pour ceux qui ne pourront jamais être découverts », et il en existe une infinité !

Ces stratégies consistant à multiplier ou à diviser les mises par deux, trois, etc. s'appellent des martingales (montantes ou descendantes). Ce mot vient de l'expression ancienne *porter les chausses à la martingale,* ce qui signifie « mettre son pantalon à la façon des habitants de Martigues », c'est-à-dire en l'attachant par-derrière. Cette expression sous-entend que, tout comme cette façon de s'habiller, ces méthodes de paris sont ridicules.

Un autre système mathématique connu porte le nom de d'Alembert, qui collabora avec Diderot à l'*Encyclopédie.* Le système d'Alembert, appelé aussi le « paradoxe du joueur », se fonde sur la « maturité des hasards » ou « loi de l'équilibre ». Ces « lois » prétendent qu'une longue suite de numéros d'une couleur augmente la probabilité que l'autre couleur sorte pour « faire une moyenne ». Malheureusement, cette idée va à l'encontre de la théorie de la probabilité, qui affirme que tout événement aléatoire est indépendant des précédents et des suivants. Les billes de roulette n'ont pas de mémoire, et elles ont invariablement une chance sur deux d'atterrir sur le rouge ou sur le noir.

Les systèmes fondés sur la découverte des roulettes décentrées se sont avérés plus fructueux. Un ingénieur britannique nommé William Jaggers engagea une fois six personnes pour noter les numéros gagnants pendant un mois à Monte-Carlo. Après avoir calculé les variations de leur fréquence, son personnel et lui firent un bénéfice d'un million cinq cent mille francs en misant sur les chiffres qui sortaient le plus souvent. Mais ils furent coulés le jour où le casino fit refaire ses roulettes avec des séparations amovibles (et non plus fixes) entre les numéros. Les croupiers les intervertissaient de bonne heure le matin, changeant ainsi les variables sur lesquelles se fondait le système de Jaggers.

Albert Hibbs et Roy Walford, qui s'étaient liés d'amitié au Cal Tech (California Institute of Technology), et avaient fait leurs études ensemble à l'université de Chicago, réussirent en 1947 un exploit comparable à celui de Jaggers. S'appuyant sur une répartition de Poisson pour distinguer les roulettes biaisées des autres, ils s'aperçurent que plus d'un quart des roulettes du Nevada étaient suffisamment déséquilibrées pour permettre de compenser l'avantage de la banque. Lors d'une séance fort remarquée, expérience que beaucoup d'imitateurs tentèrent de répéter, Hibbs et Walford gagnèrent sept mille dollars au Palace et au Harold's Club à Reno. Un autre étudiant de l'université de Californie à Berkeley, du nom d'Allan Wilson, doit détenir le record du monde de statistiques sur les roues biaisées. Il ne tira pas un centime de tous ses efforts, mais, travaillant par tranches de vingt-quatre heures en alternant avec un ami, pendant une période de cinq semaines, il réussit à noter les résultats de huit mille tours successifs de roulette.

Un autre Don Quichotte parti en quête d'un système pour battre la roulette fut le mathématicien anglais Karl Pearson. Il inventa le domaine des statistiques. C'est à lui que nous devons les concepts de distribution normale, d'écart type et de coefficient de corrélation, dont il se servait malheureusement pour « prouver » que les Juifs sont inférieurs aux Nordiques. Pearson prit deux semaines de relevés effectués par les *permanences,* c'est-à-dire les suites de numéros sortants en une journée, publiées par *Le Monaco,* et en analysa les fluctuations statistiques.

Rendant compte de ses découvertes dans un article intitulé « La science et Monte-Carlo », il écrivait : « Si la roulette de Monte-Carlo fonctionnait depuis le début de l'ère géologique sur cette terre, nous ne nous serions pas attendus à voir se produire *une seule fois* ce qui s'est produit pendant cette quinzaine, si l'on considère qu'il s'agit d'un jeu de hasard... La roulette de Monte-Carlo, si l'on en juge par les chiffres publiés apparemment avec l'assentiment de la *Société,* est, à supposer que le hasard fasse la loi, du point de vue de la science exacte, le plus prodigieux miracle du XIXe siècle. » Les chiffres que Pearson avait pris en compte avaient été truqués par les journalistes qui préféraient faire leurs pointages au bar du casino. Mais le scandale qui s'ensuivit donna à Pearson l'occasion de faire fermer les casinos et d'utiliser leurs ressources pour fonder « un laboratoire de probabilité orthodoxe » destiné à servir son darwinisme social.

Le système de roulette employé par Dostoïevski relevait davantage du domaine de la psychologie que de la statistique. Sujet à des crises d'épilepsie qui le laissaient dans un état de quasi-hébétude plusieurs jours de suite, il avait un « système » basé sur le contrôle de soi et la sérénité. « Je connais le secret, écrivait-il à sa belle-sœur après une séance de jeu à Wiesbaden, et il est tout bête et tout simple : il consiste à garder le contrôle de soi tout le temps, et de ne s'exciter à aucun moment du jeu. C'est tout ; de cette façon, il n'est pas possible de perdre. On doit forcément gagner. »

La difficulté, avec ce système, comme le comprit Dostoïevski, est que « je suis d'un naturel mauvais et excessivement passionné. En toute chose, je vais jusqu'au bout ; de toute ma vie je n'ai connu la modération ».

Freud pensait que le système avait d'autres problèmes, de nature sexuelle. « Le " vice " de l'onanisme est remplacé par la passion du jeu ; l'accent mis sur l'activité passionnée des mains révèle cette dérivation », écrivait Freud dans un essai intitulé : *Dostoïevski et le parricide.* « Le caractère irrésistible de la tentation, la résolution solennelle, et pourtant toujours démentie, de ne plus jamais le faire, l'étourdissant plaisir et la mauvaise conscience demeurent inaltérés dans la substitution. »

L'un des schémas de roulette les plus imaginatifs est celui décrit par Alexander Woollcott dans sa nouvelle *Rien ne va plus.* Avec la réussite de l'opération de Louis Blanc à Monte-Carlo, les propriétaires du casino de Nice et d'autres lieux de la côte essayèrent de lui mettre des bâtons dans les roues en exagérant le nombre des suicides commis à Monaco. Il était devenu difficile de nager tellement il y avait de cadavres sur les plages. Un soir qu'il était en train de dîner avec des amis sur une terrasse à Monte-Carlo, le narrateur du livre de Woollcott « mange un soufflé et parle du suicide ». Au cours de la journée, il avait vu un jeune homme bien habillé perdre tout son argent dans les *salles privées* du casino, et à présent le bruit courait qu'on l'avait retrouvé mort sur la plage avec du sang sur sa chemise et un pistolet à la main. Pour éviter la publicité, les agents du casino fourrent dix mille francs dans la poche du smoking du cadavre « pour faire croire qu'il a été victime du mal de vivre ». Mais dès que les agents du casino disparaissent, l'homme saute sur ses pieds. Sans prendre le temps de nettoyer la sauce tomate restée sur sa chemise, il se précipite au casino et, grâce à leurs dix mille francs, en gagne cent mille de plus.

Le plus heureux de tous les joueurs à systèmes fut peut-être Marcel Duchamp. Ayant déjà lancé sa carrière artistique en marge du dadaïsme et du surréalisme, en 1924, Duchamp mit au point un système de jeu dans lequel « on ne perd ni ne gagne ». Ayant créé une société pour exploiter son schéma à Monte-Carlo, il dessina trente certificats d'actions qu'il mit en vente cinq cents francs chacun. Ils représentaient un tapis et une roulette de Monte-Carlo avec en surimpression une photo de Duchamp prise par Man Ray· Sur la photo, il est déguisé en satyre avec des cornes et une barbe en mousse à raser. Ces certificats, signés Rrose Selavy (éros c'est la vie), président du Conseil, valent aujourd'hui nettement plus de cinq cents francs. Bien qu'il n'ait réussi à en vendre que deux à l'époque, cet argent lui permit de faire un séjour à Monte-Carlo et, après un mois passé aux tables de roulette, il n'avait, à sa grande satisfaction, rien gagné et rien perdu.

Étant donné l'impossibilité d'établir un système mathématique pour gagner, la seule façon de battre la roulette réside dans la prévision physique. Il faut pour cela un mécanisme capable de comprendre les lois qui régissent son mouvement et assez rapide pour faire ses calculs et deviner le numéro sortant avant la fin du tour. En d'autres termes, il faut un ordinateur. Dans les années 60, on pouvait construire des ordinateurs analogiques répondant à ces exigences. Dans les années 70, les ordinateurs numériques prirent la relève. Que l'idée ait précédé la technologie ou vice versa, micro-ordinateurs et prévision de la roulette étaient des amants irrésistiblement attirés l'un vers l'autre.

C'est Edward Thorp qui eut le premier l'idée d'utiliser des ordinateurs analogiques pour battre la roulette. Dès 1962, dans la première édition de *Beat the Dealer,* il affirmait posséder « une méthode permettant de battre les roulettes, qu'elles soient ou non défectueuses ». Dans le style débordant d'enthousiasme d'un scientifique essayant de créer du suspense, Thorp ajoutait à mots couverts : « J'ai joué sur une roulette réglementaire dans le laboratoire souterrain d'un savant célèbre dans le monde entier.

Nous avons utilisé la méthode et nous avons enregistré un avantage régulier de 44 %. En une heure et en ne jouant jamais plus de vingt-cinq dollars sur un chiffre, nous avons gagné un montant fictif de huit mille dollars ! »

Quant aux raisons pour lesquelles il écrivait un livre racontant sa réussite plutôt que de se retirer au Cap d'Antibes, Thorp expliquait : « Des problèmes électroniques ont jusqu'à présent empêché l'utilisation à large échelle de la méthode dans les casinos. »

Sept ans après avoir mentionné cela dans *Beat the Dealer,* Thorp fut plus explicite d'un point de vue mathématique, tout en restant très vague sur les détails pratiques, lorsqu'il publia son article dans la revue de l'International Statistical Institute. C'est là qu'il expose brièvement, par des remarques s'adressant aux lecteurs ayant quelques connaissances sur la théorie des probabilités, sa mise au point des méthodes newtonienne et quantique ayant pour but la prévision physique. Son collaborateur, le « savant connu dans le monde entier », restait anonyme.

Ce n'est que récemment, dans une série d'articles écrits pour le magazine *Gambling Times,* que Thorp a été plus explicite sur la nature de son projet ayant trait à la roulette. Le nom de son partenaire est également imprimé pour la première fois. Il s'agit de Claude Shannon. Alors qu'il était encore étudiant, Shannon avait élaboré les équations permettant de comprendre la commutation des réseaux électriques. Ses découvertes, qui furent connues sous le nom de théorie de l'information, s'appliquent actuellement pour commuter des circuits aussi divers que les échanges téléphoniques, l'ordinateur et le cerveau humain. L'« idée de base » de Shannon, comme il dit, « est que l'information peut être traitée d'une manière très semblable à celle dont on traite une masse ou une énergie ».

Shannon avait la quarantaine, il était professeur au MIT et considéré comme une sommité en mathématiques au moment où Edward Thorp, en décembre 1960, eut l'audace d'aller frapper à la porte de son bureau. Thorp venait de terminer son doctorat en mathématiques à l'UCLA et avait commencé à travailler comme moniteur de travaux pratiques au MIT. Sa thèse était intitulée : *Les opérateurs linéaires compacts dans les espaces normaux,* mais ce qui l'intéressait réellement, c'était la théorie du jeu. En écrivant des programmes pour simuler une partie de black-jack, il passa une grande journée sur les ordinateurs du MIT pour combiner les deux versions (l'une de base et l'autre plus sophistiquée) de sa stratégie de comptage des cartes.

Sur le point de rendre publiques ses découvertes lors d'une réunion à l'American Mathematical Society, Thorp pensa qu'il ferait mieux de coucher ses discours sur le papier pour éviter de se faire pirater ses idées. Il visait le *Proceedings of the National Academy of Sciences,* revue prestigieuse qui publie des articles uniquement sur la recommandation de ses membres. Le seul mathématicien membre de l'Académie des Sciences enseignant au MIT était Claude Shannon.

« J'ai réussi à obtenir un rendez-vous pour un bref entretien par un froid après-midi de décembre, dit Thorp. Mais la secrétaire m'a averti que Shannon ne resterait que quelques minutes, que je ne devais pas m'attendre à plus et qu'il ne perdait jamais de temps avec des choses (ou avec des gens) qui ne l'intéressaient pas (égocentrisme éclairé, ai-je pensé à part moi).

« Partagé entre la peur et le sentiment d'avoir de la chance, je suis arrivé au bureau de Shannon pour mon rendez-vous. C'était un homme mince, vif, de taille moyenne, les traits bien marqués. Des petites rides malicieuses entouraient ses yeux et ses sourcils dénotaient son sens de l'humour. Je lui ai brièvement raconté mon histoire de black-jack et lui ai montré mon article. »

Shannon interrogea Thorp pour déceler d'éventuelles erreurs dans son analyse. N'en trouvant aucune, il lui dit de condenser son texte et d'en changer le titre pour remplacer *La formule de la fortune : le jeu de black-jack* par quelque chose de plus académique et de plus neutre (il fut publié sous le titre de *Une stratégie favorable pour le vingt-et-un).* Shannon lui demanda aussi s'il travaillait à d'autres problèmes de jeu.

« J'ai alors décidé de lui livrer mon autre grand secret, dit Thorp, et je lui ai parlé de la roulette. Après plusieurs heures de conversation passionnante, le ciel d'hiver s'assombrissant déjà, nous avons fini par nous séparer en décidant de nous revoir pour reparler du projet sur la roulette. »

Shannon vivait dans une grande maison à charpente de bois au bord de l'un des Mystic Lakes au nord de Cambridge. Dans son sous-sol, ils travaillèrent avec Thorp dans ce que ce dernier qualifia de « paradis de l'amateur de gadgets. Il devait y avoir pour cent mille dollars de matériel électronique, électrique et mécanique. Il y avait des centaines de modèles différents, tels que moteurs, transistors, commutateurs, poulies, outils, condensateurs, transformateurs, et autres ». Les deux hommes commandèrent une roulette réglementaire à Reno et la placèrent sur la table de billard de

Shannon. Ils installèrent à côté une lumière stroboscopique, une horloge, une caméra, et les interrupteurs nécessaires pour coordonner le stroboscope et l'horloge pendant qu'ils filmaient la bille en mouvement. Leurs recherches — qui coïncidèrent avec celles menées plus tard par les Eudaemonic Enterprises — les amenèrent à la conclusion que la roulette est un jeu tout à fait prévisible.

Puis Thorp et Shannon se mirent en devoir de fabriquer un ordinateur. Ils obtinrent un appareil analogique transistorisé de la taille d'un paquet de cigarettes. Il recevait les données au moyen de trois boutons sur lesquels on appuyait à chaque révolution du cylindre et de la bille en face d'un repère fixe. Étant donné qu'ils disposaient d'un ordinateur analogique qui représente les grandeurs variables par des voltages, Thorp et Shannon étaient limités pour la complexité de leur programme, et ils négligeaient ou ignoraient de nombreux facteurs nécessaires à la prévision physique de toutes les roulettes non inclinées.

Claude et Betty Shannon, Edward et Vivian Thorp, munis de leur ordinateur, descendirent à l'hôtel Riviera sur le Strip de Las Vegas en 1962. Thorp s'était déjà fait connaître au Nevada l'année précédente, lorsqu'il avait fait sensation en dévoilant sa stratégie pour compter les cartes. Deux joueurs professionnels lui avaient confié 10 000 dollars pour qu'il puisse prouver son système, et pendant les vacances de Pâques (il enseignait au MIT), il avait fait passer cette somme à 21 000 dollars, effectuant ainsi plus de 100 % de bénéfice. Ayant ainsi lancé un million de compteurs de cartes venant parasiter les tables, Thorp n'était pas accueilli de gaieté de cœur par les propriétaires de casinos du Nevada. Plus tard, frappé d'une interdiction de jouer, il fut obligé de se déguiser ; il se laissa pousser la barbe, chaussa des lunettes noires à grosse monture et ne se déplaçait qu'accompagné par des amis. Mais à ce stade de sa notoriété, il avait encore accès à la plupart des clubs, et personne ne le soupçonnait d'avoir l'intention de gagner à un autre jeu que le black-jack.

Les Thorp et les Shannon passèrent une semaine au Riviera. Ils assistaient à quelques spectacles, se prélassaient autour de la piscine, jouaient au black-jack pour brouiller les pistes et faisaient tout ce qu'ils pouvaient pour battre la roulette. Pour des raisons de sécurité, ils avaient élaboré un système en duo, avec un émetteur radio incorporé dans leur ordinateur « paquet de cigarettes ». La radio informait le ponte de l'octant gagnant au moyen d'une gamme do-ré-mi dont le rythme correspondait à la configuration billeroulette qu'elle était censée représenter. Ces signaux radio étaient captés par un micro et transmis à « un minuscule écouteur avec un fil de couleur claire que nous nous enfoncions dans le conduit auditif. L'ennui, dit Thorp, c'est que le fil se cassait tout le temps. Alors, en cherchant dans les magasins, nous avons trouvé du fil d'acier de la grosseur d'un cheveu, mais même celui-là était encore assez fragile.

« Parfois, c'était moi qui misais et parfois je prenais les données. Nous échangions les rôles. Mais ça nous prenait pas mal de temps de brancher notre attirail dans notre chambre d'hôtel et d'aller sur place. C'était vraiment une corvée de tout installer. Il s'agit en fait d'un projet long et fastidieux, même s'il est très simple dans sa conception. »

« Difficulté avec les périphériques de sortie », telle est la confession laconique de Thorp par écrit pour expliquer pourquoi Shannon et lui renoncèrent à leur ordinateur au bout de trois ou quatre séances. Au cours d'une conversation récente à son bureau à Irvine, à l'université de Californie, Thorp fut plus concret et décrivit un enfer grouillant de fils cassés, avec bips délirants, décharges électriques et autres déficiences électroniques. Sporadiquement et pendant de nombreuses années, Shannon et lui tentèrent de mettre au point leur système, jusqu'à ce qu'ils finissent par abandonner cette idée brillante dont la mise à exécution leur avait échappé.

Leur ordinateur se retrouva dans le sous-sol de Shannon, « où il ramasse la poussière, dit Thorp. Si je devais tout recommencer maintenant, j'aurais recours à la technologie numérique avec un microprocesseur. C'est dans cette direction qu'il faut aller. On n'a plus besoin de se servir d'approximations linéaires ou d'autres types qui conviennent aux ordinateurs analogiques. On peut résoudre les équations et entrer les courbes ». Il s'arrêta et, s'immobilisant, cligna des yeux, comme effrayé par un moment d'enthousiasme incongru. « Mais je ne m'y remettrai jamais, se hâta-t-il d'ajouter. Cela demanderait un travail énorme. »

C'est le dernier bond en avant de la technologie informatique — à savoir le passage de l'analogique au microcircuit numérique — qui ouvrit une brèche vers la prévision de la roulette. La compréhension de leurs différents modes d'opération explique pourquoi, en l'occurrence, les ordinateurs numériques sont supérieurs aux analogiques. Les ordinateurs analogiques, ainsi appelés parce qu'ils fonctionnent au moyen d'analogies électriques, représentent les variables par des voltages. Les chiffres sont en corrélation, comme sur un compteur de vitesse, avec des graduations continues en quantité physique.

« Pour fabriquer un ordinateur analogique destiné à la roulette, expliquait Norman, on construit un circuit qui mime par des phénomènes électroniques les activités physiques de la bille et du cylindre.

« Il est relativement simple de programmer un ordinateur analogique. Mais si l'on veut changer l'algorithme, c'est-à-dire l'équation utilisée pour calculer ce qui va se passer, il faut recâbler l'ordinateur parce que dans un appareil analogique, le programme est le circuit lui-même. »

Au lieu d'opérer au moyen d'analogies électriques, les ordinateurs numériques, comme leur nom l'indique, fonctionnent dans le domaine des chiffres, ou nombres. Cela leur permet d'avoir une capacité de stockage presque infinie, une grande capacité logique et une programmation aisée. Au lieu d'avoir à souder de nouveaux transistors et à refaire le câblage des circuits, il suffit pour modifier un programme dans un ordinateur numérique d'ajouter un chiffre.

« Nous avons préféré un numérique à un analogique à cause de sa souplesse, explique Norman. Cela nous a permis d'avoir une plus grande variété de modèles de calculs, sans avoir à changer les circuits pour chaque modèle. Il a aussi une plus grande richesse de fonctions. Un ordinateur numérique peut non seulement faire des prévisions, mais il peut aussi envoyer des signaux à un émetteur, communiquer avec des boutons actionnés par les orteils et faire vibrer les solénoïdes. »

Malgré cette supériorité technologique, il existait une difficulté liée au choix d'un ordinateur numérique qui exigeait de *résoudre les équations* au lieu de chercher une *approximation* par des gradations continues d'analogies électriques. Les ordinateurs numériques ne tolèrent pas l'approximation. Ils n'opèrent que dans le monde en noir et blanc des nombres ordonnés en équations avec des solutions. Là où Thorp avait fait ses expériences avec un système empirique fondé sur ce qu'il pensait être les valeurs standard relevées sur une roulette normale, les Eudaemonic Enterprises avaient pour but un système à la fois plus universel et plus spécifique. Elles espéraient résoudre les équations régissant *tous* les types de comportement dans l'univers de la roulette. En même temps, ils voulaient des algorithmes suffisamment souples pour prendre en compte les minuscules différences existant pour *chaque* cas particulier de roulette. Ni eux ni leur microprocesseur n'étaient disposés à tolérer qu'un comportement quel qu'il fût demeurât inexpliqué.

# 7

## *Attracteurs étranges*

Les faits tortueux surpassent l'esprit squameux, si l'on peut dire. Et pourtant, il apparaît une relation.

Wallace Stevens
*Connoisseur of Chaos*

Au printemps de 1978, à l'approche du second anniversaire de sa création, la société Eudaemonic Enterprises annonça que le Gâteau n'allait pas tarder à être servi. Il y en aurait largement assez pour faire le tour de la table, mais à toute personne désireuse d'être la première à goûter aux richesses de la roulette, il était recommandé de se présenter immédiatement à Santa Cruz. Du nord et du sud de la côte, on vit arriver les eudémonistes, qui se jetèrent à corps perdu dans des séances de construction de matériel pour l'ordinateur pendant douze heures de suite, s'exercèrent sur la machine de coordination œil-orteil, créèrent des costumes, discutèrent de la théorie du jeu et assistèrent aux cours. Cette frénésie qui les faisait souder, coudre, remuer les orteils et parier était dictée par la perspective d'un voyage imminent sur South Lake Tahoe et Reno. La séance de l'hiver précédent au Golden Gate, au cours de laquelle Doyne avait gagné, avait déjà apporté la preuve de l'efficacité du système. Conçu pour être débarrassé du problème des fils cassés et autres avatars, l'ordinateur était maintenant prêt, pensaient-ils, pour le premier grand raid sur les casinos.

Avec tout ce monde qui dormait à l'intérieur de la maison ou sur la pelouse dans des sacs de couchage, le 707, Riverside avait pris l'allure d'un ashram consacré à l'étude du tao de la physique. Des amis assuraient un fond sonore au piano, et Ralph Abraham venait faire une petite visite de temps en temps pour bavarder de la théorie du jeu et du déguisement de casino.

« Ralph et moi, raconte Doyne, passions beaucoup de temps à parler de ce qu'il faut faire pour convaincre un casino qu'on est vraiment ce dont on a l'air. » Ils discutaient également des problèmes soulevés par Richard Epstein dans son livre *La Théorie du jeu et la logique statistique,* que Ralph faisait étudier ce trismestre-là à ses étudiants dans un cours sur les mathématiques du jeu. Étant donné une banque de $x$ dollars, quel pourcentage de ce chiffre doit-on miser à chaque tour ? Est-il plus avantageux de miser sur un seul nombre ou sur plusieurs à la fois ? Pour un examen plus détaillé, ces questions étaient posées à Alan Lewis, spécialiste en mécanique statistique.

Lewis s'était enfermé dans la chambre de Doyne avec la roulette et Raymond, et il rassemblait des données deux heures chaque jour avant de se rendre à la plage tous les après-midi pour travailler son bronzage. Il avait pour tâche de déterminer de manière précise l'avantage de l'ordinateur sur les roulettes inclinées selon le degré de la pente et leur vitesse de rotation. Jeune assistant à l'université, diplômé du Cal Tech et de Berkeley, Lewis sillonnait la ville dans sa Triumph Spitfire et arborait toujours des vêtements en acrylique qui lui donnaient plus l'air d'un businessman que d'un universitaire, ce qui lui correspondait d'ailleurs mieux, étant donné qu'il quitta par la suite l'enseignement pour jouer à la bourse. Décontracté et laconique, il trouvait le Projet amusant et y consacra beaucoup de travail, aussi bien théorique que pratique.

Charlene Peterson, une amie de Doyne et Letty qu'ils avaient connue à Stanford, fut également associée au Projet. Charlene avait travaillé comme serveuse à la Ricky's Hyatt House et mis assez d'argent de côté pour s'acheter du terrain dans le nord de la Californie, et, avec son ami, elle était en train d'économiser les derniers sous avant de se retirer pour de bon. Elle était institutrice dans une école de Santa Cruz Mountains lorsque Doyne la contacta pour lui proposer de devenir eudémoniste. Il pensait que Charlene, avec son genre belle guide scout plus un zeste de serveuse initiée au bouddhisme Zen, pourrait remplacer Alix dans le rôle de la joueuse qui mise gros.

John Loomis était également une nouvelle recrue. Outre ses connaissances en histoire de l'art, ses talents de cuisinier italien et ses dons de chanteur de folklore toscan, Loomis savait se servir de ses dix doigts. Il travaillait comme charpentier dans la Bay Area lorsque les Eudaemonic Enterprises l'amenèrent à Santa Cruz pour améliorer les interfaces d'entrée-sortie. Après avoir enlevé les préservatifs des solénoïdes, il s'aperçut que les bas indémaillables marchaient encore mieux pour les maintenir en place, et fabriqua un nouveau système pour faire tenir les vibreurs sur l'estomac.

Les nerds (ou « tarés ») — terme servant à désigner les techniciens aux yeux de crapauds dont les rêves oscillent entre les schémas de branchement et les pin-up de *Playboy* — n'étaient pas admis aux Eudaemonic Enterprises. Par contre, la société avait son *hacker.* C'est un mot plus spécifique qui s'applique à une personne subjuguée par la beauté des ordinateurs et de leurs programmes et qui vibre tellement à l'unisson de la technologie qu'entre ses mains, elle fait preuve de la plus grande inventivité. Jim Crutchfield était fier d'appartenir à cette espèce. Race très répandue à Silicon Valley et dans d'autres régions de technologie avancée, les hackers communiquent entre eux dans une langue aussi particulière que le basque ou le serbo-croate. C'est la marque d'une communauté fermée et qui établit la distinction entre ceux qui connaissent vraiment les ordinateurs et ceux qui se contentent de savoir s'en servir. Avec à peine, de-ci de-là, deux ou trois mots empruntés à la langue du commun des mortels, le hacker pur et dur est capable de composer des paragraphes entiers autour d'expressions telles que : *vitesses de transmission, redémarrages à chaud, programmes de téléchargement, bits, mémoires tampons, bruit de fond,* et autres binarismes.

Originaire de San Francisco, Crutchfield a des cheveux bruns qui lui couvrent les oreilles, une raie au milieu, il fait du surf, de la plongée sous-marine, et de la randonnée. Mais ce qui l'intéresse vraiment dans la vie, c'est l'informatique. L'expression intense et abstraite que reflète son visage, la tension qui marque son front, l'habitude qu'il a de marmonner tout seul, sa timidité et son incapacité à faire un brin de conversation dans la langue de tous les jours sont les symptômes du hacker qui préfère de loin parler aux machines plutôt qu'aux humains. « La véritable distinction au sein des utilisateurs d'ordinateurs ne doit pas être effectuée entre théoriciens et expérimentateurs, disait-il, mais entre les hackers et les autres. Les hackers sont ceux qui comprennent le fonctionnement des systèmes et la manière de les utiliser. »

Pour me citer un exemple de hacking et me montrer que ce mode de vie présente le danger de vendre son âme au plus offrant, Crutchfield me raconta un épisode survenu à l'époque où il appartenait au Home Brew Computer Club. Bien avant de parler d' « érudition informatique », un groupe de nerds, de hackers et de freaks, de mordus et d'étudiants de Silicon Valley se réunissaient pour comparer leurs notes. « Un soir, disait Crutchfield , deux hackers chevelus sont arrivés avec une carte de circuit imprimé reliée à un écran capable de réaliser des graphiques simples. Ces hippies, fumeurs d'herbe comme nous l'étions tous, qui avaient monté leur machine dans leur garage, n'étaient ni plus ni moins que Stephen Wozniak et Steven Jobs, et l'engin qu'ils apportaient était tout simplement le premier ordinateur Apple.

« Nous comprenions tous que ce que nous avions sous les yeux était quelque chose d'important, mais je suis sidéré de la vitesse à laquelle la connaissance a gagné le grand public. Comme Xerox et IBM continuent à tout englober, je me demande s'il va rester de la place pour les hackers. C'est sur ce plan que les États-Unis sont encore très en avance par rapport au Japon, où la société est tellement structurée qu'il n'y a pas du tout de place pour des hackers marginaux. Car ce sont ces gens-là qui sont vraiment créatifs et proposent des idées nouvelles. C'est grâce à eux que l'on avance vraiment. »

En dehors des services qu'il rendait en tant qu'expert aux Eudaemonic Enterprises, Crutchfield était également hacker attitré d'un groupe spécial de recherche de l'université qui comptait Norman Packard et Doyne Farmer. Doyne s'était laissé tenter et était retourné à la fac pour travailler sur la physique du chaos. Des nouvelles théories étaient en vogue pour décrire le chaos, ou tout au moins certaines de ces manifestations les plus simples, au moyen de structures géométriques connues sous le nom d'attracteurs étranges. Parmi les premières recherches dans ce domaine — qui allaient bientôt ébranler l'ensemble de la profession —, certaines étaient effectuées à Santa Cruz. Lorsqu'ils n'étaient pas en train de se pencher sur le chaos dans le laboratoire de l'université, les Projeteurs jouaient à la roulette à Riverside Street. Ils menèrent ces deux recherches de front et avec autant de passion pendant plusieurs années.

L'étude des attracteurs étranges était récemment devenue la préoccupation première de la dynamique non linéaire, qui prend en compte un comportement que l'on avait coutume de mettre de côté comme étant désordonné, aléatoire ou encore trop compliqué pour pouvoir être expliqué. Pour se simplifier la vie, depuis Galilée jusqu'à l'époque actuelle, les physiciens émettent des théories établissant des systèmes stables et linéaires. Pourtant, ceux-ci sont excessivement rares dans la nature, et ce que la vie réelle nous offre, ce sont plutôt des systèmes non linéaires, instables, dynamiques et chaotiques, des objets comme les formes des nuages, l'eau qui coule, et l'activation des synapses dans le cerveau humain. La physique contemporaine connaît actuellement une révolution car elle est en train de passer de l'étude des systèmes linéaires à celle des systèmes non linéaires. Mais ce n'est que depuis quelques années que le champ tout entier, avec une poignée de chercheurs seulement, s'est ouvert en grand aux scientifiques qui réalisèrent une percée en isolant les attracteurs étranges et en définissant certaines des formes les plus simples du chaos.

Se faisant appeler soit les *Dynamical Systems Collective,* soit le *Chaos Cabal,* Crutchfield, Packard, Farmer et le quatrième, le jeune physicien Robert Shaw, allaient se forger une réputation en faisant un bon bout de chemin dans la voie prometteuse de cette recherche. Mais lorsqu'ils débutèrent, ils n'avaient rien d'autre pour eux que du talent et de la chance. Et des ordinateurs. La physique nouvelle est trop complexe pour que l'on puisse s'en passer et le groupe Chaos Cabal, qui à ce moment ne comptait que des hackers à part entière, avait plus de connaissances dans ce domaine que les autres physiciens. Les heures qu'ils avaient passées dans la salle du Projet à programmer, à souder et déboguer les ordinateurs destinés à la roulette allaient être payantes d'une manière tout à fait inattendue. Ils en étaient arrivés au point où ils étaient en mesure de forger un système et d'écrire un programme pour étudier la physique de n'importe quoi, depuis une bille de roulette jusqu'aux attracteurs étranges.

Le KIM et l'ordinateur de la roulette étaient excellents pour résoudre des équations newtoniennes et quantiques. Mais le chaos, c'était une autre histoire. Afin d'en percer le secret, il faut un ordinateur suffisamment gros pour ce que les hackers appellent la manipulation de chiffres. Un jour, en fouinant dans le sous-sol du bâtiment de physique, les membres du Chaos Cabal tombèrent sur un vieil ordinateur analogique Systron Donner, vestige d'un département d'ingénierie qui finalement n'avait jamais été établi à Santa Cruz. Vieille et poussiéreuse, la machine était monstrueuse par sa capacité. Ils la traînèrent donc jusqu'au bureau inoccupé et la remirent en état de marche. En ajoutant une collection de micros Z-80 qui étaient sur place et un ordinateur numérique NOVA qu'ils étaient allés mendier au groupe de physique expérimentale sur l'énergie, le Dynamical Systems Collective s'installa un petit nid de traceurs de courbes, imprimantes, terminaux et écrans. En 1979, moins de deux ans après avoir inscrit son nom sur la porte, le Chaos Cabal avait acquis une réputation suffisante pour recevoir sa première bourse de la National Science Foundation.

Alors qu'il était encore étudiant à l'université de Santa Cruz,

Crutchfield avait fait une bonne partie du travail nécessaire à la remise en route de l'ordinateur analogique. Il fabriqua ensuite un interface ingénieux qui lui permettait de s'adresser aux ordinateurs numériques bien qu'ils n'utilisent pas le même langage du tout. En terminant la fac, il commença à publier des articles scientifiques en tant que membre qualifié du Chaos Cabal, qui, assez curieusement, mit l'université dans l'embarras. Ne se souciant ni de hiérarchie ni de statut, Crutchfield avait refusé de faire son troisième cycle. Mais il ne cessait d'aller et venir dans le département de physique, faisant des recherches dans les laboratoires et publiant des articles exactement comme s'il était effectivement étudiant de troisième cycle. Parvenu à un compromis de facto, Crutchfield accepta que son nom soit couché sur tous les formulaires qui feraient de lui un étudiant en bonne et due forme.

Au printemps de 1978, comme les autres membres du Chaos Cabal, il changea de centre d'intérêt, des attracteurs étranges, il passa à la roulette. Crutchfield s'engagea pour une part du Gâteau et emménagea à Riverside Street, pour devenir le hacker attitré des Eudaemonic Enterprises. Surtout chargé d'améliorer l'équipement, il construisit aussi un troisième ordinateur pour la roulette. Venant se joindre à Raymond, le prototype, et Harry, son premier rejeton, il y avait maintenant un nouveau membre de la famille d'ordinateurs eudémonistes nommé Patrick, à cause de James Patrick Crutchfield.

« À ce stade, Raymond avait déjà été mis au rancart, dit Doyne, et, pour aller jouer dans les casinos, il nous restait Harry et Patrick. Jim leur a fait des connecteurs, joliment peints et codés par des couleurs. Il a construit des petites boîtes d'aluminium de la taille d'un carnet d'adresses pour abriter les ordinateurs, et lorsqu'il a eu achevé ce travail, le matériel et les périphériques avaient généralement gagné en qualité. »

Les ordinateurs Harry et Patrick étaient complètement équipés, avec la capacité de mémoire et de logique à jouer sur n'importe quelle roulette. Tout ce dont ils avaient besoin pour cela, c'étaient d'organes périphériques d'interface, qui, en l'occurrence, étaient des microcommutateurs à orteils pour entrer l'information dans l'ordinateur, et des solénoïdes vibrants pour l'en faire ressortir. Comme les Eudaemonic Enterprises avaient opté pour un système à deux personnes, chaque équipe devrait être en possession non pas d'un mais de deux ordinateurs qui, à leur tour, avaient besoin d'un moyen de communiquer entre eux. Cela était réalisé par induction magnétique, avec un émetteur et un récepteur sans fil que l'on pouvait assimiler, pour ne pas couper les cheveux en quatre, à une liaison radio. Pour éviter de plus amples explications, on pouvait dire du Projet qu'il avait mis au point un système à deux personnes qui utilisaient un ordinateur émetteur et un ordinateur récepteur. Ils avaient à peu près la même taille, et possédaient tous les deux des solénoïdes auxiliaires, alors que seul l'ordinateur émetteur était programmé avec un algorithme de roulette et équipé de microcommutateurs opérés par les orteils.

Le premier ordinateur récepteur du Projet avait été fabriqué par Ingrid Hoermann, travail qu'elle présentait comme une application du cours de physique 107, initiation à l'électronique s'adressant aux étudiants de physique, pour lequel Doyne était assistant et Norman moniteur de travaux pratiques. Selon la tradition eudémonique, l'ordinateur reçut le deuxième prénom d'Ingrid, Renata. Un second ordinateur récepteur fut construit ce printemps-là par Norman. Comme l'ordinateur Harry portait déjà son deuxième prénom, et comme le Projet, suivant la nomenclature habituelle, considérait ses ordinateurs récepteurs comme des femelles, la nouvelle machine fut baptisée Cynthia, comme la sœur cadette de Norman. Issu de grand-mère KIM et de père Raymond, la famille eudémonique comprenait quatre petits ordinateurs bien finis, les deux émetteurs Harry et Patrick, et les deux récepteurs Renata et Cynthia.

Pianiste classique, étudiante en musique, Ingrid était sur le point de passer son diplôme à Santa Cruz lorsqu'elle décida, à l'automne de 1976, qu'elle voulait, dit-elle, enrichir « ma culture générale, et jouer du piano ne me donnait pas grand-chose. Je passais mes journées à faire des gammes et des accords. Mais c'était un exercice purement physique, ça n'avait rien d'une discipline intellectuelle.

« Je finis toujours par en faire trop, par aller trop loin, puis à revenir en arrière pour aboutir là où je voulais arriver en réalité. Donc, après avoir fait tout ce qu'il fallait pour obtenir un diplôme en musique, j'ai fait une demande pour rester à Santa Cruz encore un an ou deux. Je leur ai dit que je voulais étudier la physique pour devenir ingénieur du son. »

Ingrid travailla comme technicienne des enregistrements pour le département de musique. Elle participa à des représentations de musique électronique et autres « happenings ». Elle fabriqua un petit synthétiseur et apprit beaucoup de choses sur la physique musicale. C'est cet intérêt pour les synthétiseurs et les spectacles de musique contemporaine qui l'avait à l'origine poussée à se lancer dans des études de physique. Pour l'aider dans son programme de sciences, Doyne présenta Ingrid à Norman, et ils s'arrangèrent tous les deux pour échanger des cours de physique contre des cours de piano. Doyne, lui, avait préparé un bon petit projet de travail individuel qui devait lui rapporter de bonnes notes si elle s'en tirait, et à la fin du trimestre, Ingrid avait réussi à assembler son premier ordinateur.

« Au cours du trimestre, dit Norman, Ingrid a appris plus de choses qu'elle ne veut bien l'avouer, et elle a eu une très bonne appréciation pour son projet. »

« Norman est un pianiste très doué, dit Ingrid, selon sa propre appréciation. Mais pour ce qui est de m'enseigner la physique, on parlait la plupart du temps soit de la roulette, soit des attracteurs étranges. »

Ingrid était une habituée de Riverside Street, et elle ne tarda pas à s'y installer tout à fait en qualité de membre du Projet à part entière. « Je me sentais toujours un peu privilégiée quand ils me retenaient pour le dîner, dit-elle. C'était comme une famille nombreuse avec un tas de gens fous, bourrés d'énergie et d'entrain. On restait des heures entières à table à discuter. C'étaient des scientifiques, mais il n'y avait pas un seul « nerd ». Cela ne les empêchait pas de lire et de connaître d'autres choses.

« Je n'avais jamais été dans une communauté qui fonctionnait aussi bien et où il y avait une telle entente. Dans la maison, tout devait être décidé par un vote, et chacun avait conscience de ses responsabilités. On partageait tout, depuis la nourriture jusqu'aux outils en passant par la pâte dentifrice. Chacun avait un soir de cuisine et était chargé de préparer le dîner. Il y avait des règles pour recycler les ordures, faire les courses et cultiver le potager. On était censé parler de tous les problèmes lors des réunions qui avaient lieu périodiquement pendant le dîner, mais on avait du mal parce qu'il était rare de faire un repas sans avoir invité des amis. Il y avait une liste de toutes les tâches à effectuer sur une roue avec nos noms en face. La roue tournait une fois par semaine, pour que, tour à tour, chacun ait la charge de laver les salles de bains et la cuisine, de s'occuper du compost, ou d'arroser le jardin. Pour les gros travaux, comme le grand nettoyage tous les trois mois, ou la construction d'une barrière pour clore le jardin, tout le monde devait s'y mettre. On espérait aussi que les invités restant une semaine ou plus participeraient aux achats de nourriture et donneraient un coup de main pour faire la cuisine. L'objectif était d'avoir une maison ouverte et suffisamment de place pour accueillir tout le monde. »

Aimant porter des sandales mexicaines, des blue-jeans, des gilets qu'elle faisait elle-même, et des chemises col ouvert, Ingrid était à la fois enjouée et réservée, audacieuse et imprévisible. Avec ses cheveux bruns et des yeux bleus à l'expression souvent concentrée, elle n'avait rien du charme et des attraits de la blonde typique de la côte Ouest. Mais elle possédait un autre genre de beauté empreinte d'énergie et de caractère, dotée des qualités que les Indiens d'Amérique attribuent au coyote. Espiègle, enjouée, elle avait le don d'imiter les petites manies et les tics des autres avec une précision incroyable. En sa présence, on se trouvait toujours un peu en déséquilibre et on était donc prêt à faire les choses les plus inattendues. Ressemblant à une structure géométrique passant de l'ordre au chaos, Ingrid elle-même devint l'un des attracteurs étranges autour desquels le Projet articula sa dynamique non linéaire.

« Quand j'ai appris en quoi consistait le Projet, dit-elle, cela faisait bien longtemps que je n'avais pas entendu parler de quelque chose d'aussi bien. Un genre d'histoire de cow-boys du xx^e^ siècle. J'étais allée dîner à Riverside et c'est là que, avec Doyne et Norman, je suis entrée pour la première fois dans la salle du Projet pour voir la roulette. On l'a fait tourner et on restait plantés là les yeux fixés dessus comme sur les flammes d'un feu de bois. J'imaginais ce que ça devait être d'aller à Las Vegas et de jouer au casino, et c'est devenu absolument fascinant.

« Alors je me suis associée à eux. J'ai plongé dedans. C'était un peu comme une réalité de rechange grâce à laquelle on pouvait échapper au monde des quarante heures boulot-dodo. »

Lorsqu'elle n'était pas occupée à fabriquer l'ordinateur Renata, à aller acheter des puces à Silicon Valley, à compiler des histogrammes avec Alan Lewis ou à s'entraîner à circuler sur la piste des modes dans l'espoir de gagner les Sweepstakes de la Côte d'Azur, Ingrid se penchait sur la création de costumes pour les membres du Projet. « Il nous fallait des vêtements dans lesquels on puisse cacher l'ordinateur et qui restent quand même à peu près à la mode. Après être allé fouiller dans les placards de tout le monde pour trouver des grands pull-overs, des chemises blousantes et des robes amples, on a réussi à composer des combinaisons légères à souhait, à partir desquelles Marianne, Charlene et moi, nous avons cousu des tenues complètes. »

Pour la transmission radio entre le preneur de données et le parieur, ils devaient porter des bobines d'antennes quelque part sur eux. Ils avaient pensé à en coudre dans les ourlets des pantalons ou à s'en entourer la taille, mais il fut finalement décidé de les mettre dans un T-shirt comme un joug autour des épaules. Pour cacher les ordinateurs, après de nombreuses expériences, deux systèmes différents furent mis au point, en fonction du sexe du porteur. Les hommes utilisaient des ceintures sacro-iliaques en travers de la poitrine comme des étuis à revolver. Une ceinture portait l'ordinateur niché sous l'aisselle gauche et une autre maintenait les piles sous la droite. Quant aux femmes, elles avaient des gilets collants avec des poches attachées sous les seins et fermant par des boutons-pression pour y fourrer leurs ordinateurs et leurs piles.

« Les gilets, c'était une vraie galère à enfiler, déclare Ingrid. D'abord il fallait se déshabiller entièrement ; ils pendouillaient sous le poids des ordinateurs et ils étaient tellement serrés que les fils cassaient tout le temps. Ensuite, on est passé à un ensemble soutien-gorge et gaine avec des agrafes sur le devant. » Sans distinction de sexe, tout le monde portait aussi sur le ventre une plaque de solénoïdes avec des vibreurs.

Stimulée comme Ingrid par la folie de la roulette, Marianne se fit son premier costume trois-pièces. Spécialement conçu pour le jeu, il avait des poches supplémentaires dans le gilet et des boutons-pression sous les bras pour les piles et les ordinateurs. Surexcitée de nature, comme si elle venait de prendre cinq cafés d'affilée, Charlene surpassait même Marianne par sa vitalité. C'était une spécialiste des jeux de mots, des calembours et d'autres bonds synaptiques ; elles ne cessaient de s'amuser toutes les trois et maintenaient un rythme d'enfer dans la production des T-shirts à antennes, des ceintures sacro-iliaques, des gilets rembourrés, des enveloppes de solénoïdes en bas indémaillables et des chaussettes à trous ourlés.

« Quand il fallait s'habiller pour jouer à la roulette, dit Ingrid, c'était un véritable rituel comme pour un agent secret. Tout installer et tout accrocher prenaient bien une heure. Ensuite on passait aux essais, et il y avait toujours quelque chose qui ne marchait pas. Alors, il fallait se redéshabiller entièrement jusqu'aux antennes. On essayait de ne rien mélanger, et il y avait des petits tas de vêtements éparpillés dans toute la pièce. On était très sérieux et préoccupés par ce qui ne marchait pas, et on était tous là en petite culotte à appuyer sur nos boutons avec les orteils. C'était ridicule.

« J'avais eu du mal à trouver un costume parce que les piles étaient très proéminentes. J'avais déniché un pantalon grenat dans la cave et j'avais emprunté à Lorna un chemisier en rayonne à fleurs croisé devant qui se fermait avec une grosse ceinture, comme un kimono japonais. Voici dans quel ordre je m'habillais. Je commençais par un soutien-gorge Playtex qui s'attachait devant avec vingt agrafes. J'en sautais au moins une chaque fois et il fallait tout recommencer. Comme les ceintures sacro-iliaques m'auraient complètement aplati la poitrine, j'avais cousu des poches sur le soutien-gorge et je les bourrais avec des mouchoirs. Je pensais que j'aurais meilleure allure avec des gros seins mais c'était surtout pour cacher les coins. Cela servait aussi à isoler l'équipement de ma peau, parce que quand je transpirais, je recevais des décharges et ça n'avait vraiment rien de drôle. Pour les éviter, après, on enveloppait les ordinateurs dans des petits sachets en plastique. Ensuite j'enfilais le T-shirt à antennes, qui avait sur le devant des connecteurs reliés à l'ordinateur. De là, une autre série de connecteurs descendait jusqu'à la plaque de solénoïdes que je portais sur le ventre, coincée sous une gaine à pois rouges et blancs.

« J'avais l'air d'une mégère avec ça. Ce qui me donnait l'air encore plus bizarre, c'est qu'aucun de mes gestes n'avait plus l'air naturel. La blouse imprimée était censée être décolletée, voyante et sexy ; elle était effectivement décolletée, mais je ne pouvais pas me pencher trop au-dessus de la table parce que j'avais peur qu'on voit mes coins. J'ai même décidé de me crêper les cheveux pour que ma tête fasse plus gros et mon corps plus petit. Pour faire dans le même genre, je mettais du mascara, du blush et prenais un sac à main. Attifée de la sorte, j'étais dans un état second, et j'avais toujours froid parce que quand je suis nerveuse, même si je transpire à grosses gouttes, je n'arrive pas à me réchauffer. »

« Comme vous pouvez l'imaginer, dit Doyne, avec autant de mordus de la roulette en liberté dans la maison, c'était un capharnaüm indescriptible. Norman passait ses nuits sur ses récepteurs radio. À un moment donné, il a dit qu'ils étaient terminés et il est parti voir Lorna à Portland, mais je les soupçonne fort de ne pas avoir vraiment travaillé. Jim Crutchfield essayait de déboguer Patrick ; il avait des problèmes plein son écran, et il finit par s'apercevoir qu'il avait un mauvais bit dans la PROM. Les gens terminaient leurs examens trimestriels. C'était dingue. Complètement dingue.

« Comme toujours, on était régulièrement en retard sur le programme. John Loomis avait été obligé de se retirer, et si on avait été malins, on aurait repoussé l'expédition du printemps. Mais j'avais l'impression qu'on avait investi tellement d'espoirs dedans qu'il fallait absolument qu'on quitte la ville et qu'on fasse quelque chose qui nous change. »

Alors que Patrick était toujours en panne depuis le voyage du Nouvel An à Las Vegas, et que seul Harry était disponible pour les sessions d'entraînement, les Projecteurs décidèrent de plier bagage avec la roulette quitte à terminer leur entraînement au Nevada. Dans le Blue Bus transformé en atelier d'électronique roulant et casino itinérant avaient pris place Dan Browne, Charlene, Ingrid et Doyne. Alan Lewis et son amie Molly avaient pris une autre voiture et Marianne était partie en avance pour aller retrouver Ralph Abraham dans ce qu'il appelait sa « baraque », un appartement de trois pièces avec bain-remous qu'il avait loué pour l'hiver sur la rive nord du lac Tahoe.

Au volant du Blue Bus, lancée dans de grandes discussions sur la cybernétique avec Dan Browne, Charlene fit deux fois le tour de Hayward et se perdit complètement après Davis. Avec quatre heures de retard sur l'horaire prévu, les Projeteurs atteignirent la « baraque » de Ralph en pleine nuit. « Ils se sont déployés et ont occupé le terrain, raconte Marianne. En un rien de temps, ils avaient installé la roulette et tout leur bazar dans la maison. » Ils passèrent deux jours à s'entraîner, puis en fin de soirée, le deuxième jour, Doyne, Ingrid et Marianne franchirent la frontière et se rendirent à Reno. Comme Patrick n'était toujours pas débogué, et que les émetteurs radio de Norman n'étaient toujours pas en état de fonctionner, ce qui interdisait l'utilisation des ordinateurs Renata et Cynthia, Doyne était obligé de jouer en solo avec Harry.

C'était la première fois qu'Ingrid mettait les pieds dans un casino, elle se souvenait pourtant que sa mère s'arrêtait souvent à Tahoe pour mettre des pièces dans les machines à sous, quand, petite encore, elle allait avec elle à la montagne. Ingrid attendait au parking et, une fois, sa mère était revenue à la voiture avec des pièces plein son porte-monnaie. Elle ne l'avait jamais vue « en vrai », mais elle connaissait la disposition d'une table de roulette.

Travaillant sur un modèle en tissu qu'Alix avait peint pour son premier voyage à Reno, Ingrid et Marianne avaient acquis des réflexes fulgurants pour couvrir le tapis de jetons. « Pour capter les messages des solénoïdes et mettre les jetons sur quatre numéros à la fois, il fallait être drôlement rapide, dit Ingrid. Même pour trois numéros, il fallait faire vite. Mais on avait réussi à jouer sur quatre numéros sans problème. »

Le Blue Bus fit son entrée à Reno par une fraîche soirée d'avril. « On s'est séparés pour aller repérer les casinos, dit Ingrid. On devait se retrouver plus tard pour comparer nos observations sur l'inclinaison des roulettes et les autres conditions de fonctionnement. Pénétrant dans un casino pour la première fois de ma vie, j'essayais d'avoir l'air le plus naturel et décontracté possible, mais j'étais tellement nerveuse que je n'arrivais même pas à me décider de m'approcher d'une table. je tournais autour des machines à sous, essayant de faire mes observations, et les employés du casino ont dû penser que je n'avais pas l'âge et que je traînais là comme ça. Deux surveillants sont venus me demander mes papiers, comme je n'en avais pas, ils m'ont mise à la porte en disant que j'étais trop jeune. J'étais morte de honte. Si la première fois que j'allais dans un casino je me faisais jeter, jamais je n'arriverais à faire ce qu'il fallait pour le Projet. »

Lorsqu'ils se réunirent plus tard, Doyne raconta qu'il avait trouvé une bonne roulette au Harold's, le plus gros et le plus rutilant des clubs du centre ville. Ils approchèrent tous les trois des tables et Doyne se mit à jouer. Il remplirait tout seul les rôles de preneur de données et de parieur, pendant que Marianne et Ingrid prendraient des notes pour compiler les statistiques. « On faisait de notre mieux pour être séduisantes, dit Ingrid. Marianne était maquillée et jouait du décolleté. Moi, j'avais un manteau de fourrure en lapin et on était au bras de Doyne comme deux admiratrices. Doyne était tendu et ne quittait pas la roulette des yeux, incapable de prononcer un mot. On ne comprenait pas forcément ce que les filles pouvaient trouver à un type pareil. On restait dans les parages en prenant l'air décontracté, et ensuite Marianne et moi, on se précipitait aux toilettes en gloussant pour aller noter nos observations sur nos calepins. » À quatre heures du matin, harcelé par les décharges électriques de son ordinateur peu fiable, Doyne leva la séance avec quelques dollars de moins en poche. Ils rentrèrent à Tahoe et arrivèrent à l'aube sur la rive nord du lac.

S'étant débarrassés de leurs T-shirts à antennes, de leurs ceintures sacro-iliaques, de leurs plaques de solénoïdes, de leurs chaussures de maquereaux, de leurs soutiens-gorge-corsets, de leurs câbles et de leurs commutateurs, ils se plongèrent dans le bain-remous devant l'immeuble de Ralph. Ils regardèrent le soleil se lever et prirent des couleurs dans l'eau, et encore plus quand ils sortirent pour se rouler dans la neige. Plus tard dans la matinée, après avoir chargé la roulette et les ordinateurs dans le Blue Bus, ils franchirent la Donner Pass, redescendirent dans la Sierra Nevada et s'arrêtèrent pour manger une pizza à Davis. Dans le restaurant, Doyne sortit de ses poches son argent et ses clefs, les tendit à Ingrid et lui dit : « Voilà, occupe-toi de ça. À partir de maintenant, c'est toi qui prends les décisions. Je ne veux plus avoir une seule responsabilité jusqu'à la fin du trajet. »

« Jusque-là, raconte-t-il, c'est moi qui avais été le chef du voyage et du séjour. C'est moi qui m'étais chargé de tout, depuis les trous dans mes chaussettes jusqu'à l'ordinateur à recâbler. J'étais complètement crevé. »

# 8

## *Presser le citron*

Si tu ne veux pas qu'on te soupçonne,
Que l'apparence reste bonne.

John Gay

Alan Lewis donnait un cours de troisième cycle sur l'électricité et le magnétisme lorsque, bavardant avec Norman un jour à la sortie, ils en vinrent, pour la première fois, à parler de la roulette. De taille moyenne, les cheveux bruns, les yeux marron, Lewis est l'homme de l'euphémisme et de la litote. Seul un bon esthète peut saisir le sens de ses plaisanteries. Il parle sur un ton tellement monocorde et lent que parfois, on a envie d'enregistrer ce qu'il dit pour le repasser en accéléré. Mais il sait apprécier la vie sous un climat qui, le plus souvent, vous permet d'aller à la plage avec votre voiture décapotée. Né à Tucson, et ayant vécu à divers endroits en Californie, il a le naturel relax et décontracté des gens de l'Ouest.

C'est également un expert en mécanique statistique. Il s'agit de la branche de la physique qui, à travers des modèles mathématiques, tente d'analyser le mouvement et les forces qui le provoquent. Inventée à la fin du XIXe siècle par James Clerk Maxwell, Ludwig Boltzmann et Josiah Gibbs, cette approche statistique de la physique — qui à l'origine s'attachait à la description du comportement atomique des gaz — a récemment trouvé de nouvelles applications dans la théorie du jeu. En ce qui concerne Lewis, pour lui, le champ le plus intéressant de la recherche en mécanique statistique, c'est la bourse.

« Pour jouer à la bourse, explique-t-il, le truc est de prendre au sérieux l'idée de *jeu*. On se trouve alors en présence d'un fourmillement d'idées depuis les disciplines mathématiques avancées que sont la théorie des probabilités et les statistiques. » Avec ses théories consistant à considérer la bourse comme n'importe quel autre système physique, Lewis finit par quitter l'université pour aller à Newport Beach, Californie, comme expert boursier. Mais le premier agent de change venu n'a pas forcément l'intention d'employer un physicien, et c'est là qu'Edward Thorp refait son apparition dans l'histoire.

À l'automne de 1978, Lewis alla travailler pour Analytic Investments, une petite société qui gère cinq cent millions de dollars pour des clients comme la Compagnie téléphonique de Nouvelle-Angleterre à l'université de Yale. Ayant son siège dans l'une des haciendas de banlieue qui bordent les autoroutes de Orange County, Al occupe une modeste suite de sept pièces décorées de marines et de plantes vertes entretenues par un service de location. La société est gérée par Sheen Kassouf, New-Yorkais raffiné d'origine libanaise dont la spécialité est le marché ouvert. Détenteur d'un diplôme en économie, Kassouf avait traîné à New York pendant des années, se qualifiant lui-même de « pilier de corbeille », et passait ses journées planté devant les téléscripteurs à la recherche de l'Eldorado américain : un système qui lui permette de gagner, que la bourse soit à la hausse ou à la baisse. Il finit par trouver quelque chose qui ressemblait à une stratégie gagnante en se servant de paris avec couverture, connus dans le jargon boursier sous le nom d'arbitrages.

Edward Thorp suivait la même démarche que Kassouf et arrivait à la même conclusion. Alors professeur de mathématiques à l'université de Californie à Irvine, Thorp était passé du black-jack et de la roulette à des combinaisons boursières, qu'il considérait comme un jeu de plus où la chance, sous certaines conditions, pouvait nettement pencher à l'avantage du joueur averti. Thorp et Kassouf s'étaient rencontrés en 1965, lorsque ce dernier était venu à l'université pour y obtenir un poste. En échangeant leurs points de vue, ils mirent au point un système pour gagner à la bourse, système fondé sur des droits de souscription et autres sortes de couvertures : « J'avais eu envie de me servir de mes gains au jeu pour acheter en bourse, dit Thorp, parce que c'était un jeu sur une plus grande échelle, présentant un tas d'intérêts annexes et un potentiel bien supérieur. Je ne me heurterais pas aux problèmes que j'avais eus au Nevada où on m'avait roulé. Là, ce ne serait pas moi personnellement qu'on pourrait rouler, mais éventuellement tous ceux qui auraient joué. Je me suis donc mis à lire beaucoup et, au cours de l'été 1965, le principe de la couverture en matière de droit d'achat de souscription a retenu mon attention. J'ai fait la connaissance de Sheen alors qu'il cherchait à obtenir un poste d'enseignant, et je n'ai pas tardé à découvrir qu'il avait la même idée et qu'il la mettait déjà en pratique depuis quelques années d'une façon pas encore très élaborée mais efficace. Nous avons donc décidé de joindre nos efforts pour tenter d'améliorer le produit, ce qui a abouti à *Beat the Market* (Battre la bourse). »

Présenté comme la suite du premier livre de Thorp, l'ouvrage écrit en collaboration avec Kassouf porte le titre complet de *Beat the Market : A Scientific Stock Market System.* Comme dit Thorp : « Nous n'avons pas tout à fait la même façon de voir les choses », et le titre lui-même reflète bien cette disparité. La « science » et le « système » sont dus au doux Kassouf, alors que derrière le terme « battre », que ce soit la bourse, les croupiers ou autres valets du système capitaliste, on sent la griffe de Thorp. Il marche en posant à peine le talon par terre, de la démarche sautillante du loubard qui cherche la bagarre. D'autres lui ont trouvé une certaine ressemblance avec Clark Kent alias Superman. Enlevez les lunettes et le porte-documents, et il vous restera un culturiste qui fait du body-building sur les plages de Santa Monica, ou un gros joueur débarqué de Las Vegas. Bronzé et nerveux, portant des chemises à manches courtes et un complet que Wilhelm Reich appelait la cuirasse du personnage, cet éminent académicien et joueur à succès connaît aussi bien les recteurs des facultés que les mafiosi des casinos, et les considère sans doute à peu près de la même manière. Thorp n'a jamais partagé le mépris de l'intellectuel vis-à-vis des choses de ce monde. Il a envie d'être riche et connu, et il ne s'en cache pas.

Après la sortie de leur livre, Thorp et Kassouf se séparèrent et créèrent chacun leur entreprise. Kassouf se tourna vers les services publics alors que Thorp, le gros joueur, s'adressa à des particuliers pour trouver des capitaux. Il créa un fonds de couverture appelé Princeton Newport Partners, du nom des deux villes où étaient installés ses deux bureaux principaux. Pour se soustraire aux réglementations administratives, Princeton Newport ne fait pas figurer ses numéros de téléphone dans l'annuaire et se limite à moins d'une centaine d'investisseurs. « Peu mais gros, c'est ce qu'il nous faut, dit Thorp. Les gens viennent frapper à notre porte et s'ils ont des liasses assez grosses, nous les prenons. » En public, il reste évasif quant à ses buts et sa stratégie de jeu réelle, se contentant de dire que Princeton Newport a un capital de plusieurs dizaines de millions de dollars et un rapport d'investissement de 20 % par an.

C'est au cours de sa dernière année d'enseignement à l'UC Santa Cruz, avant qu'il n'aille s'installer dans l'Orange County, que

Norman et Alan Lewis se souvinrent que ce dernier, du temps du début de ses études au Cal Tech, avait essayé de calculer le jeu de la roulette avec un ordinateur. En 1972, il avait bourré un boîtier d'appareil photo avec des puces de silicium montées sur une carte de circuit imprimé. Construit avant la commercialisation des micro-ordinateurs, l'ordinateur de Lewis avait besoin de beaucoup de puces pour remplir ses différentes fonctions et il fonctionnait à un niveau moins élaboré que les machines fabriquées plus tard par les Eudaemonic Enterprises, mais il a sans doute droit au titre de premier ordinateur utilisé pour jouer à la roulette dans l'enceinte d'un casino. Alimenté par des piles à l'acide et manipulé à l'aide de deux boutons dépassant en dessous du boîtier de l'appareil photo, la machine livrait le résultat de ses calculs en les faisant apparaître sur un voyant LED qui clignotait sur le dessus du boîtier. Un joueur manipulait les boutons et à voix basse, susurrant les prévisions de l'ordinateur dans un émetteur FM dissimulé sous son épingle de cravate. Le deuxième joueur recevait le message par un écouteur relié à un paquet de cigarettes qui était en réalité un récepteur radio, après quoi il plaçait ses jetons.

Lewis constata que le meilleur endroit pour utiliser son ordinateur à Las Vegas était le Circus Circus. Depuis un balcon du premier étage, il pouvait observer les roulettes, entrer les données et émettre les signaux à son partenaire qui se tenait au-dessous de lui, à la table de jeu. Le programme de leur ordinateur venait d'approximations par tâtonnements mis au point sur une base du coup par coup. Avant chaque séance, Lewis chronométrait la roulette avec son ordinateur depuis son poste d'observation, compilait les données sur une imprimante miniature et rentrait à son hôtel pour établir la courbe du jeu. Après avoir programmé cette courbe dans la mémoire de l'ordinateur, lui et son associé retourneraient jouer au casino.

« On a misé un peu, dit-il. On n'a rien gagné, mais tout marchait bien. » Le problème de Lewis, devait-il comprendre par la suite, se situait à un niveau théorique. À l'époque, il n'avait aucune idée de la variabilité des roulettes, en particulier dans leur degré d'inclinaison. « Notre système n'avait pas été vraiment testé sur quelque chose de concret. L'existence de roulettes penchées est essentielle pour le fonctionnement d'un système prévisionnel, et nous n'en avions pas la moindre notion. Nous avons fait d'autres erreurs et d'une manière générale, nous avons souffert du manque de temps. »

En apprenant l'histoire d'Alan, Norman lui dit qu'il était en train de travailler sur une version sophistiquée du même principe, et l'invita à venir y jeter un coup d'œil. « J'ai été étonné de trouver une communauté miniature de physiciens, dit Lewis de sa première visite à la maison de Riverside. C'étaient des gens très intéressants qui formaient un groupe spectaculaire. Je les aimais bien tous. Il était vraiment surprenant de voir une bande de dingues travailler sur un truc comme ça. Je n'aurais jamais pu soupçonner que quelqu'un à Santa Cruz s'occupait de quelque chose de ce genre.

« Même le fait qu'ils aient une si bonne roulette était impressionnant. Je savais que ça pouvait coûter, et ça montrait à quel point ils prenaient le Projet au sérieux. Cette roulette était une œuvre d'art, bien qu'elle soit couverte de brûlures et de rayures qui avaient toutes une histoire derrière elles. Avec tout le temps que nous avions passé à la regarder, la roue était devenue pour nous un grand mandala qui invitait tout le monde à s'incliner et à lui rendre un culte. »

Lorsqu'il eut décidé de s'associer au Projet, Lewis reçut pour tâche de trouver une stratégie de jeu eudémonique. Quelle devait être l'importance de leur capital ? Quel pourcentage devraient-ils miser à chaque tour ? Fallait-il qu'ils placent leurs mises sur un seul ou plusieurs numéros à la fois ? Et quelles conditions — en ce qui concerne la vitesse du cylindre et son inclinaison — pouvaient-ils tolérer pour que l'ordinateur puisse toujours les faire gagner ? Pour répondre à ces trois dernières questions, Alan et Ingrid passaient plusieurs heures par jour penchés sur le « grand mandala » qui était installé sur une table de camping dans la chambre de Doyne.

« Nous faisions tourner la roulette plusieurs milliers de fois, dit Ingrid, et nous compilions des histogrammes de réussite chaque après-midi, avant qu'Alan n'aille à la plage. De toutes les personnes du Projet, c'est avec Alan que je préférais travailler. Il gardait le sens de l'humour sur toute l'affaire et était plus détendu que les autres. Il n'a jamais considéré que ça lui permettrait de se réaliser et d'être une star, alors que beaucoup d'entre nous, y compris moi, le prenions comme ça. »

En terminant sa recherche, l'équipe Lewis-Hoermann présenta ses conclusions lors d'une des réunions du Projet, qui étaient convoquées lorsque quelqu'un avait quelque chose d'intéressant à dire. « Thorp avait calculé un avantage de plus de 40 % en faveur de l'ordinateur contre la roulette, dit Lewis. Mais les chances sont sans arrêt en train de changer. Parfois l'avantage est plus grand que cela. Parfois on va jusqu'à perdre de l'argent. Et la plupart du temps, on ne contrôle pas ces fluctuations. Mais il existe effectivement une combinaison de conditions idéales pour un ordinateur qui affronte une roulette. Il faut que le croupier lance le cylindre lentement et la bille très rapidement, pour que cela laisse le temps de prendre les mesures. Il faut que la table soit relativement calme, pas trop surchargée, pour avoir la place de poser les jetons. Et il faut que ces deux conditions durent un certain temps. On ne peut pas dire qu'il s'agisse là d'exigences très particulières, mais on a affaire à un milieu incertain. Quand les conditions idéales sont réunies, on a nettement l'avantage. Mais de combien est-il ? 20 % ? 40 % ? 10 % ? De toute façon, même si on ne connaît pas le chiffre exact, ce que l'on sait, c'est qu'il est suffisamment élevé pour que l'on fasse fortune. »

Quelle que soit la puissance d'un système de jeu, il reste encore à déterminer la meilleure façon de l'utiliser. « On a beau avoir un système qui garantisse effectivement 40 %, encore faut-il savoir le mettre à profit. Il existe de nombreux ouvrages qui traitent des meilleurs systèmes pour avoir le plus de chances possible, mais la réponse n'est jamais immédiatement évidente. Même si l'on dispose d'un certain avantage, il est clair qu'on ne doit pas miser tout son argent d'un coup. Qu'arriverait-il si on perdait ? On serait ratissé. Mais d'un autre côté, si on mise de trop petites sommes, on risque de ne jamais gagner beaucoup. Il y a donc entre ces deux extrêmes un juste milieu à trouver qui permette de faire fonctionner le système efficacement. »

Comme tout joueur le sait, instinctivement si ce n'est théoriquement, on a beau avoir un avantage écrasant sur la banque, on peut toujours se retrouver ruiné à la fin du jeu. L'analyse théorique de catastrophes de ce genre porte le nom de probabilité de ruine. Dans tout affrontement avec la Fortune, les chances favorables ne peuvent exister qu'à long terme, car à court terme, les fluctuations statistiques peuvent prendre l'apparence d'une terrible vengeance. Comme l'écrivait Tom Ingerson dans l'une de ses épîtres aux Eudémonistes : « Si vous placez des mises de cent dollars en cherchant à toucher trente-cinq pour un tous les vingt-cinq tours, les fluctuations statistiques dans les gains et les sommes d'argent englouties par les investissements peuvent vous faire frémir. On peut facilement se retrouver avec un trou de dix mille ou vingt mille dollars avant d'avoir eu le temps de s'apercevoir que l'avantage, à long terme, était en votre faveur. »

Un graphique établi par Allan Wilson, le spécialiste des roulettes penchées dont nous avons déjà eu l'occasion de parler, et qui apparaissait dans son livre *The Casino Gambler's Guide,* illustre bien la probabilité de ruine pour les différents jeux joués avec différents avantages. Affiché à l'entrée de tous les casinos de Las Vegas, le graphique d'Allan Wilson aurait pu donner à réfléchir à bien des joueurs potentiels. Intitulé « Probabilités de réussite et d'échec dans une tentative de doubler le capital investi en mises uniformes dans un jeu qui paie une fois la mise », le graphique propose une manière simple de calculer avec combien d'argent il faut démarrer, et comment il faut le gérer si l'on veut gagner avec un niveau de certitude déterminé d'avance.

Pour voir comment fonctionne ce graphique, prenons par exemple le compteur de cartes adepte de Thorp qui joue au black-jack avec un avantage de 1 % sur le casino. Repérez la courbe qui correspond à un avantage de + 1 % en faveur du joueur sur le graphique de Wilson. Supposons que ce compteur de cartes veuille jouer au black-jack avec la certitude qu'il a 80 % de chances de doubler la somme d'argent qu'il investit. (Il est donc volontaire pour s'exposer à des fluctuations statistiques qui lui font prendre un risque de 20 % de perdre sa chemise.) Il calcule la gestion de la somme qu'il met en jeu en repérant l'intersection de la courbe + 1 % avec la ligne horizontale des 80 % de réussite. Il se reporte ensuite au bas du graphique, qui lui indique qu'il doit diviser son capital de départ en soixante-dix unités. Un joueur qui miserait tout son argent sur le premier coup jouerait avec un capital d'une unité, alors qu'un joueur plus prudent pourrait souhaiter prolonger la courbe de Wilson et jouer avec un capital qu'il partagerait en plus de cent unités.

Si l'on se penche plus attentivement sur le graphique de Wilson, on constate qu'il présente plusieurs aspects propres à décourager le joueur professionnel. Pour n'avoir que 80 % de certitude de gagner, le compteur de cartes adepte de Thorp est obligé de diviser son capital de départ en soixante-dix unités, et même s'il le divisait par cent, il courrait toujours le risque de perdre une fois sur dix. À moins donc d'avoir beaucoup d'argent qui vous brûle les doigts, des mises aussi petites que celles qui vous sont proposées ici ralentissent le jeu, diminuent les chances d'un « gros coup » et ne sont plus du tout valables pour le gros joueur qui ignore la théorie de la probabilité et en est fier. Pour les joueurs de roulette, le problème

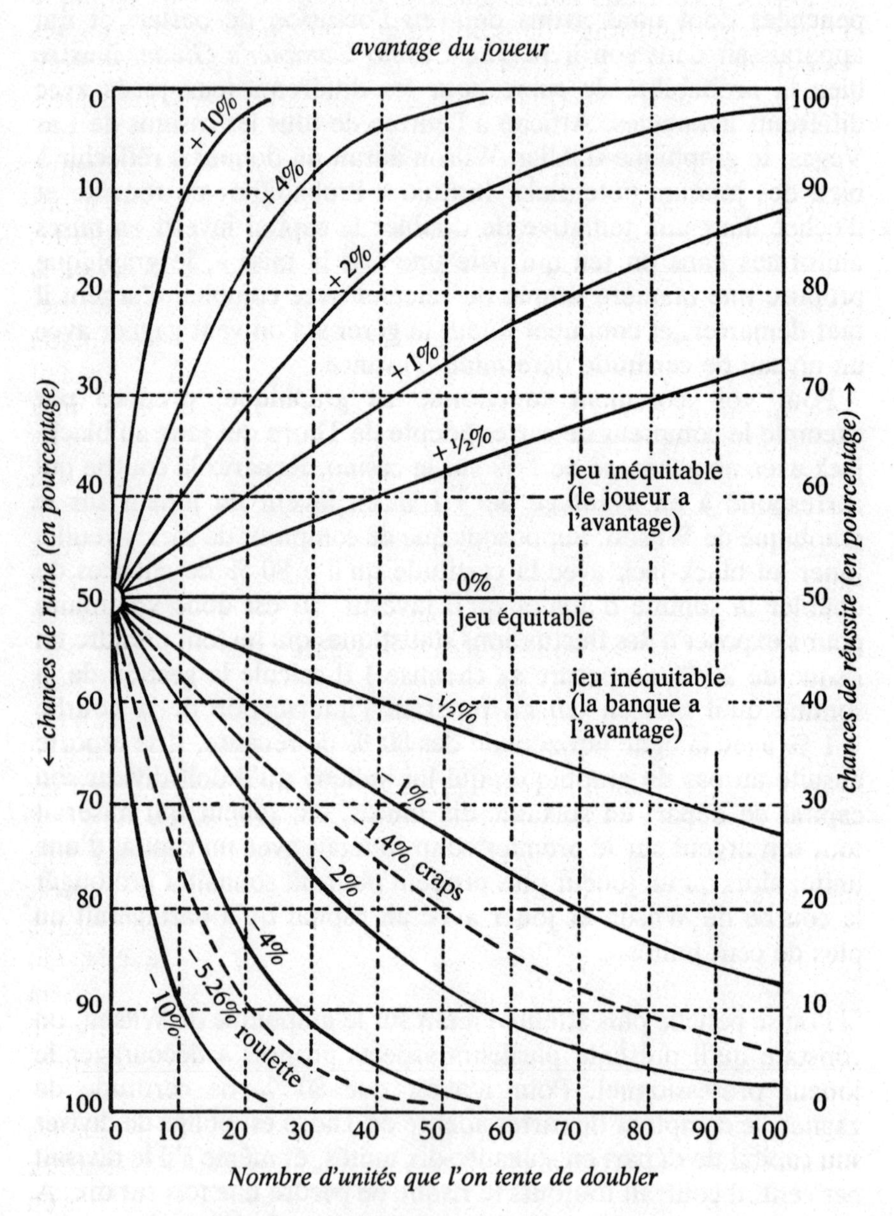


Figure 1 : Probabilité de ruine du joueur.

est encore pire. Étant donné que le graphique de Wilson s'applique à des « mises uniformes dans un jeu qui paie une fois la mise », les joueurs de roulette, qui n'est pas un jeu qui paie à un pour un, sont obligés de multiplier le nombre de leurs unités de mises nécessaires par trente-cinq.

Le graphique de Wilson devient tout à fait décourageant lorsque l'on regarde les courbes concernant un jeu où le joueur n'a pas l'avantage, c'est-à-dire presque tous ceux qui sont proposés par les casinos. Observez en particulier la courbe de la roulette, jeu où la banque a, sur le joueur moyen, un avantage qui semble franchement usuraire. En regardant quelle est la probabilité d'échec du joueur, cette fois à gauche du graphique, on constate un fait absolument étonnant. Plus le joueur divisera sa somme de départ en unités nombreuses pour essayer de rester dans le jeu, plus il a de chances de se ruiner. Ce qui amène à la conclusion suivante : « Si vous voulez doubler votre capital à la roulette américaine, dit Wilson, il y a une façon et une seule de miser votre argent. Vous devez prendre tout l'argent que vous avez l'intention de risquer au cours de votre vie entière et le jouer en un seul et unique tour de roulette en misant sur une des chances simples. »

Un joueur de roulette disposant d'un ordinateur et donc d'un avantage de 40 % peut aborder le jeu avec une plus grande marge d'initiative, mais, même avec autant de chances en sa faveur, il conserve néanmoins une faible possibilité de voir la chance tourner contre lui pendant suffisamment de temps pour tout perdre.

« Dans les meilleures conditions possibles, dit Doyne, l'avantage de l'ordinateur approche de 100 %. On peut prévoir à quel endroit la bille va quitter la piste trois tours à l'avance et on peut presque toujours dire dans quelle moitié du cylindre elle va atterrir. Un avantage de 100 % veut dire qu'on a un avantage de deux contre un sur la banque. Si votre prévision vous permet d'éliminer la moitié des numéros, celui sur lequel vous misez a deux fois plus de chances de sortir et vous doublez donc votre mise.

« À cause des sauts, des rebonds et autres aléas qui font que les conditions ne sont pas idéales, l'avantage de fait de l'ordinateur tourne plutôt autour de 40 %, ce qui veut dire que nous sommes en mesure d'éliminer huit numéros improbables. Dans un jeu normal, c'est un chiffre qui reflète à peu près ce qui se passe en réalité, et qui correspond à ce qu'avaient trouvé Thorp et Shannon. »

Le plus gros avantage possible à la roulette, qui reviendrait à prédire avec une certitude absolue lequel des trente-six numéros va sortir à chaque tour, serait de trente-six fois cent, c'est-à-dire de 3600 %. « Seul le système fondamental pourrait donner un avantage de 3600 %, dit encore Doyne. Il faudrait employer un médium qui peut voir dans l'avenir, et remonter le temps. »

Ayant l'intention de passer l'été à jouer à Las Vegas, les Projeteurs consacrèrent le printemps à déboguer le matériel et à tester le système. Ils avaient prévu de travailler en équipes par roulement. Ayant retenu la leçon de la débâcle de leur récent voyage à Reno, ils formeraient de petits groupes bien équipés et bien entraînés. « Nous avions les yeux rivés sur l'oseille du Nevada, dit Norman, et nous allions faire de notre mieux pour réussir à en récolter un peu. »

« Une fois le matériel en bon état de marche, dit Doyne, nous voulions tester les limites du programme pour savoir exactement jusqu'où nous pouvions pousser l'ordinateur. Nous allions presser le citron. L'idée était d'aller à Las Vegas avec un grand nombre de preneurs de données, d'augmenter nos mises et d'aller jusqu'au bout. »

Les Projeteurs avaient prévu de quitter Santa Cruz dès la fin de l'année universitaire, mais ils furent obligés de rester un mois de plus pour achever de déboguer le matériel. Dave Miller, une nouvelle recrue, vint de Silver City pour prêter main-forte à ce que tout le monde appelait « la guerre du hard ». Élève ingénieur et ancien membre de l'Explorer Post 114, Miller était devenu une célébrité locale comme champion de motocross du Nouveau-Mexique.

Ne les ayant pas vus depuis Las Vegas, Tom Ingerson arriva pendant la guerre du hard et trouva ses ex-Explorateurs en proie à l'obsession de la roulette. Même pendant qu'ils faisaient leur jogging le long du San Lorenzo, ils ne pouvaient pas parler d'autre chose que d'ordinateurs et de jeu. « Ce n'est pas comme ça que je me l'étais imaginé, dit Ingrid, à propos de sa première rencontre avec Ingerson. Ce n'était pas le jeune homme dynamique, le catalyseur qui déclenche quelque chose et pousse les gens à l'action ; c'était un type comme un autre, la quarantaine, solitaire, qui manquait un peu de confiance en lui et commençait à prendre des manies de vieux. Il fallait que les choses soient rangées comme il faut. Il s'énervait quand il y avait du désordre. Il était dérouté par l'esprit d'équipe qui régnait à la maison, comme dans une colonie de vacances ou un club de foot, avec tout le monde prêt à se lever et à aller affronter l'ennemi. Nous utilisions tous le même jargon, et nous avions la même lueur dans les yeux. Il n'arrivait pas à nous faire parler comme des gens normaux ni à se faire respecter. »

Ingerson aida Norman à mettre au point ses récepteurs, pendant que d'autres invités de Riverside s'étaient fait embaucher pour déboguer et tester les ordinateurs. « À la fin de la guerre du hard, dit Norman, nous nous étions mis dans un état de folle excitation, la fièvre du départ. Cela se mêlait à un épuisement qui faussait le jugement. »

Vers le milieu du mois de juin, Alan, Ingrid, Doyne et Norman, qui composaient la « première vague » des joueurs de roulette de l'été, chargèrent trois véhicules avec cinq ordinateurs et quittèrent Santa Cruz pour traverser les montagnes et le désert et gagner Las Vegas. Pour le transport, ils avaient la Triumph d'Alan, le Blue Bus et le combi VW de Dave Miller, ces deux derniers bourrés jusqu'au plafond d'instruments de roulette et de toute la batterie de cuisine et autres ustensiles nécessaires pour passer l'été à Las Vegas. Comme ordinateurs, ils avaient Harry, Patrick, Renata et Cynthia, ainsi que le KIM et son programmeur de PROM, au cas où il faudrait apporter des changements de dernière minute au programme.

Tournant le dos à la baie de Monterey et filant vers l'est, ils attaquèrent la Sierra Nevada et campèrent la première nuit dans le Motherlode le long de la Merced River. « Puis on a traversé les Sierras en roulant les uns derrière les autres, raconte Norman. C'était la première fois que j'allais dans le Yosemite Park et le deuxième jour du voyage, très agréable, on a grimpé jusqu'aux Tuolumne Meadows. Verdoyants et pleins de torrents, ces prés ressemblaient à un pays enchanté au sommet du monde. »

De là ils franchirent la Tioga Pass et entamèrent la longue descente jusqu'au désert. Laissant derrière eux les pins et les prés, ils suivirent les flancs arides de l'est de la chaîne jusqu'au lac Mono, dont le reflet miroitait à l'horizon, tel une vaste mer intérieure. Sous un soleil brûlant, ils avaient envie de s'arrêter pour se baigner. Mais le mirage bleu reculait à mesure qu'ils avançaient et, lorsqu'ils finirent par atteindre le rivage, ils ne trouvèrent que le lit pathétique d'un lac depuis longtemps vidé par Los Angeles. « Il ne restait plus qu'une étendue de vase avec une petite mare au milieu, grouillante de crevettes d'eau salée, dit Norman. Mais on avait chaud, et on était fatigués, alors on a arrêté les voitures au bord de la vase et on a marché jusqu'à la mare pour se baigner. »

Après cela, Ingrid tomba malade. Depuis quelques jours, elle s'endormait n'importe quand et oubliait tout. Ils avaient déjà fait la moitié du chemin jusqu'à la frontière du Nevada lorsqu'elle s'aperçut qu'elle avait oublié son portefeuille au lac Mono. Ils retournèrent là-bas, et se rendirent compte qu'en fait, le portefeuille n'avait jamais quitté le sac à dos d'Ingrid. « J'étais furieux, dit Doyne, je croyais que sa maladie était psychologique. Je recommençais à être inquiet et je me disais : " Est-ce qu'on va finir par y arriver ? " Je réduisais tout le monde à l'esclavage, y compris moi-même. »

Dans le désert, à la périphérie de Tonopah, le camion de Dave Miller coula une bielle. C'était la nuit, et il n'y avait aucun magasin ouvert pour acheter ne fût-ce qu'une chaîne ou une barre de remorque. Dans un restaurant chinois de Tonopah, Doyne dénicha quelques cow-boys, portant des Stetson et des chemises à boutons-pression. Ils n'avaient pas de bonne corde, mais l'un d'eux lui vendit un lasso. On pouvait s'en servir en cas d'extrême urgence, mais il était vraiment trop court. Norman vota pour passer la nuit à Tonopah. Alan Lewis s'abstint. Ingrid dormait. Doyne tenait à continuer. Après avoir amarré le camion au Blue Bus avec le lasso, Doyne convint avec Norman d'un système de signaux pour ralentir et s'arrêter. Peut-être Doyne a-t-il vu les signaux tout en les ignorant, peut-être les phares du camion étaient-ils trop près du Blue Bus pour qu'il les vît, toujours est-il qu'il maintint un bon cent kilomètres heure avec Norman en remorque au bout d'un lasso, contre la volonté de ce dernier, et qu'il passa Scotty's Junction, Lathrop Wells, Indian Springs, continua vers le sud, traversa le désert de Sonora et finit par atteindre Las Vegas. Lorsqu'ils s'arrêtèrent sur le Strip, Norman était blanc de rage.

« D'habitude, quand on prend des décisions avec Doyne, il est tout à fait raisonnable. Mais cette fois, il n'avait fait qu'imposer sa volonté. »

Arrivés au petit matin d'une journée de juin, ils trouvèrent une température bien loin d'être caniculaire. Ils allèrent à la maison de Len et Jeri Zane, que ceux-ci leur avaient prêtée pour deux semaines pendant qu'ils n'étaient pas là, et déchargèrent leur bazar.

« En un rien de temps, raconte Norman, nous avions transformé le salon et le reste de la maison en un dépôt de composants électroniques. » Lorsqu'ils n'étaient pas en train de s'exercer sur la machine à réflexes ou de monter du matériel, les Projeteurs allaient étudier les casinos à la recherche de roulettes intéressantes. Ils compilaient des histogrammes d'inclinaison. Ils prenaient des croquis des salles de jeu et les glissaient dans le cahier noir à spirale avec des entrées différentes pour chaque casino. Ils notaient les horaires des changements de croupiers et le style de chacun d'eux.

Pour se promener en ville, Norman s'était acheté un leisure suit en synthétique. « Nous avions un problème, dit-il, parce qu'on avait besoin de vestons sport et de pulls pour cacher les ordinateurs, mais on était en plein désert, en plein été, et il faisait entre 35° et 40° à l'ombre. Nous avons résolu le problème en adoptant le look typique Las Vegas : le leisure suit, le costume de week-end, c'est-à-dire un veston en synthétique léger et un pantalon assorti dans des couleurs voyantes. Alan Lewis avait déjà une garde-robe dans ce style mais nous autres, on a été obligés d'aller fouiller chez Goodwill et les autres marchands de fripes. » Doyne arborait une chemise de mariage mexicaine et un pantalon en jersey violet qu'il avait hérité de Norman. Encore une fois, Ingrid fit de son mieux pour avoir l'air séduisante avec son chemisier de rayonne à fleurs, ses cheveux crêpés, son maquillage et son soutien-gorge rembourré d'ordinateurs.

Comme les autres joueurs professionnels, les Projeteurs prenaient leur petit déjeuner à midi passé et arrivaient au « travail » le soir à l'heure de l'apéritif. Une journée typique pouvait commencer par un breakfast pas cher dans un fast food, suivi d'un petit tour dans les casinos de Fremont Street pour reluquer les roulettes et noter celles qui avaient l'air prometteuses. Étant donné que cela simplifiait le processus du calcul des résultats, cela valait la peine de choisir la meilleure parmi toutes celles qui étaient joliment inclinées.

Les Projeteurs avaient prévu deux séances par jour, une en fin d'après-midi et une de minuit à trois heures du matin. C'était une très bonne heure pour jouer, et les casinos étaient relativement calmes, beaucoup de roulettes qui s'arrêteraient avec la dernière relève marchaient encore. Les heures des relèves n'étaient pas les mêmes d'un casino à l'autre et les renseignements concernant tous les horaires étaient soigneusement consignés dans le cahier noir. « En principe, dit Norman, nous ne voulions pas jouer trop longtemps de suite avec le même personnel, pour éviter d'attirer l'attention. Alors nous jouions une heure ou deux avec un croupier, puis nous arrêtions un peu pour continuer avec un autre. »

Le système à deux personnes était maintenant très perfectionné.

Câblés avec l'ordinateur qui enregistrait les données et avec l'émetteur, Doyne, Alan ou Norman se posteraient à côté de la roulette et commenceraient à chronométrer la bille et le cylindre en appuyant sur les boutons placés sous leurs orteils. Avec quelques arrêts pour ajuster les paramètres variables du programme, il leur faudrait une vingtaine de minutes pour faire parcourir à l'ordinateur tout le circuit des modes. Après quoi ils enclencheraient le mode jeu.

Ayant fait un signe de tête au preneur de données pour lui donner le départ, Ingrid ou un autre joueur arriverait à la table, portant le deuxième ordinateur et le récepteur. Les deux joueurs communiquaient surtout par une liaison radio, mais également par des signaux codés sur le tapis : un jeton placé sur rouge ou noir, pair ou impair, ou les diverses chances simples du jeu pouvait vouloir dire : « Va faire un tour cinq minutes », « Assieds-toi et joue » ou « Augmente les mises ».

C'était maintenant devenu leur seconde nature de se promener dans la ville, reliés de la tête aux pieds à des microcommutateurs, des fils d'antennes, des boîtiers de piles et des ordinateurs. Tout en jouant des orteils et en comptant les vibrations des solénoïdes sur leur estomac, ils n'en continuaient pas moins à plaisanter et à faire la conversation avec les croupiers et les hôtesses. Doyne en particulier était passé maître dans l'art des déguisements et il réussissait à merveille à garder un visage doux et innocent comme l'agneau des champs d'où il était censé venir. Dans des conditions normales, son visage reflétait une activité cérébrale intense, mais dans un casino, il perdait toute expression. Et même ses signes particuliers (une dent cassée, un nez resté busqué à la suite de trois fractures, un sourire de travers), il les utilisait pour se composer un masque impénétrable. Doyne reprit son accent de sud-ouest et le personnage de Clem du Nouveau-Mexique, spécialiste du poker, qu'on avait déjà vu dans l'Oxford Card Room à Missoula, dans le Montana.

Le système eudémonique exigeait des personnages de genres tout à fait différents. Le preneur de données qui se tenait à côté de la roulette ne faisait que de toutes petites mises et avait d'autres petits trucs pour passer inaperçu. Le ponte, qui se tenait vers l'autre extrémité du tapis, ne regardait jamais la roulette et posait de grosses mises directement sur les numéros pleins. En fait, un gouffre psychologique séparait ces deux attitudes.

« Il y a ici une distinction marquée, écrivait Dostoïevski dans *Le*

*Joueur,* entre le jeu de *mauvais genre* et celui qui est permis à un homme comme il faut. Il y a deux sortes de jeux : celui des gentlemen et celui de la plèbe, jeu cupide bon pour la roture... Un gentleman, par exemple, peut risquer cinq ou dix louis d'or, rarement plus ; il peut aller jusqu'à mille francs s'il est très riche, mais c'est uniquement par jeu, pour s'amuser, uniquement pour suivre le processus du gain ou de la perte ; il ne s'intéresse pas du tout au fait même de gagner. S'il a gagné il peut, par exemple, rire à voix haute, faire part de ses remarques à l'un de ceux qui l'entourent ou même jouer encore une fois et doubler sa mise, mais simplement par curiosité, pour observer les chances, pour faire des calculs, et non par vulgaire désir de gagner. »

D'après le modèle de Dostoïevski, le preneur de données ressemblait au peu honorable, mais honnête, joueur de *mauvais genre,* alors que le ponte eudémonique n'affichait que les attributs propres au gentleman, y compris un mépris aristocratique pour la roulette elle-même et son fonctionnement. Le preneur de données, lui, opérait effectivement en fonction d'une série de contraintes différentes et, de fait, paradoxales. L'attention laborieuse qu'il manifestait à l'égard de la roulette devant forcément être exagérée, pour que le travail qu'elle demandait ait l'air absolument bête et inoffensif.

À Las Vegas, il y a trois catégories de personnes qui observent les roulettes. Ce sont (1) les ploucs des Grandes Plaines, (2) les gens qui n'ont encore jamais joué à la roulette, et (3) les joueurs qui utilisent des combinaisons. Grâce à sa virtuosité, Doyne pouvait avoir l'air d'un personnage appartenant à l'une ou l'autre de ces catégories. Il pouvait passer deux heures d'affilée près d'une roulette avec un ordinateur attaché sous le bras et rester totalement ignoré des croupiers, des lanceurs, des caissiers, des chefs de table, des commissaires et des serveuses, qui sont pourtant des gens entraînés à n'ignorer personne. Ressemblant au fils de Sam à l'écoute de voix venues d'autres planètes, Doyne avait tout du type à qui il manque une case. Il prenait le crayon qu'il avait toujours sur l'oreille, et griffonnait des chiffres dans un carnet, rejoignant ainsi l'aimable et respectée confrérie de ceux qui ignorent qu'aucun système mathématique ne peut battre la roulette.

Une seule fois pendant tout l'été, quelqu'un a soupçonné qu'il existait un lien entre le preneur de données et le joueur. « Doyne et moi jouions ensemble, raconte Ingrid. Il avait commandé un jus d'orange à la serveuse et moi un ginger ale. La fois suivante, on a inversé les commandes : j'ai demandé le jus d'orange et lui le ginger ale. " Vous êtes ensemble ? " a demandé la serveuse. " Non, lui ai-je répondu, mais ça avait l'air vraiment bon ". »

Il y eut une autre occasion où quelqu'un fit une remarque sur le style de mise du Projet. L'ordinateur sortait les résultats de ses calculs par huitièmes de cylindre composés de quatre ou cinq numéros voisins sur la roulette. S'ils se faisaient suite sur la roulette, par contre, leur disposition sur le tapis était différente et seul un joueur très averti pouvait remarquer le rapport. Pour mieux déguiser leurs combinaisons de jeu, les Projeteurs maquillaient leurs mises par huitièmes en substituant des numéros adjacents.

En dépit de toutes les précautions, lors d'une séance de jeu au Holiday Inn où ils gagnaient, deux personnes du public remarquèrent comment Ingrid misait. « C'étaient des étudiants venus à Las Vegas pour jouer au black-jack, et ils avaient tout l'air de compteurs de cartes, on aurait dit que c'était écrit sur leur front. Ils m'ont regardé jouer et puis ils m'ont demandé si j'avais un système. J'ai inventé une histoire sur les progressions, mais à ce moment-là, l'un d'eux a compris que je misais par huitièmes et l'a fait remarquer à haute voix. Naturellement, je n'avais plus qu'à quitter la table et aller me faire payer mes jetons. »

Les Projeteurs intervertissaient les rôles de preneur de données et de joueur, mais ni Alan ni Norman ne réussissaient aussi bien que Doyne à se faire oublier. Norman, qui mesurait plus d'un mètre quatre-vingts, était mince comme une asperge et barbu et n'arrivait jamais à effacer toute trace d'intelligence de son visage. Tout pimpant dans son costume de week-end, le personnage qui lui allait le mieux était celui du joueur à système. Quant à Alan Lewis, avec ses cheveux bruns et son teint bronzé, il paraissait tout à fait chez lui à Las Vegas. Ses parents y avaient vécu quelque temps et, en tant qu'ancien compteur de cartes, il connaissait bien les casinos. Avec sa Triumph Spitfire et sa collection de pantalons infroissables et de chemises sans repassage, il ne lui manquait que quelques chaînes en or autour du cou pour avoir exactement l'air du gros joueur typique de Las Vegas.

Durant l'été de 1978, les équipes eudémoniques répertorièrent leurs casinos et leurs tables préférées. Dans les boîtes de bas étage de Fremont Street, les roulettes étaient biaisées mais les croupiers du Strip, surtout tard dans la nuit, faisaient un jeu décontracté, le plus facile à assimiler par l'ordinateur. Tels des commandos avec leurs déguisements, leurs signaux codés et leur matériel sophistiqué, les Projeteurs faisaient leur tournée, soirée après soirée, du California Club au Lady Luck, du Golden Nugget au El Cortez, avant de se rendre sur le Strip pour un raid au Circus Circus, au Silverbird et au Stardust, ou des séances plus au sud au Caesars Palace et au MGM Grand.

Ils ne jouaient jamais deux soirs de suite au même club. Ils entraient chacun de son côté dans les casinos et ne communiquaient entre eux que par signaux sur le tapis. Chacun d'eux avait reçu un petit calepin pour noter les informations et les transactions financières. À la fin de la journée, ils recopiaient les pertes et les gains dans le cahier noir, qui avait des pages distinctes pour chaque casino et une page très importante consacrée au report des comptes de la banque eudémonique. Intitulée « Comptes quotidiens », cette page était divisée en plusieurs colonnes pour la date, le casino, l'équipe du personnel de service, le preneur de données, le joueur, la mise moyenne, le nombre de coups, la somme gagnée ou perdue, le temps passé à la table et la balance eudémonique des paiements.

« C'était comme à la guerre, dit Ingrid, et les qualités personnelles qui semblaient importantes étaient les mêmes qu'en temps de guerre. Quelqu'un comme Doyne cherchait à aller de l'avant en dépit de tous les obstacles. Et il y avait aussi le genre Norman, le type sur qui on pouvait compter, capable de rester debout toute la nuit pour remettre tout le matériel en état. Et puis moi, qui essayais que tout le monde se sente bien. C'était ça mon rôle, un genre de mascotte. »

Somnolente et étourdie depuis le jour où elle avait nagé dans le lac Mono, Ingrid alla voir un médecin qui diagnostiqua une mononucléose. « Je montais, m'endormais et ne me réveillais plus. Mes rêves étaient emplis d'eau, et le souvenir que j'ai de cet été est d'avoir été maintenue sous l'eau. Le Projet m'avait rendue frénétique, j'avais essayé de soutenir le moral de tout le monde, d'insuffler de l'énergie et j'avais fini par craquer. » Mais Ingrid restait éveillée assez longtemps pour lire les romans de Dashiell Hammett et faire quelques séances de roulette. Elle passa le mois de juillet à récupérer chez ses parents, à Davis, et retourna en août à Las Vegas où elle joua un rôle héroïque dans l'assaut final de l'été contre les casinos.

Comme les autres professionnels de la ville, les eudémonistes connurent au cours de leurs tournées nocturnes des moments qui allaient prendre par la suite une signification légendaire. L'un de leurs casinos préféré était le Circus Circus. Avec des autocars de touristes garés sur dix rangs tout autour, un trapèze volant au-dessus de la salle principale, et des machines à sous sur un manège, ce casino du Strip s'adresse aux familles qui cherchent un jeu sain. Il propose aussi ses roulettes penchées qui sont lancées à un rythme tranquille.

Alan Lewis connaissait bien ce casino pour y avoir expérimenté son propre système au début des années 70. Y revenant à présent avec un ordinateur plus intelligent et plus adroit collé sous l'aisselle, il n'était dépassé que par Clem du Nouveau-Mexique dans l'art de prendre les données. « Doyne, dit Alan, avait acquis une aptitude incroyable : celle de discuter avec les croupiers tout en sachant exactement où il en était dans son programme. Il fallait chronométrer avec précision sans avoir l'air tendu par ce qui se passait autour de soi. Il fallait se concentrer sans laisser les choses aller à vau-l'eau. Faire fonctionner les microcommutateurs n'était pas une tâche si aisée que l'on puisse la faire en pensant à autre chose, c'est-à-dire en risquant d'être imprécis au point de devenir inefficace. C'est pourquoi la machine à tester les réflexes était un élément qui avait son importance dans l'affaire. C'était un bon point à l'actif du Projet. »

C'est au Circus Circus que tout se mit en place pour le gros coup d'Alan. S'efforçant de passer pour le joueur à système prêt à compter tous les numéros qui sortent jusqu'au lever du jour, il resta à côté de la roulette tandis que Norman, mal coiffé mais désinvolte dans son costume de week-end, jouait le ponte. Ils avaient perdu de l'argent pendant un moment. Alan avait du mal à déterminer les paramètres pour la roulette, et il était sur le point de mettre un terme à leur séance lorsque à deux heures du matin, il y eut la relève ; le nouveau croupier était une femme qui avait déjà l'air las et semblait prête à s'endormir. Dans le calme des heures du petit matin, elle lançait le cylindre et la bille sur la piste avec une régularité et une précision merveilleuses. Alan ajusta les paramètres et enclencha l'ordinateur sur le mode jeu.

« Tout baignait dans l'huile, dit-il, les prévisions tombaient pile. En jouant par quarts, nous avons récupéré nos pertes et nous nous sommes retrouvés avec des piles de jetons représentant plusieurs centaines de dollars entassés devant nous. Nous nous sommes sentis portés par une grande excitation intérieure en voyant que tout se mettait en place. Après tout le temps passé à le tester et le mettre au point, l'ordinateur fonctionnait enfin à la perfection. Cette séance m'avait convaincu que l'on avait battu la roulette. »

# 9

## *Le Lady Luck*

Devant les casinos, ne soyez ni timides ni respectueux. Ce ne sont que des machines à sous aux mains d'employés de banque et de mécaniciens.

Ian Fleming

Les ordinateurs du Projet obtenant les résultats prévus, les casinos avaient l'air de commencer à s'inquiéter un peu. Au MGM Grand, un croupier, impressionné et troublé par la pile de jetons qui se formait devant Ingrid, viola une loi fondamentale du jeu en attrapant la roulette pour la faire tourner sur sa base après l'avoir lancée. La roulette émit un terrible grincement. Le commissaire vint voir ce qui se passait. Ne se trouvant pas dans une position qui lui permettait de porter plainte, Ingrid alla encaisser ses jetons et quitta le casino.

Lors d'une autre séance gagnante, une femme croupier, intéressée par le système de Norman, lui demanda si elle pouvait l'aider. Évitant d'utiliser des termes techniques, il répondit : « Pourriez-vous faire tourner la bille un peu plus vite sur le cercle extérieur de la roulette ? J'ai l'impression que ça me porte chance. » Un autre croupier encore offrit aux eudémonistes une élégante démonstration de ce que les joueurs appellent la « signature » du lanceur. Imaginez quelqu'un qui manipule une roulette cinq soirées par semaine depuis dix ans. Les légères imperfections de la piste, les caractéristiques des différentes sortes de billes, le poids du cylindre et son frottement sur le pivot, tout cela est devenu pour lui partie intégrante de sa vie. Et si, pendant une longue soirée au casino, pour fuir l'ennui, notre croupier imaginaire faisait des expériences avec le jeu, cherchait des moyens d'améliorer sa régularité et sa précision ? Tel un lanceur de base-ball remplaçant qui perfectionne une courbe lentement descendante, le croupier, après des années de pratique, pourrait apprendre à lancer la bille sur la piste et la faire descendre de son orbite après exactement vingt révolutions. Et s'il apprenait alors à réguler la vitesse et la position du cylindre jusqu'à ce que, après encore plusieurs années de pratique, il mette au point une boucle synchronisée pour que la bille descende précisément, au bout de ses vingt révolutions, dans une case qui l'attendrait juste par-dessous ?

Doyne et Norman avaient formé équipe pour jouer au Lady Luck, l'un de leurs casinos préférés à cause des sandwiches à la salade de thon gratuits et des breakfasts avec deux œufs qui y étaient servis vingt-quatre heures sur vingt-quatre. Ce soir-là, le croupier, un frisé d'une trentaine d'années, était particulièrement aimable. L'ordinateur marchait aussi particulièrement bien et dès le début de la soirée, Norman avait accumulé plusieurs centaines de dollars en jetons. La coutume veut que les joueurs qui gagnent donnent un pourboire pour le personnel, et Norman s'exécutait en offrant au croupier des jetons à miser comme il l'entendait. L'homme choisissait toujours le 17, ce qui était étrange étant donné que l'ordinateur aussi prévoyait invariablement l'octant comprenant le numéro 17.

« Pourquoi est-ce que vous pariez toujours sur le 17 ? demanda Norman.

— Parce que je fais tout exactement comme il faut, dit le croupier. Je peux faire tomber la bille dans le 17. Je ne dis pas que j'y arrive chaque fois, remarquez, mais je m'en approche. Je lance la roulette à une vitesse régulière, puis je lance la bille toujours de la même façon, au moment où le 0 passe devant moi, et je vous assure que je peux faire sortir le 17 avec plus de probabilité que la moyenne. »

Et à son dernier tour de roulette avant la fin de son service, le croupier plaça son pourboire sur le 17. L'ordinateur prédit l'octant comprenant le 17. Vingt révolutions plus tard, la bille arriva droit sur la cible. « Ce soir-là, dit Doyne, tout le monde est parti content. »

La plus terrible expérience de tout l'été fut celle qui arriva à Doyne et à Ingrid alors qu'ils étaient en train de gagner au Hilton. Pour les badauds ignorant l'existence de l'ordinateur, il y avait dans tout cela quelque chose de mystérieux. Plaçant ses mises sur trois ou quatre numéros pleins à la fois, Ingrid, semblait-il, « devinait » le numéro sortant avec une fréquence surprenante. Les piles de jetons s'accumulaient devant elle, et elle essayait de prendre l'air étonné chaque fois que le croupier en poussait une dans sa direction.

« Il y a des jours avec et des jours sans, dit-elle, en s'adressant aux autres joueurs à la table. Et j'ai l'impression qu'aujourd'hui, c'est mon jour de chance. »

Tout à coup, elle se retrouva prise en sandwich entre deux malabars en complet qui la regardaient fixement. L'un d'eux nota quelque chose dans un cahier. Ils la serraient de près et attendaient sa prochaine mise. Ingrid plaça un jeton sur le 00, signe qu'il fallait partir, et elle alla toucher son argent. « Il y avait une telle parano quand on jouait avec le système, dit-elle, que j'aurais aussi bien pu tout inventer. Mais quand je suis allée ensuite à la cafétéria, j'ai vu les deux types assis à la même table et je suis sûre que c'étaient des flics du casino.

« On s'était entendus pour que le premier qui estimait que ça sentait le roussi lève le camp, même si l'autre n'avait rien remarqué. On s'est rendu compte qu'on n'était pas encore très forts sur des points importants comme le déguisement, problème qui n'était pas complètement résolu. On avait beau faire semblant de ne pas se connaître, on était quand même deux à peu près du même âge à la même table. J'avais peur qu'il ne mette pas très longtemps à comprendre qu'il se passait quelque chose. Et une fois qu'ils auraient compris ça, il leur serait vraiment très facile de nous faire passer un sale quart d'heure si ce n'est plus. »

En émergeant de rêves aquatiques et en pénétrant dans le paysage également onirique des casinos de Las Vegas, Ingrid eut l'idée de tourner un film sur le projet. « Je pensais à un film qui ferait apparaître à l'écran les fantasmes des gens. Par un montage d'images centrées sur nos perceptions et nos paranos, je voulais exprimer de l'intérieur toute l'étrangeté de Las Vegas.

« Le Projet était pour moi comme une représentation théâtrale ou musicale, comme les happenings que j'avais faits à la fac. Mais il était bien réel et il avait un but : faire de l'argent de façon marginale, sans être obligé d'avoir un travail régulier. Il contenait juste la bonne dose de danger. Ce qui nous rendait paranoïaque, c'était l'inconnu. »

Doyne lui-même commença à noter des idées dans un « carnet d'idées de film », dont l'une des premières phrases était : « On finira par se retrouver soit avec un super bon film, soit avec un trou dans la tête. » Une scène imaginaire décrit un gros Argentin en train de fumer son cigare et de perdre deux mille dollars devant une foule admirative. Une femme essaie de voler des jetons à Ingrid tout en se vantant d'avoir perdu la fortune de son ex-millionnaire d'ex-mari. L'Argentin dit à la femme de se réjouir car la chance va tourner en sa faveur. Le croupier fait étinceler la bague qu'il porte au petit doigt pour que tout le monde l'admire, et dans le plan suivant, Doyne s'écroule, électrocuté par un court-circuit dans l'ordinateur. Il arrache son T-shirt antenne et rend l'âme dans les bras du croupier-chef.

Sous l'intitulé « Thèmes », le carnet d'idées de film contenait des notes du genre : « Il faut beaucoup de monde — personnages secondaires, touristes — qui viennent mettre leur grain de sel sur n'importe quel sujet. Juxtaposer ces monologues pour illustrer les thèmes principaux : récits d'aventures, surréalisme du jeu, argent et capitalisme, rêves et projets fantastiques. Montrer Hunter S. Thompson en train de faire un discours sur l'éther et entrant à Las Vegas en compagnie du procureur de Samoa dans une Cadillac blanche. Étudier la psychologie des joueurs. Les opposer à nos motivations à nous (pourquoi nous recherchons l'aventure, la gloire, l'argent) pour montrer qu'à bien des égards, nous avons les mêmes motivations que les joueurs qui jettent leur argent par les fenêtres.

Sur le morceau des Pink Floyd *Money,* le film décrirait dans une scène finale la façon dont « nous préparons nos ordinateurs, faisons fonctionner le Projet, allons sur une île déserte, et construisons des fusées pour aller sur une autre planète »...

Lorsque les Zane rentrèrent de vacances en juillet, les Projeteurs emménagèrent dans un appartement de trois pièces sur Tropicana Avenue — la route qui va de Las Vegas au lac Mead, plus à l'est. « Norman et moi, raconte Doyne, avons baratiné le gérant en lui racontant qu'on était ingénieurs électroniciens conseils. Il voulait des locataires respectables, et on ne pouvait pas lui dire qu'on était venus là pour jouer à la roulette. » Le propriétaire, lui, se garda bien de dire que l'appartement du dessus était occupé par un grand consommateur de « speed », qui allait et venait dans ses chaussures à hauts talons, maquereautant une clientèle choisie composée de routiers, de flics, de croupiers, et de tous ceux qui venaient frapper à sa porte.

Après avoir emménagé, les Projeteurs continuèrent à jouer à la roulette pendant encore une semaine avant de s'arrêter pour prendre un peu de repos. Lorna Lyons arriva avec Rob Shaw au volant de son « Cream Dream », un minibus Ford 1959 blanc. Ils venaient chercher Norman pour le ramener à Santa Cruz. Ingrid rentra chez elle à Davis pour récupérer. Alan Lewis prit l'avion pour Tucson pour rendre visite à sa famille. Doyne alla chez Letty, qui habitait dans une maison près de la plage à Santa Monica.

Il arriva avec tous les ordinateurs, le KIM, le programmateur de PROM, et suffisamment de puces de rechange pour remanier le programme de l'ordinateur parce qu'il avait eu plein d'idées géniales pour modifier l'algorithme. Il pensait pouvoir simplifier le processus de mise au point des paramètres, rabiotant ainsi quelques minutes sur le temps nécessaire pour parcourir la piste des modes. Doyne programmait le matin et allait faire du surf à Venice l'après-midi et, deux semaines plus tard, ayant reprogrammé l'EPROM (*e*rasable *p*rogrammable *r*ead-*o*nly *m*emory), la mémoire à lecture seule programmable par un programmateur, dans laquelle l'ordinateur stocke ses équations, il était en mesure de couvrir toute la piste des modes en un temps record.

Une nouvelle fournée de Projeteurs se retrouva à Las Vegas à la fin du mois de juillet. Arrivant de Santa Cruz via Los Angeles, où ils s'étaient arrêtés pour prendre Doyne, il y avait John « Juano » Boyd, Marianne Walpert et Chris Shaw, le frère de Rob. Chris était peintre et travaillait avec Ralph Abraham sur une série de livres de « mathématiques visuelles », dont un qui traitait du chaos et des attracteurs étranges. Mais c'était également un bon vivant dont les bonnes manières avaient fait penser à Doyne qu'il correspondrait très bien au rôle du gros joueur. En quittant Los Angeles au volant de sa Comet bleue, cette endiablée de Marianne rentra dans l'arrière d'une autre voiture sur l'autoroute de Santa Monica. Lorsqu'il vit Chris bondir hors du véhicule, sauter à pieds joints sur le capot pour le refermer, Doyne pensa qu'il s'attaquait au Strip « avec trois joueurs sans entraînement, et j'étais, dit-il, franchement sceptique ».

« J'étais aussi particulièrement inquiet à propos de Juano, qui avait les cheveux dans le dos et une barbe hirsute. Il n'avait pas changé de lunettes à monture en plastique marron depuis sa première année de lycée, et elles s'étaient depuis enrichies de multiples morceaux de sparadrap. Je ne voyais vraiment pas comment il s'en sortirait dans les casinos. »

Juano se résigna à ce que Chris lui coupe les cheveux, et accepta quelques conseils visant à rectifier sa tenue. Les trois joueurs sans entraînement installèrent la roulette et la machine à réflexes dans l'appartement de Tropicana Avenue ; Doyne, lui, s'occupait de réparer les récepteurs qui tombaient en panne de temps en temps, et d'apporter des changements de dernière minute au programme. C'était l'été dans le désert, et dans la journée, il faisait même trop chaud pour aller se baigner parce qu'on se brûlait les pieds sur le sol en ciment qui entoure la piscine.

« Je trouvais la situation complètement absurde, dit Marianne. Nous vivions dans un appartement plein d'ordinateurs et d'appareils électroniques. Nous étions coincés à Las Vegas en plein été et parfois, je m'en voulais. J'aurais pu être en train de m'amuser, et j'étais là, plongée dans une chaleur incroyable ou dans ces foutus casinos. Le reste du temps, je le passais à coudre des boutons-pression sur des soutiens-gorge ou à me couvrir de fils électriques de la tête aux pieds. Il y avait vraiment de quoi se poser des questions sur ce qui nous motivait ; mais je m'interrogeais certainement moins que Doyne et Norman qui avaient déjà consacré au Projet plusieurs années de leur vie. »

Le soir, les eudémonistes allaient se rafraîchir à Roulette Rapids, un parc d'attractions avec des rivières artificielles et des rapides en ciment. On pouvait les descendre à toute vitesse sur des matelas pneumatiques, en essayant de ne pas en tomber de peur de se faire mal en atterrissant sur le ciment. Lorsqu'il ne bricolait pas du hardware ou du software, Doyne lisait *Play It as It Lays,* de Joan Didion et *The Selfish Gene* de Richard Dawkins. Le tube de l'été, qui passait toute la journée à la radio, était un truc qui s'appelait *Hot Blooded :*

> Well I'm hot blooded
> Check it and see
> I got a fever of a
> Hundred and three (1)

À la fin de la première semaine, Letty prit l'avion à Los Angeles pour venir les rejoindre. En quelques heures, elle avait compris et mémorisé le système de jeu et alla s'attaquer à la roulette du Circus Circus avec Doyne. Au départ, elle avait des doutes sur ses capacités à s'intégrer au Projet. « Si je vais dans un casino en restant telle que je suis, dit-elle, ça ne collera pas. Je me sens gourde et pas dans le coup. Et si je me fais passer pour celle que je ne suis pas, je serai obligée de jouer la comédie, et je n'ai rien d'une bonne comédienne. J'ai toujours aimé la comédie et j'ai toujours admiré les acteurs, mais je n'ai jamais eu le moindre don pour ça. » Elle n'était montée qu'une fois sur scène pour jouer le

(1) Hey ! j'ai le sang chaud. Regarde, j'ai bien 39°5.

rôle d'une auxiliaire de l'armée lorsqu'elle était en troisième et avait monté *La souris qui rugissait.*

Pour sa première prestation eudémonique, Letty acheta ses jetons et se prépara à jouer sans se rendre compte qu'elle avait oublié d'allumer son ordinateur. Les garçons avaient l'interrupteur dans leur poche mais les femmes l'avaient sous leur chemisier. Elle s'absenta pour aller aux toilettes, revint à la table, et cette fois gagna de l'argent. Elle était excellente pour utiliser l'ordinateur, restant de glace sur un volcan, précise et attentive. Le soir suivant, au Holiday Inn, elle rejoua et gagna encore.

Letty avait été pour le Projet ce qu'elle appelait « une conseillère sur l'oreiller », mais maintenant, elle allait aussi à la bibliothèque, cherchant à savoir s'il était légalement interdit de battre la roulette avec un ordinateur. S'il est illégal, au Nevada, de modifier l'issue d'un jeu, le fait de calculer cette issue — quels que soient les moyens employés — est parfaitement licite. Ce fait s'est vu confirmer par des procès récents où des compteurs de cartes étaient poursuivis. Mais il n'en reste pas moins que, même s'il n'est pas illicite d'entrer dans un casino avec un ordinateur destiné à la roulette dans son soutien-gorge, les commissaires auront leur propre opinion sur la question — différente à n'en pas douter — et agiront en conséquence.

En dehors du danger qu'il présentait, le Projet posait à Letty des problèmes moraux. Ils avaient trait à la justice sociale et au droit à l'action. Ses réticences, reconnaissait-elle, étaient dues à ses origines familiales. Son père, avocat de Boston et libéral convaincu, pour compenser un travail (c'était son gagne-pain) où il était amené à plaider en faveur des trusts et des propriétaires, s'occupait bénévolement d'associations de défense des droits civiques. « Maman est de la vieille école. Pour elle, la plus belle vocation est de s'occuper d'œuvres sociales. » Sa mère travaillait aux inscriptions à Radcliffe mais s'évertuait aussi à trouver des fonds pour de nombreuses bonnes œuvres, dont elle était l'une des responsables.

« Je crois qu'il existe un libéralisme, comprit Letty, qui peut venir de ce qu'on a grandi sans jamais manquer d'argent. Du coup, on n'entreprend rien dans le seul but d'en gagner. On doit trouver une autre justification à ce qu'on fait. Parfois, j'avais envie de ne pas en avoir parce qu'à ce moment-là, j'aurais bien été obligée de trouver un moyen pour en gagner et la vie aurait été simple.

« Si l'on ne manque pas de choses matérielles, le but de la vie n'est pas d'en acquérir. Alors, quel est le but de la vie ? On se persuade que ça doit être d'aider les autres. Dès le début, j'ai été gênée par le fait que le but du Projet était de faire de l'argent. C'est peut-être ma moralité bien-pensante, mais j'ai toujours voulu un but plus élevé. Non pas que j'aie jamais estimé que le Projet était immoral. C'est seulement qu'il ne répondait pas à un sens plus élevé de la morale, de la mienne en tout cas. »

En dépit des scrupules qu'il suscitait chez elle, Letty comprenait l'importance qu'avait le Projet pour Doyne. « Doyne a toujours eu l'impression de vivre un ou deux siècles trop tard, si ce n'est pas dix ou même cent. Il aurait aimé être un explorateur, un aventurier, un individu affrontant l'adversité pour bâtir quelque chose qui compterait pour lui. Pour Doyne, la finalité du Projet est l'argent, c'est-à-dire la liberté. C'est le but immédiat. Il pourra alors aller faire ce qui lui plaît. Au bout du compte il veut être libre en dépit de la société, du gouvernement, des entreprises, des gens respectables, et de tous les tenants de l'ordre qui disent : “ Vous ne pouvez pas faire ça. Nous voulons que vous vous engagiez dans cette voie-ci. Vous êtes un type respectable avec un bon diplôme de physique de Stanford, alors pourquoi ne pas travailler avec nous ? ”

« Pour Doyne, le Projet était un peu le moyen de s'en tirer tout seul. Il y a un magot à toucher et c'est lui, lui seul, qui avait trouvé le moyen de l'atteindre. Le fait d'arriver à vaincre ces forces gigantesques dans un monde conçu pour vous soutirer jusqu'à votre dernier sou et pour ne jamais en laisser sortir un seul, le fait que lui, lui et ses amis et associés puissent battre ce système, c'est très tentant. Et d'y arriver en partant de rien, sans vendre son temps, sans rien promettre à personne, uniquement à la force du poignet, de tenter l'aventure au lieu de rester passivement dans la roue de quelqu'un, c'est tout cela qui faisait le charme du Projet.

« Bien sûr, ça va plus loin que le simple attrait de l'argent. Entre autres, il y a le travail en commun pour accomplir une tâche très difficile. C'est formidable de penser qu'on réunit tous les gens qu'on connaît et qu'on met à contribution leur bonne volonté et leurs connaissances scientifiques pour travailler sur un plan secret que l'on a ensuite le plaisir de réaliser en vivant l'aventure. C'est comme de faire une pièce ensemble, une pièce où tout le monde a un rôle, soit sur scène, soit en coulisse. »

Après les séances où Letty gagna au Circus Circus et au Holiday Inn, la seconde vague du Projet quitta Las Vegas pour une autre pause. Ils avaient besoin d'une récréation après les macs speedés, la chaleur du désert et les ordinateurs dont on ne savait jamais s'ils étaient en grève ou simplement peu fiables. Marianne et Chris allèrent sur la Côte. Letty reprit l'avion pour Los Angeles. Doyne et Juano retrouvèrent Tom Ingerson, qui les emmena à Kingman, dans l'Arizona, où Juano les quitta pour faire du stop jusqu'au Mexique. À peine avait-il atteint Barstow qu'il se fit attaquer, dépouiller de tout ce qu'il avait, y compris ses lunettes, et larguer en plein désert. Il devait raconter toute l'histoire, et les coupables furent arrêtés, mais ce n'était pas par hasard que Juano mettait Doyne mal à l'aise.

Une réunion avait été organisée pour les anciens de l'Explorer Post 114, mais avant cette rencontre, Doyne et Tom passèrent trois jours ensemble à camper dans le désert de Gila. Au cours de leurs conversations, Tom se montrait sévère à propos du Projet. Il trouvait que c'était un gaspillage de temps et d'énergie, et que les difficultés techniques allaient les couler. Il estimait que les dangers étaient trop considérables pour le bénéfice qu'on pouvait attendre. « En gros, raconte Doyne, il m'a dit que je perdais mon temps. »

La troisième vague de Projeteurs, composée de Doyne et Norman venant de Silver City, d'Alan Lewis de Tucson, tous trois par avion, et d'Ingrid arrivant par autocar de Davis, se retrouva à Las Vegas au début du mois d'août. Ils achetèrent un journal et cherchèrent un autre appartement à louer. Ils arrêtèrent leur choix sur un trois-pièces sans ascenseur dans l'un des bas quartiers, près du casino Le Showboat. L'appartement était entièrement rose hawaïen. Trop de gros fumeurs avaient dû cracher leurs poumons dans ces pièces. Des joueurs ruinés y avaient sans doute fait pire. C'était un lieu que l'on sentait irrémédiablement sans âme, un lieu de passage, mais le prix était correct. Ils emménagèrent et, une heure après, ils étaient en train de s'entraîner sur la roulette et sur la machine à réflexes.

Le charme de Las Vegas réside dans la quantité d'argent que l'on peut y palper. La bourse de New York en voit défiler plus tous les jours, mais là, l'argent est devenu abstrait, prenant la forme de certificats ou de chiffres sur un tableau d'affichage. À Las Vegas, l'argent est liquide, l'argent est tangible. Il fait des vagues sur les tables, des remous, des tourbillons, et finit par être englouti dans la grande marée qui déferle, qui monte et qui descend dans les salles de jeu. Étant donné que ces jetons, ces plaques, ces pièces et ces billets circulent avec autant de liberté sur les tables que sous les tables, on rencontre à Las Vegas beaucoup de gens qui en ont plein les poches. Par conséquent, tout naturellement, il y a aussi beaucoup de gens qui se font une spécialité de vider ces poches.

Doyne eut l'occasion de rencontrer un de ces spécialistes peu après son installation dans l'appartement proche du Showboat. « Il m'arrive souvent d'avoir du mal à m'endormir. Il était trois heures du matin et j'étais dans un état à demi conscient lorsque j'ai vu quelqu'un dans la pièce. " Bizarre, me suis-je dit. Qu'est-ce que Norman peut bien faire ici à cette heure-là ? " Je l'ai appelé : " Norman ? " et tout à coup la personne, qui portait un bout de tissu, est sortie de la pièce à la vitesse de l'éclair.

« J'ai sauté sur mes pieds à toute allure et j'ai couru à sa poursuite dans l'escalier. J'étais nu comme un ver et j'avais le pénis qui ballottait tandis que je dévalais la rue en hurlant " Au voleur ! " Le trottoir était jonché de verre cassé et en temps normal, je n'aurais certainement pas marché dessus, et encore moins couru.

« Dans les un mètre quatre-vingts, le voleur portait un short en jeans coupés, un T-shirt et des chaussures de sport. Il était visiblement en pleine forme et connaissait le quartier. Mais moi aussi j'avais la forme, vu que tout l'été j'avais fait mes huit kilomètres par jour. J'ai mis toute la gomme, et quand je me suis trouvé à quatre mètres de lui, j'ai crié : " Si tu lâches pas ce pantalon — parce que c'était mon pantalon qu'il avait pris dans ma chambre — je te tue dès que je t'attrape. "

« Ma mère m'avait confié cinq cents dollars pour que je les joue, et mon frère autant. C'était tout notre capital de départ. Il y avait donc une dette de mille dollars dans la poche de mon pantalon, et je ne voyais aucun moyen de la rembourser. En plus, il devait y avoir environ six ou sept cents dollars en espèce dans la chambre, sans compter les traveler's checks, les jetons et les dollars en argent. J'avais pratiquement ceinturé le type quand il a obliqué dans un groupe d'immeubles avec une porte fermée à clef, et j'ai fini par le perdre à un endroit où il avait pu prendre une des nombreuses directions qui s'offraient à moi. »

En rentrant chez lui, Doyne apprit qu'un voisin avait prévenu la police, qui ne tarda pas à arriver et qui entra dans une pièce bourrée de T-shirts à antennes, de fers à souder et de puces. « Quelqu'un avait jeté un drap sur la roulette, mais l'ensemble avait quand même un air franchement louche. On leur a raconté une histoire : on était des étudiants qui passaient l'été à faire des recherches sur un projet électronique. Il s'est avéré que je n'avais en fait que deux dollars dans mon pantalon, et le permis de conduire d'Ingrid, qu'elle avait déjà pedu plusieurs fois pendant l'été. Mais l'incident nous a fait un peu peur et, à partir de ce jour, nous avons commencé à dissimuler le matériel. »

Les Projeteurs se séparèrent pour former deux équipes et essayèrent d'utiliser les deux paires d'ordinateurs en même temps, mais il était difficile de les garder en état de marche tous les quatre ensemble. Comme il y avait constamment quelque chose qui n'allait pas dans les récepteurs radio ou dans les câbles, Doyne et Norman faisaient plus souvent office de dépanneurs que de joueurs. Ils mettaient leurs outils dans le Blue Bus et le garaient dans un parking stratégiquement situé entre les casinos. Alan Lewis avait du mal à maîtriser le programme remanié et il perdit plusieurs centaines de dollars au Circus Circus avant de s'y retrouver sur la piste des modes. D'une manière générale, les Projeteurs furent souvent obligés de s'interrompre à cause de pannes, de décharges électriques, de vibrations à contretemps et autres problèmes de hard.

« Ingrid et moi, nous nous en sortions mieux que les autres, dit Doyne. Sans pour autant remporter des succès grandioses, nous gagnions régulièrement. » Le cours des choses changea brusquement un soir qu'ils jouaient à la roulette au Lady Luck sur Fremont Street. « Nous avions trouvé une roulette lente avec une bonne inclinaison, dit Doyne. J'avais bien ajusté les paramètres, et on était prêts à passer à l'attaque. On plonge et on commence à jouer. Mais il n'y avait que nous à la table et le croupier chef nous avait à l'œil, plus que jamais. Et Ingrid avait l'air bizarre, tendue et nerveuse, et je n'arrivais pas à comprendre ce qui se passait. »

« Le commissaire, raconte Ingrid, était un grand type avec une tête de fouine, et il devait sentir qu'on était nerveux. Ce qui me donnait l'air bizarre, c'est que je recevais du jus par le fil d'antenne juste au-dessus du sein gauche. Les décharges étaient de plus en plus rapprochées et j'ai fini par avoir des muscles qui se contractaient, en plus j'avais du mal à me rappeler le schéma de mise. Mais on gagnait gros, et je me suis dit qu'il fallait que je continue. »

« Nous avons fait plusieurs centaines de dollars en quelques minutes à la table, ajoute Doyne. Quand on gagne plusieurs coups de suite, l'argent vient très rapidement et, ce jour-là, ça allait vraiment très très vite. Même avec des paramètres parfaits, il y a des fluctuations statistiques qui empêchent de gagner à tous les coups. Mais quand les conditions sont bonnes, les calculs peuvent être exacts les uns après les autres. Tout à coup, j'ai vu deux détectives en civil juste à ma gauche devant la roulette. J'ai fait signe à Ingrid de baisser les mises, mais au lieu de cela, elle les a augmentées ; elle y allait fort, à coups de jetons de cinq dollars.

« Et à côté de moi, un des deux gaillards ventripotents a dit à l'autre : " Tu vois cette femme, là, qui mise sur le neuf ? Ma main au feu qu'elle sait où la bille va tomber. " Apparemment, ils ne se doutaient pas que j'avais quelque chose à voir avec Ingrid, mais j'ai quand même préféré aller toucher mon argent et sortir. »

Quand ils se retrouvèrent au parking, Doyne comprit pourquoi Ingrid avait cet air bizarre. Les solénoïdes sur son ventre avaient serré, provoquant la surchauffe des fils qui les reliaient à l'ordinateur dans son soutien-gorge. En se déshabillant, elle s'aperçut qu'elle avait carrément une brûlure sur la poitrine. « Quand j'ai vu cette peau brûlée, dit Doyne, je n'en croyais pas mes yeux et je lui ai dit : " Écoute, Ingrid, tu dois faire des efforts, mais pas te mutiler. Je ne veux pas de ta peau calcinée en offrande à la roulette. " »

# 10

# *Dépendance sensible des conditions initiales*

You can't know how happy
I am that we met,
I'm strangely attracted to you (1).

Cole Porter
*It's All Right with Me*

(1) Tu ne peux pas savoir comme je suis heureux de t'avoir rencontrée, je me sens étrangement attiré par toi.

Voûté et barbu, Robert Stetson Shaw avait quelque chose d'un Woody Allen qui aurait joué le rôle de Karl Marx. Physicien et membre fondateur du Chaos Cabal, il avait des talents aussi variés que gag-man ou compositeur de musique. « Si je n'obtiens pas ma bourse de recherches cette année, lança-t-il un jour, je retourne vivre chez ma mère. Et je leur montrerai ce qu'on peut faire avec un boulier, moi ! »

Lorsqu'il ne vivait pas dans une communauté du Nouveau-Mexique et qu'il ne dormait pas avec son ordinateur au laboratoire de physique, Shaw était un résident occasionnel du 707, Riverside où il avait laissé son piano dans ce qui prit le nom de salon de musique. Il s'y glissait à des heures incongrues, de nuit comme de jour, fermait la porte derrière lui, et jouait du piano des heures et des heures d'affilée sans s'arrêter. Un public d'amateurs se réunissait dans l'entrée, assis le dos au mur. Ils écoutaient à travers la porte un incroyable flot de sons : une interprétation virtuose des œuvres de Bach (principalement des fantaisies chromatiques et des fugues), de Mozart, de Scarlatti, ou des compositions de Shaw lui-même dont les styles allaient du classique au ragtime. Il jouait de mémoire et composait des sonates avec l'aisance d'un joueur de jazz entrant dans un riff en sentant monter le feeling.

Selon Doyne, Rob était le « catalyseur et le prophète du Chaos Cabal », mais Shaw n'avait absolument pas prévu sa carrière de physicien, s'étant contenté de se trouver au bon endroit au bon moment. C'était un étudiant diplômé qui se frayait un chemin dans la vie avec sa réticence habituelle lorsque Bill Burke, professeur de physique à l'université, lui demanda de regarder un étrange ensemble d'équations différentielles. Burke savait que Rob avait sorti un ordinateur analogique du sous-sol du bâtiment de physique, et il savait aussi que cette machine était l'instrument idéal pour examiner le comportement des équations différentielles.

Ce que Rob découvrit en programmant son ordinateur avec les formules de Burke le fit frissonner des pieds à la tête. C'était un moment semblable à la découverte d'Archimède, où il restait les yeux fixés sur quelque chose de complètement nouveau. Par itération — sorte de bégaiement mathématique grâce auquel les ordinateurs calculent la solution d'un problème en la répétant indéfiniment —, la machine s'était saisie des équations de Burke et les avait fait passer de l'ordre au chaos. D'abord, c'était issu d'un système simple, et ensuite le chaos lui-même recréait plusieurs sortes d'ordre interne. La physique classique a toujours supposé que le comportement complexe du hasard ne pourrait être décrit — s'il pouvait l'être — que par des équations tout aussi complexes. Mais Shaw, dès le premier coup d'œil qu'il jetait sur la *terra incognita* du chaos, avait compris que le contraire était vrai. On peut obtenir du chaos à partir de systèmes simples au moyen d'itérations en boucles, c'est-à-dire en les faisant passer par le genre de cycles régressifs dont les ordinateurs — comme les névrosés — ne se lassent jamais.

Avec les équations de Burke programmées dans sa machine, Rob avait des images de ce chaos étrangement ordonné et déterministe. Circonvolutions sur l'écran d'un tube à rayon catholique, les dessins avaient la forme tantôt de beignets, tantôt d'entonnoirs, tantôt de galaxies étirées et déformées. Ces graphiques où cohabitent l'ordre et le hasard constituent ce que les physiciens appellent les attracteurs étranges. Des trois types d'attracteurs différents, le plus simple est le point fixe. Imaginez une casserole pleine d'eau que l'on secoue de manière que des vagues agitent sa surface. Arrêtez de remuer la casserole et les vagues disparaissent, l'eau revenant à un état d'équilibre. L'eau au repos a repris ce qui en mathématiques porte le nom de point fixe d'attraction. Le deuxième type d'attracteurs, appelé le cycle limite, produit un mouvement régulier répété indéfiniment. Les attracteurs de cycle limite se trouvent dans le flux et le reflux incessants des vagues qui déferlent sur le rivage, ou dans le mouvement de l'eau qui se balance d'un côté à l'autre en s'écoulant dans un tuyau.

La physique classique est jusqu'à présent restée impuissante face aux attracteurs plus complexes que les fixes ou les cycliques. Dès que le mouvement de l'eau s'écoulant dans un tuyau cessait d'être uniforme ou laminaire, son comportement entrait dans le domaine resté inexplicable de la turbulence. Mais les beignets et les galaxies bancales qui apparaissaient sur l'écran de Shaw étaient bel et bien des images de turbulence et, dans le cas présent, cette turbulence n'était ni aléatoire, ni mystérieuse, ni inexplicable. Elle était issue d'un système déterministe et manifestait ses propres formes d'ordre interne. Pour expliquer l'ordre que Shaw avait découvert dans le chaos, il est nécessaire de comprendre le troisième type d'attracteurs, les attracteurs étranges.

Repensez à de l'eau qui s'écoule dans un tuyau. Maintenant mettez quelque chose dans le tuyau. Si elle coule assez lentement, l'eau passera de chaque côté de l'objet et reformera un seul filet en dessous. Mais ajoutez une goutte d'encre dans l'eau. Dans un courant lent, la goutte d'encre contournera l'obstacle et rebondira pour rejoindre le flot central. Si l'on augmente la pression de l'eau dans le tuyau, à partir d'une certaine vitesse, les écoulements de l'autre côté de l'obstacle commenceront à avoir un mouvement de va-et-vient au lieu de se rejoindre. Au début, ce va-et-vient est périodique, et donc notre goutte d'encre s'écoulant dans le tuyau aura toujours un comportement prévisible. Mais en augmentant encore la vitesse de l'eau, la goutte se mettra à avoir un comportement chaotique et ce ne sera qu'au moyen des attracteurs — non pas fixes ou cycliques mais étranges — que l'on sera en mesure de suivre la goutte d'encre chaotique qui tombe dans le tuyau.

En programmant son ordinateur pour regarder les équations de Bürke, Rob était tombé sur ses propres équations de mouvement qui pénétraient, ne serait-ce qu'un peu, dans le monde inconnu du hasard. C'est Claude Shannon qui définissait l'information comme étant la quantité de surprise que l'on éprouve en voyant telle ou telle chose se produire, et la nouvelle que les équations de Rob engendraient une énorme quantité d'informations se répandit comme une traînée de poudre dans le département de physique. En itérant ces équations — c'est-à-dire en les répétant encore et encore —, Rob pouvait observer le processus par lequel des systèmes simples passent de l'ordre au chaos. En suivant cette progression, il remarqua deux faits frappants, que l'on peut appeler les lois du chaos. La première énonce que tous les systèmes ont une « dépendance sensible » de leur condition initiale. La seconde établit que toutes les différences existant entre les systèmes ont tendance à s'accroître avec le temps.

Dans le langage de la théorie du chaos, cette dernière loi prévoit la « divergence rapide des trajectoires voisines ». Étant donné la dépendance sensible des conditions initiales et la divergence rapide des trajectoires voisines, on peut supposer que des variations légères entre différents systèmes deviendront plus importantes avec le temps.

Sans connaître les solutions relatives au chaos et avant l'invention des ordinateurs capables d'y parvenir, Poincaré décrivait ainsi les aperçus essentiels de la théorie du chaos : « Il peut arriver que de petites différences dans les conditions initiales en engendrent de très grandes dans les phénomènes finaux ; une petite erreur sur les premières produirait une erreur énorme sur les derniers. La prédiction devient impossible et nous avons le phénomène fortuit. »

Voici ce que Doyne écrivit à propos de l'observation de Poincaré : « La technologie moderne de l'informatique nous permet de simuler des systèmes dynamiques qui produisent le “ phénomène fortuit ” et de les isoler pour étudier comment, quand, et dans quelles circonstances la dépendance sensible des conditions initiales se produit. » Si les lois de la théorie du chaos ont l'air d'être relativement abstraites, ou de ne présenter d'intérêt que pour un plombier qui s'occuperait d'un tuyau obstrué par un objet, leurs implications plus étendues devraient devenir évidentes si l'on signale, par exemple, que la dépendance sensible des conditions initiales pourrait très bien expliquer le développement des espèces dans l'évolution darwinienne.

Norman Packard dit à quel point il fut lui-même surpris de trouver des attracteurs étranges opérant en plein milieu du chaos : « Cette idée de la génération d'information mène assez loin si on laisse son imagination travailler un peu. Nous rêvons d'étendre la théorie de la génération d'information dans les systèmes chaotiques à des systèmes plus généraux, comme celui de l'évolution biologique par exemple. Il y a deux milliards d'années, il y eut une goutte d'éléments chimiques prébiotiques sur la terre. Elle a tourné, s'est remuée et a fini par former quelques chaînes d'ADN qui se sont reproduites jusqu'à donner une vie d'une infinie complexité. À mesure qu'elle devenait de plus en plus complexe, une nouvelle information a été engendrée. Chaque fois que l'évolution entre en jeu, de l'information est produite par ces nouvelles formes de vie compliquées. Nous avons l'espoir de quantifier ce genre de données de la même façon exactement que nous le faisons pour le chaos. Une des choses que nous essayons de faire par exemple, est de calculer *quand* un comportement chaotique va se produire et *dans quelle mesure* il sera chaotique. Ce chaos correspond à la quantité d'information qu'un système produit. Plus il en produit et plus il est chaotique. L'intérêt que présente l'étude des attracteurs étranges réside en ce qu'ils produisent de l'information avec des ramifications dans toutes sortes de domaines, depuis la théorie de l'évolution jusqu'à l'écologie, la sociologie, l'économie et les fonctionnements du cerveau humain. »

Fasciné par le chaos et les étranges figures géométriques qui le gouvernent, Rob Shaw s'installa dans son laboratoire afin de pouvoir travailler sur son ordinateur toute la nuit. Ses directeurs s'inquiétaient. Ayant terminé toutes ses recherches pour son doctorat, il était en train d'achever la rédaction de sa thèse sur la superconductivité expérimentale, un sujet apparemment sans rapport avec les attracteurs étranges. Il ne lui restait plus que deux mois de travail pour en avoir fini. Ses directeurs de thèse vinrent le voir pour lui dire qu'à leur avis, il pouvait avoir terminé dans un mois. Voyant que cela ne l'intéressait pas, ils descendirent à quinze jours. Mais Rob n'écoutait pas. Il était perdu dans le chaos et personne ne pouvait le ramener sur terre.

De l'information émise par son ordinateur, Shaw isola différents types de chaos et d'attracteurs étranges. Parmi ses idées, beaucoup étaient nouvelles mais certaines, comme il s'en aperçut trop tard, avaient été déjà découvertes par d'autres scientifiques. Edward Lorenz, météorologue au MIT, était tombé sur le premier attracteur étrange en 1963. Il était en train de regarder des maquettes pour les prévisions météorologiques lorsqu'il remarqua quelque chose de bizarre dans les courants de convection. Ils présentaient ce que l'on pourrait appeler des poches de chaos, des boucles d'information qui sont une parfaite démonstration des lois de l'attraction étrange : une dépendance sensible des conditions initiales et une divergence rapide des trajectoires voisines. La découverte de l'attracteur de Lorenz, nom que reçut cette structure particulière, eut des ramifications étonnantes dans la vie quotidienne, bien que son effet immédiat fût d'expliquer l'impossibilité de la prévision météorologique à long terme.

L'attracteur de Rössler doit son nom à un autre pionnier du chaos, Otto Rössler, qui travaille comme chimiste théoricien à Tübingen, en Allemagne. Rössler est un homme doux et affable qui vit entouré de livres, de sorte qu'avec lui, une conversation prend vite l'aspect d'un colloque. Il extrait des textes et des citations de ses étagères ou des piles qui s'entassent devant lui, tandis qu'il poursuit une sorte de dialogue à travers les époques, en donnant des rôles d'interlocuteurs à des personnages tels qu'Aristote, Maxwell, Einstein, ou n'importe qui d'autre qui a quelque chose à dire en la matière. Il attribue à Anaxagore la première définition du chaos mais les propres découvertes de Rössler dans ce domaine ont une origine tout à fait prosaïque, sans rien de livresque.

Il marchait dans la rue un jour quand il vit un groupe d'enfants debout devant une fenêtre. Il se joignit à eux et, comme eux, put voir une machine à caramel, dont les deux bras étirent et replient inlassablement une feuille de pâte. Rössler resta une demi-heure devant la machine. Il était absolument fasciné. Non pas par la fabrication du caramel, mais par le mouvement rythmé de la machine, qui représentait l'exemple parfait de ce qu'il reconnut comme étant l'attraction étrange. Rössler imagina deux raisins secs placés l'un tout près de l'autre à la surface du caramel. Pendant que les bras de la machine étiraient et repliaient la masse collante, il suivit ses deux raisins imaginaires le long de leurs itérations successives. Ils s'éloignaient l'un de l'autre en une éloquente démonstration de la dépendance sensible des conditions initiales et de la divergence rapide des trajectoires voisines. Toujours devant la fabrique de bonbons, Rössler griffonna les équations décrivant l'attracteur étrange qui porte son nom, bien que personnellement, il préfère l'appeler l'attracteur de la machine à caramel.

Les découvertes personnelles de Rob Shaw dans le domaine de l'attraction étrange furent rendues publiques d'une manière tout aussi originale. Norman Packard était en train de feuilleter un numéro du *Scientific American* lorsqu'il tomba sur une annonce publicitaire promettant un prix offert par un homme d'affaires français, Louis Jacot, pour couronner l'essai le plus original sur l'origine de l'univers. Norman écrivit pour avoir des détails sur le concours, puis il réussit à convaincre Rob de proposer un essai sur le chaos. Son article, intitulé « Attracteurs étranges, comportement chaotique et flux d'information » était accompagné d'une lettre expliquant que l'on pouvait appliquer les attracteurs étranges à la théorie de l'évolution. Shaw gagna une mention honorable au concours Louis Jacot et un prix de deux mille francs, environ cinq cents dollars à l'époque, qu'il dépensa pour aller recevoir son prix à Paris.

Cela marqua la première présentation publique du travail effectué par le Chaos Cabal. Mais il allait bientôt y avoir un fort intérêt pour les découvertes nocturnes réalisées par ce groupe de hackers et d'apprentis joueurs. Lorsque des journalistes de *News-*

*week* et du *Los Angeles Times* vinrent faire leur enquête sur ce que le Dynamical Systems Collective était en train de trouver dans l'océan vert phosphorescent du chaos, ils virent que les chercheurs étaient retranchés dans un laboratoire qui ressemblait à une tourelle de sous-marin remplie d'ordinateurs, de terminaux, de traceurs, d'imprimantes, de moniteurs, de cadrans, de jauges et autres ustensiles nécessaires pour la chasse à l'attacteur étrange jusque dans les ténébreux tréfonds de la turbulence.

La création du Chaos Cabal en 1977 fut elle-même un bel exemple de dépendance sensible des conditions initiales. De même que Shaw, les autres membres du groupe avaient tourné le dos à des carrières dans l'une des branches les plus reconnues de la physique pour faire entrer avec lui du chaos dans des ordinateurs. Jim Crutchfield, qui avait été l'assistant de Rob lorsqu'il étudiait la superconductivité, n'eut aucun problème pour assimiler le nouveau langage des attracteurs étranges.

Norman éprouva plus de difficultés pour réaliser sa conversion. Aussi flegmatique et décontracté qu'il fût, c'était la vedette du département de physique. Il avait couvert tout le programme d'études à vitesse grand V et avait réussi tous ses certificats dès la première année, exploit exceptionnel, et tout le monde pensait qu'il allait faire son mémoire en mécanique statistique, un des domaines de recherche les plus distingués en physique classique. Les enseignants furent stupéfaits lorsqu'il leur annonça qu'il allait entrer au Chaos Cabal, dont le travail leur semblait être un hybride tordu entre la philosophie et la programmation.

« Je m'étais fait un nom au département, dit Norman. Ils ne se sont aperçus de mon côté vraiment fainéant que l'été suivant, lorsque j'allais jouer à la roulette à Las Vegas. Ils ont commencé à réviser leur jugement à mon sujet et quand je me suis mis à travailler sur le chaos, ils ont carrément changé d'opinion. Je suis tombé en disgrâce, pour n'être réhabilité que lorsque j'ai gagné la bourse de la National Science Foundation. »

Doyne, qui n'allait plus à l'université depuis un an et demi qu'il se consacrait à la roulette, avait depuis longtemps renoncé à l'idée de devenir astrophysicien. Lorsqu'il reprit ses études, il était déjà un grand connaisseur du chaos. Comme il écrivait dans les « remerciements » de sa thèse de doctorat intitulée « De l'ordre dans le chaos » : « Si Rob n'avait jamais entendu parler de l'attracteur de Lorenz, rien de ceci (la création du Chaos Cabal) ne se serait produit. Je me serais probablement lassé de la physique et aurais laissé tout tomber, et je serais probablement tranquillement en train de jouer de l'harmonica avec les hippies sur la jetée. Mais au lieu de cela, Rob a semé dans ma tête les graines du chaos, et me voici en train d'essayer de devenir un respectable savant. Car telle est la dépendance sensible des conditions initiales. »

Si ce n'est le fait qu'elle s'appuie aussi sur l'ordinateur, l'étude théorique du chaos a peu de chose à voire avec celle de la roulette. En fait, l' « École de Santa Cruz de la physique non prévisible », comme l'appelait Norman, faisait tout pour démentir les suppositions laplaciennes classiques qui servent de base aux calculs de la roulette. « Dans sa dynamique classique déterministe, Laplace disait que si on lui donnait la position et la vitesse de chaque particule de l'univers, il pourrait dire exactement ce qui allait se passer un million d'années plus tard. Il avait tort, dit Norman de sa voix calme, presque laconique, et ce n'est que tout récemment que l'on se rend compte à quel point il avait tort. »

Le Chaos Cabal remarqua l'inexactitude de l'hypothèse de Laplace lorsqu'ils trouvèrent, chose à laquelle on n'aurait jamais pu s'attendre en physique classique, que des systèmes très simples peuvent passer de l'ordre au chaos. « À l'origine, dit Norman, les gens croyaient que la raison pour laquelle un comportement semblait compliqué était que seul un ensemble d'équations compliquées pouvait le décrire, des équations prenant en compte des interactions différentes. Il était naturel que Laplace pense de cette façon. Mais il s'avère que l'on peut avoir un comportement compliqué même pour des systèmes très simples, des systèmes avec très peu de composants interactifs.

« Pour l'eau qui s'écoule dans un tuyau à intervalles réguliers, si on donne un coup de poing dans le tuyau, l'eau va avancer par saccades. Ce faisant, elle modifie son mouvement. Mais au bout d'un moment, elle retrouve son rythme initial. C'est cela, un attracteur. On perturbe le système en lui donnant un coup. Son comportement est altéré, avant de reprendre son cours antérieur. Mais, et c'est là ce qui est intéressant du point de vue philosophique, on peut aussi donner un coup dans le tuyau et l'écoulement, plutôt que de revenir à son mouvement initial, restera perturbé, l'eau fera quelque chose de complètement différent sans jamais reprendre son *comportement antérieur*. Si tel est le cas, c'est que son état premier n'était pas provoqué par un attracteur : il était instable.

« Ces arguments contre le point de vue de Laplace déconcertent souvent les gens qui pensaient que le monde était en principe prévisible. Et le fait qu'il ne le soit pas a toutes sortes d'implications philosophiques qui restent à étudier. Par exemple, prenez l'éternel débat sur le déterminisme et le libre arbitre. Les tenants du déterminisme s'appuient sur l'approche laplacienne du monde pour avancer l'argument selon lequel le mouvement des systèmes physiques — y compris les humains — est prédéterminé par les lois de la physique. Si tel était le cas, parler du libre arbitre n'aurait plus aucun sens. Votre mouvement est déjà programmé pour le reste de votre vie. Les attracteurs étranges affectent profondément cet argument, car ils offrent la possibilité de changement *spontané,* et votre mouvement ne peut donc en aucun cas être déterminé pour le reste de votre vie. »

La révolution qui bouleverse actuellement les milieux de la physique voit ses combats se dérouler à l'intérieur des ordinateurs. Ce sont eux, et eux seuls, qui n'étant jamais las de la répétition propre à leur nature électronique, sont capables des itérations qu'exige le passage des systèmes simples de l'ordre au chaos. Ce n'est que grâce à la persévérance du silicium que l'on peut examiner la dépendance sensible des conditions initiales et projeter cette dépendance assez loin dans l'avenir pour pouvoir observer la divergence des trajectoires voisines. La machine à caramel a été utilisée à bon escient, mais la physique moderne doit ses méthodes et ses découvertes à l'ordinateur électronique.

« Ce n'est qu'avec l'avènement des ordinateurs analogiques et numériques modernes, remarque Tom Ingerson, que les gens ont commencé à pouvoir résoudre des équations mathématiques complexes dans toute leur horreur glorieuse. Au lieu d'étudier les formes réelles que prennent les équations, les physiciens ont essayé pendant des années de les faire entrer dans des moules qui leur étaient familiers. Certaines courbes avaient des noms, d'autres n'en avaient pas. Mais notre mère Nature n'avait rien à faire de ces distinctions et elle a continué à rester aussi complexe qu'avant. Les ordinateurs n'en ont rien à faire non plus. Ils peuvent traiter des équations quel que soit leur comportement. Ce domaine des attracteurs étranges et du chaos, ou de la dynamique non linéaire, ou de ce qu'on veut bien appeler de ce nom, a émergé parce que les gens cherchent à comprendre les mathématiques associées avec des équations de formes plus générales, mais qui ne décrivent pas nécessairement des phénomènes particulièrement compliqués. C'est seulement qu'il se trouve que notre mère Nature n'est pas constamment linéaire. En réalité, elle l'est même rarement. Une des choses fascinantes qui ressort de l'étude du chaos est le fait qu'une grande partie de la nature est imprévisible. Cela stupéfie toujours certaines personnes quand on le leur explique. Mais il existe des équations qui indiquent la non-prévisibilité *intrinsèque* de certains systèmes, et c'est un fait véritablement surprenant. »

Par leurs articles et plus tard par leurs conférences scientifiques, les membres du Chaos Cabal se firent une réputation d'artistes dans le domaine du silicium. De leurs laboratoires pleins d'ordinateurs et d'imprimantes sortirent quelques-unes des premières images de ces mondes étranges qui présentaient, comme disait Doyne, « une coexistence pacifique entre l'ordre et le chaos ». En guise d'entraînement à l'attaque en première ligne de la physique théorique, Doyne et Norman étaient restés enfermés chez eux pendant un an et demi, à construire des ordinateurs pour la roulette en partant de rien. Rob Shaw avait déterré un ordinateur analogique d'un dépotoir où l'on mettait au rebut les appareils dépassés, et Jim Crutchfield avait fait de la profession de hacker d'ordinateur un mode de vie. Leur exaltation avait des origines assez humbles, mais ils s'étaient trouvés au bon endroit au bon moment, avec la bonne technologie.

« Ces types-là ont vraiment de la chance, dit Ingerson. Ils sont partis du reż-de-chaussée, avec une combinaison parfaite des facteurs qui assurent le succès dans le domaine scientifique : une intelligence de naissance, des occasions, de la chance et des ressources. »

Lorsque ses théories attirèrent l'attention du *Scientific American*, Douglas Hofstadter écrivit dans un article de fond traitant des attracteurs étranges et du chaos que « la simplicité des idées de base leur donne une élégance qui, de mon point de vue, les met sur un pied d'égalité avec certains des meilleurs concepts des mathématiques classiques. Il y a en réalité un parfum de XVIIIe ou de XIXe siècle qui émane de ce travail éminemment concret et rafraîchissant dans une ère où règne une abstraction titubante.

« La raison majeure pour laquelle on ne découvre ces idées que maintenant tient probablement à ce que leur mode d'exploration est entièrement moderne : c'est un genre de mathématiques expérimentales dans lequel l'ordinateur numérique joue le rôle du vaisseau de Magellan, du télescope de l'astronome et de l'accélérateur du physicien. De même que les navires, les télescopes et les accélérateurs doivent être sans cesse plus grands, plus puissants et plus chers afin de pouvoir explorer des régions de la nature toujours plus reculées, on devrait avoir besoin d'ordinateurs toujours plus grands, plus rapides et plus précis afin d'explorer les régions de plus en plus éloignées de l'espace mathématique. De plus, tout comme il y eut un âge d'or de l'exploration maritime, et des découvertes effectuées à l'aide du télescope et de l'accélérateur, marqué par un apogée dans le nombre des nouvelles découvertes effectuées par rapport aux sommes dépensées, on pourrait s'attendre à ce qu'il y ait un âge d'or dans les mathématiques expérimentales de ces types de chaos. Peut-être cet âge d'or est-il déjà révolu, ou peut-être a-t-il lieu en ce moment même. »

Manœuvrant leurs ordinateurs à travers l'âge d'or de l'exploration du chaos, le Cabal n'oubliait jamais le port où il avait embarqué. Doyne avait, comme il disait, « du chaos dans le cerveau ». Mais il était tout aussi obsédé par la roulette. Les domaines nouveaux en physique ne restent pas nouveaux bien longtemps. Soit on saisit le moment de la découverte, soit on le laisse glisser entre des mains plus entreprenantes. Mais c'était aussi valable pour la roulette. D'après ce que savaient les Projeteurs, il devait y avoir des dizaines d'ingénieurs de Silicon Valley qui, dans leurs garages, bricolaient des ordinateurs pour battre la roulette. Le Chaos Cabal avait des drapeaux à planter sur un terrain encore inexploré. Les Eudaemonic Enterprises avaient un Gâteau à élaborer avec des gains effectués à la roulette. La seule solution était de tout faire en même temps : la roulette le jour et le chaos la nuit. Ou vice versa.

« Le Projet nous donnait une étrange façon de voir l'expérience universitaire, dit Norman. Dès que nous approchions de la fin du trimestre ou des vacances, il n'y avait pas seulement la tension provoquée par le besoin de terminer le programme, de rédiger des comptes rendus et de faire des exposés, mais il y avait aussi la nécessité de mettre la dernière main aux ordinateurs afin qu'ils soient prêts pour l'une des tournées prévues pendant les vacances. Nous avions beau faire l'impossible, nous n'avions jamais vraiment le temps de tout faire. »

Pour travailler de plus en plus, les Projeteurs étaient devenus des maniaques de l'emploi du temps. Chaque fois qu'ils avaient des petites vacances, ils installaient les ordinateurs et le matériel de roulette dans le Blue Bus, franchissaient la chaîne de montagnes pour aller à Tahoe ou à Reno, ou le désert pour se rendre à Las Vegas. Ils devinrent des spécialistes de la transformation, passant tour à tour de l'étudiant au joueur. Ils apprirent vite à effacer tout signe d'intelligence sur leur visage. Un jour ils programmaient un ordinateur mainframe PDP II/45 avec des réactions de Bielouzov-Jabotinski ou des exposants de Liapounov et, le lendemain, ils pouvaient se retrouver dans une boîte de jeu du côté du Strip, en train d'appliquer leurs systèmes avec des ordinateurs sanglés sur leur poitrine.

À la suite de leur campagne d'été à Las Vegas, les Projeteurs sautèrent sur la première occasion qui se présenta à eux de retourner dans le Nevada pendant les vacances de Noël. Ils étaient encore occupés à « presser le citron », comme disait Doyne.

Pour le voyage de Noël du Projet, on trouvait, entassés dans le Blue Bus entre des ordinateurs et une roulette, Doyne Farmer, champion de la prise de données, Ingrid Hoermann, joueuse expérimentée, et deux nouveaux venus dans l'aventure eudémonique, en tout cas pour ce qui est des déplacements. John Loomis était revenu pour tester les solénoïdes qu'il avait modifiés le printemps précédent pour le voyage à Reno. Il vivait au *Project Artaud,* une communauté d'artistes installée dans une ancienne usine désaffectée dans la baie de San Francisco, et il gagnait toujours sa vie en exerçant le métier de charpentier. « John travaillait dur pendant de longues périodes entre lesquelles il se prenait des petites vacances, raconte Doyne, ce qui correspondait exactement comme emploi du temps à ce qu'il fallait pour collaborer au Projet. C'était un garçon sérieux et il était de très bonne compagnie. » Le quatrième passager du Blue Bus était Neville Pauli, ancien condisciple de Letty à la fac de droit de Stanford, qui allait être le joueur du Projet pour les grosses sommes.

Arrivés à Las Vegas le 12 décembre, les Projeteurs suivirent leur routine habituelle. Ils quittèrent le Strip pour s'enfoncer dans les quartiers plus glauques et se mirent à la recherche d'un gîte. Ils connaissaient tous les motels qui accueillaient les gens de passage et les joueurs, sans leur poser de questions, où il suffisait de payer d'avance le séjour plus une caution. Dans ces endroits-là, le truc consistait à afficher le moins d'argent possible parce que les Projeteurs commençaient maintenant à comprendre qu'à Las Vegas, il est bien rare que l'argent repasse le guichet du caissier dans le sens inverse.

La petite troupe s'installa dans une suite de deux pièces au Brooks Motel, une petite affaire de famille tout près du Strip sur

Paradise Road. Ils tirèrent les stores et déballèrent les ordinateurs et la roulette. Neville était tendu et inquiet. Il était certain que, dehors, les gens qui étaient sur le bord de la piscine pouvaient entendre la bille tourner sur la roulette. Peu lui importait le fait qu'on était au mois de décembre et qu'il n'y avait personne dehors. Il tenait à laisser la télévision marcher pour couvrir le bruit. « On a vu un maximum de feuilletons cette fois-là », dit Ingrid.

Après avoir installé la machine à réflexes, John s'entraîna à prendre les données, et Neville et Ingrid s'exercèrent à placer leurs jetons sur le tapis du Projet. « Neville avait mis au point un déguisement pour aller jouer dans les casinos, raconte Doyne, dans le style Kiwanis Club avec blazer bleu marine et cheveux courts. Il avait l'air très sérieux, comme un riche dentiste ou quelque chose de ce genre-là. »

Bien que tous les connecteurs aient été de nouveau isolés et le système de mise à la masse amélioré, les Projeteurs retombèrent sur leurs vieux problèmes de matériel avec courts-circuits et faux contacts. Ils avaient moins de décharges venant des T-shirts à antennes, mais les joueurs connurent de nouveaux ennuis à cause de l'hiver. En entrant et en sortant des casinos, le passage de l'air froid de la nuit aux salles surchauffées déréglait les fréquences des récepteurs radio. Ce problème de « dérive thermique », comme l'avait baptisé Doyne, était compliqué par le fait que le Bus n'avait pas de chauffage, ce qui les obligeait à circuler en gardant les ordinateurs au chaud entourés dans des pull-overs placés sur le capot du moteur.

Ingrid portait son manteau de fourrure en lapin et essayait d'avoir l'air aussi séduisante que possible avec un ordinateur et des piles dans son soutien-gorge. Doyne portait des pantalons en jersey avec une chemise en synthétique et un anorak. « John et moi, on ressemblait à des ploucs ordinaires », dit-il. Pauli s'affairait pour mettre la dernière main à son costume du Kiwanis Club. Faisant équipe avec Doyne pour sa première séance au Hilton, Neville avait gagné trois cent cinquante dollars en quelques minutes. Lorsqu'il le retrouva plus tard à Paradise Road, Doyne eut la surprise de constater qu'il était furieux. Il y avait eu trop de confusion dans les signes, disait-il, alors que Doyne trouvait que c'était tout à fait prévisible pour une première tentative.

En continuant à jouer petit jeu, par mise d'un ou deux dollars, les Projeteurs augmentèrent peu à peu leur capital de sept ou huit cents dollars. Ils voulaient assurer leurs arrières avant de faire monter les mises. Même avec le net avantage qu'ils avaient sur la banque, ils savaient que des fluctuations statistiques pouvaient les faire plonger bien avant que la loi des grands nombres n'arrive à leur secours. Ils essayaient de maintenir un rythme de trois ou quatre heures par jour, et les rapports notés dans le cahier noir indiquaient des mises moyennes ne dépassant pas soixante cents.

Ils avaient leurs casinos préférés, avec de bonnes roulettes : le Riviera, le Silverbird et le Caesars Palace. Mais après une seconde séance au Hilton où ils avaient gagné gros, ils s'aventurèrent plus loin sur le Strip jusqu'au MGM Grand, une espèce d'immense grange qui ressemble à un pétrolier transformé en salles de jeu. Les roulettes du MGM tournaient vite, mais elles étaient bien inclinées ; alors Doyne se mit à une table, ajusta les paramètres sur l'ordinateur et fit signe à Ingrid de commencer à miser. Au bout de plus de deux cents coups joués pendant le dernier service de la journée, elle avait perdu quatre cent quarante dollars. « Quand je me suis aperçu que nous perdions beaucoup, dit Doyne, j'ai pensé qu'il s'agissait de fluctuations statistiques. Je trouvais que les conditions étaient bonnes et c'est pour ça que je suis resté aussi longtemps. »

« Il y avait énormément de monde à la table, raconte Ingrid. Je ne suis pas arrivée à trouver de la place à côté de Doyne, et je perdais sans arrêt son signal. Nous avions décidé de faire des mises plus fortes que d'habitude. J'ai épuisé une pile de cent dollars de jetons, puis une autre, puis une troisième et une quatrième. Mais c'est drôle : comme je perdais, je n'étais pas du tout parano.

« Le MGM a des espèces de couloirs souterrains avec un sol spongieux qui vont du casino à la rue, et on était incroyablement déprimés quand on s'est retrouvés en train de marcher là-dedans. C'était pire à cause du cadre, où tout le monde était chic et habillé. Et puis c'était tellement anonyme, comme un grand magasin, sauf les serveuses qui paradaient dans leur uniforme. C'st une création de la classe moyenne sans aucun charme ni attrait. On en est ressortis comme des gosses qui ont essayé de faire une farce sans réussir. Entourés de tant d'argent et de tant de gens riches, on n'avait même pas pu faire la moindre brèche dans leur fortune et, en fin de compte, ils nous auraient eus de toute façon. »

En rentrant au motel, Doyne et Ingrid trouvèrent Neville dans un état d'agitation terrible. Ils étaient en retard. Pourquoi n'avaient-ils pas téléphoné ? Il avait pensé qu'ils s'étaient fait attaquer et balancer dans le lac Mead. Tout le monde était fatigué, déprimé, découragé. John avait prévu de partir le lendemain, et Neville prit l'avion avec lui jusqu'à San Francisco. Doyne et Ingrid quittèrent le Brooks et rangèrent la roulette et les ordinateurs dans le Bus.

Doyne prit la direction de l'autoroute, mais Ingrid insista pour qu'ils s'arrêtent en ville afin de jeter un dernier coup d'œil aux roulettes. « On s'est garés dans une rue derrière les casinos de Fremont, dit-elle. Doyne était déprimé après notre séance au MGM. On s'est assis dans l'herbe devant le palais de justice et on a regardé les gens faire ronfler leur moteur. Puis on s'est séparés et on a visité les casinos à la recherche d'une dernière bonne roulette.

« Quand on s'est retrouvés un peu plus tard, Doyne m'a dit qu'il en avait repéré une au Sam Boyd's California Club. C'est un casino pour ouvriers, une des boîtes les plus petites et les plus moches de tout le centre ville. C'était un vendredi soir et c'était vraiment bourré de gens qui avaient fini leur semaine et étaient venus jouer là. Il n'y avait que deux roulettes qui fonctionnaient, tout au fond du club. Doyne a ajusté ses paramètres et m'a donné le signal du départ. Je suis allée aux toilettes et j'ai branché mes appareils. »

« Il y avait beaucoup de gens bizarres ce soir-là, dit Doyne, des vieilles dames et des bergers, un type qui jouait avec sa fille et un immigré allemand qui a invité Ingrid chez lui pour le réveillon de Noël. Moi, j'ai engagé la conversation avec le croupier chef, une fille blonde de vingt-huit ans. Je lui ai demandé : " Ça vous plaît, ce métier-là, c'est comment de vivre à Las Vegas ? " C'était étrange et un peu distrayant parce que j'avais l'impression que j'aurais pu lui donner rendez-vous pour sortir avec elle. Ingrid et moi avons joué pendant trois heures, et ça doit être la séance où nous avons été le plus détendus.

« Notre capital montait et baissait sans arrêt, mais entre chaque baisse, il augmentait régulièrement. De ma place, je regardais les trois cents dollars aller et venir dans un sens ou dans l'autre. C'était une de ces séances frustrantes où soit la bille tombe juste à droite ou juste à gauche des cases prévues, soit on mise sur le 30 et le 9, et la bille tombe sur le 26, la case juste entre les deux. Ou encore on augmentait les mises et on perdait, et il suffisait qu'on les diminue pour commencer à gagner. L'un dans l'autre, je n'avais pas l'impression qu'on faisait des merveilles. Mais quand je suis le preneur de données, je m'efforce toujours de ne pas faire trop attention à la personne qui mise et à la quantité de jetons qu'elle a. Peu importe l'argent qu'elle gagne. Mon rôle se limite à regarder si la bille tombe bien là où l'ordinateur l'a prévu. »

« En fait, raconte Ingrid, je gagnais beaucoup d'argent, et je ne savais pas si je devais prendre l'air étonné. C'était tellement constant que ça me semblait difficile de m'exciter chaque fois, surtout étant donné que je savais que j'allais continuer à gagner. Si je poussais des cris ou si je me mettais à ricaner ou à battre des mains, qu'allais-je faire la fois suivante où l'ordinateur gagnerait, et la fois d'après ? Ça commencerait à faire vraiment usé au bout de trois heures, et je ne voulais pas attirer l'attention sur moi. Mais le type qui m'avait invitée à dîner me regardait, s'excitait et s'exclamait : " Mon Dieu, vous avez encore gagné !

— Il y a des jours où on gagne, ai-je dit en essayant d'avoir l'air naturel, et des jours où on perd. "

« Au bout de deux heures de jeu, j'étais fatiguée et déconcentrée et je ratais des parties de messages qui contenaient souvent le numéro gagnant. Mais on était arrivés à gagner tellement d'argent que ça ne m'inquiétait pas. Les choses allaient si bien que j'augmentais les mises sans arrêt. Je cachais mes plaques de cinq dollars sous des plus petits jetons, et même le croupier n'a pas pu savoir combien on s'était fait jusqu'au moment où j'ai ramassé tous mes jetons pour aller me les faire payer. »

Lorsqu'elle retrouva Doyne dans le Blue Bus, Ingrid lui annonça qu'elle avait ramassé plus de mille dollars. « C'était un coup de fouet psychologique, dit Doyne. Sans cette injection de remontant, le Projet serait peut-être mort. Ce n'était pas tant l'argent qui comptait, mais le fait de savoir que l'ordinateur avait fait exactement ce qu'on attendait de lui. J'aurais volontiers sauté de joie, mais j'étais vraiment trop épuisé. »

# 11

## *Toujours plus petit*

Plaignons ceux qui n'ont pas d'obsessions.

Robert Bly

En l'espace de treize mois, le Projet n'avait pas fait moins de huit incursions dans le Nevada. Après le premier assaut mené par Doyne et Alix à South Lake Tahoe et à Reno en décembre 1977, avaient suivi le voyage du 1er Janvier à Las Vegas, avec le premier « gros coup » de Doyne au Golden Gate Casino, l'entraînement à la « cabane » de Ralph, les trois vagues successives en été à Las Vegas, le récent voyage de Noël et l'expédition de janvier 1979 à Reno de Norman, Jim Crutchfield et Jack Biles. Ayant amassé plusieurs milliers de dollars en misant principalement par dix ou vingt-cinq cents, ils avaient prouvé que le système fonctionnait. Mais, pour continuer, il fallait que le Projet franchisse une étape, qu'il passe du stade d'amateurs à la première division. Les eudémonistes devaient atteindre un taux de rapport plus élevé de leur investissement en temps et en argent, ce qui impliquait une plus grosse somme engagée, un équipement plus fiable et un entraînement plus intensif. « Dans les affaires du jeu, affirme Ralph Abraham, on est professionnel ou rien du tout. »

« On avait fait gonfler notre capital à partir de zéro, dit Doyne, en n'utilisant que l'argent gagné. C'était une stratégie d'économie valable tant qu'on en était à tester le système, mais c'était une prudence exagérée. Il aurait fallu passer à la vitesse supérieure et augmenter les mises beaucoup plus tôt. C'est facile d'aller au casino, d'avoir peur et de jouer petit, parce qu'on a l'impression qu'on ne peut rien bousculer, et qu'on ne peut pas se faire bousculer. Mais on ne tient pas compte de l'effet produit sur le moral. À la longue, ça use. Quand on joue à coups de dix cents et qu'on gagne cinquante dollars grâce à l'ordinateur, on sait qu'on a réussi quelque chose de bien dans le principe. Mais psychologiquement, c'est tout autre chose de miser avec des plaques de dix dollars et d'en gagner cinq mille. »

Pendant un an, les Projecteurs avaient connu des problèmes de matériel — fils dessoudés, connections défectueuses, décharges électriques, solénoïdes bloqués, fluctuations dans les signaux. S'ils voulaient se transformer en joueurs professionnels, ils ne pouvaient plus se permettre d'avoir des fils qui leur passaient partout. Il fallait mettre au rebut la première génération d'ordinateurs eudémoniques, de même que les ceintures sacro-iliaques, les plaques à solénoïdes, les T-shirts à antennes et les soutiens-gorge à ordinateurs. Parvenu à ce stade, le Projet avait besoin d'une nouvelle génération d'ordinateurs, plus compacts, plus fiables, plus efficaces, avec une plus grande capacité d'intégration et moins de puces. « Si on avait réussi à n'avoir qu'une seule puce, dit Ingerson, on aurait résolu le problème, au moins de façon interne, des mauvaises connections. » Pour les Eudaemonic Enterprises, l'enjeu était maintenant la miniaturisation et le slogan de la micro et de la macro-économie était devenu « Toujours plus petit ».

Ils avaient pensé qu'il leur faudrait environ six mois pour construire une nouvelle génération d'équipement. Mais à mesure que Doyne et le Chaos Cabal pénétraient plus profondément dans les mystères de l'attraction étrange, il leur restait de moins en moins de temps à consacrer au Projet. Après dix-huit mois d'absence passés à fabriquer ses ordinateurs, Doyne était maintenant de retour à l'université, avec des articles à publier et des cours à donner. La « professionnalisation » de l'équipement exigerait encore beaucoup de temps et de talent. Il fallait revoir la conception de l'ordinateur, le reconstruire entièrement et écrire un nouveau programme. Qui serait assez fou pour s'atteler à une tâche pareille ? Ce n'était pas le genre de choses qu'on pouvait mentionner dans un curriculum, et les Eudaemonic Enterprises n'avaient pas grand-chose à proposer en matière d'incitation financière. La perspective d'une part du Gâteau eudémonique servie à une date ultérieure et inconnue était certes assez appétissante, mais tout individu ayant les capacités nécessaires pour construire un ordinateur capable de calculer les résultats de la roulette pouvait entrer chez Intel en demandant un salaire annuel de départ de trente-cinq mille dollars sans parler des actions en bourse à option et autres douceurs. Le Projet était donc au bord de la faillite après avoir connu quelques réussites prometteuses. Son seul espoir de survie était le fait improbable qu'il tombe entre les mains d'un hacker possédant les connaissances requises en informatique, en électronique, en physique, en mathématiques et en théorie de l'information. De plus, il faudrait que ce hacker sache tenir sa langue, soit adroit de ses mains, sans emploi, et prêt à travailler la nuit, les week-ends, pendant les vacances et tout le reste du temps. Lorsqu'il signerait avec les Eudaemonic Enterprises, ledit hacker recevrait un salaire minimum, payé irrégulièrement, et une part du Gâteau eudémonique. Il n'y avait qu'un endroit au monde où une telle demande avait une chance minime d'avoir une seule réponse. Sur les marges montagneuses de Silicon Valley, le Projet fit passer une annonce dans le canard disant qu'on recherchait un hacker « extraordinaire ».

« Quand on a démarré le Projet, dit Doyne, j'étais naïf, je nous voyais tous embarqués sur le même bateau, tous solidaires. Tout le monde prendrait ça au sérieux, on resterait unis jusqu'au bout. Et comme je croyais qu'on était tous impliqués, il y avait des moments où je trouvais ça dur que ce soit à moi de prendre les risques. Je n'avais pas imaginé que je serais un membre plus important que les autres mais, en fin de compte, je faisais une part du boulot cent fois plus grosse. Il faut croire que j'avais vraiment envie que le Projet aboutisse. Je considérais ça comme une occasion pour moi de me distinguer, et quand je suis décidé à faire quelque chose, je n'y renonce pas facilement. Mais arrivés à ce stade, s'il n'y avait personne pour prendre la relève, on ne pourrait pas aller jusqu'au bout. »

Parmi les solutions envisagées pour sauver le Projet, une idée revenait toujours : pour arriver à ne plus avoir tout le matériel sur le corps, il faudrait que les Eudaemonic Enterprises parviennent, par quelque opération magique, à fourrer ordinateurs, piles, antennes et solénoïdes à l'intérieur d'une chaussure ou, au pire, de deux chaussures. Était-il possible de fabriquer un ordinateur déambulatoire ? Était-il vraiment réaliste d'imaginer faire entrer les circuits et tous les dispositifs périphériques dans une chaussure ? La réponse à ces questions était une miniaturisation extrême, encore jamais réalisée même par les Japonais. Les Eudaemonic Enterprises avaient déjà fait des découvertes dans le domaine de la physique de la roulette — elles avaient résolu des équations de mouvement qui régissent le jeu —, à présent, leur nouveau défi était de construire un ordinateur suffisamment petit pour fonctionner depuis l'intérieur d'une chaussure.

« Nous étions convaincus que le Projet allait marcher, dit Norman. Mais après la virée de janvier, nous avons compris qu'il nous fallait une plus grande fiabilité, car le manque de fiabilité était en train de nous tuer. Et pour que le Projet fonctionne, nous devions absolument mettre l'ordinateur dans une chaussure, ce qui allait coûter très cher. D'après nos estimations, cela reviendrait à mille dollars de refaire le système à cette échelle. Je n'avais pas d'argent. J'étais déjà dans le rouge pour mes frais universitaires et j'étais parfois obligé d'emprunter de l'argent à Doyne ou à Letty rien que pour payer ma part à la maison. Rétrospectivement, ça me paraît complètement fou que nous nous soyons lancés dans cette aventure insensée alors que j'étais bourré de dettes. De toute évidence, nous étions motivés par la perspective du Gâteau céleste. Nous étions jeunes et persévérants. Jusqu'à présent, le Projet avait réussi à tenir grâce à l'argent de Doyne, mais il était au bout du rouleau. Nous avions besoin d'investissements extérieurs, faute de quoi le Projet n'arriverait jamais à rentrer dans une chaussure. C'est le point de vue que Letty a avancé pour annoncer qu'elle allait financer la construction du nouveau matériel et mettre à disposition un capital de jeu suffisant pour aller à Las Vegas et pousser un peu les mises. Elle prêtait depuis longtemps de l'argent à Doyne, mais c'était son premier engagement officiel dans le financement du Projet en tant que tel. »

En vue de la construction de l'ordinateur dans une chaussure, Doyne demanda à Jonathan Kanter de revoir le système radio qui permettait au preneur de données et au joueur de communiquer. Ayant défait ses dreadlocks et renoncé aux manifestations les plus voyantes du Rastafarianisme, Kanter gagnait sa vie en vendant des idées à Silicon Valley. Une fois, il était allé en vendre une à une société de montage vidéo, ce qui avait été le point de départ de nombreux allers et retours pour leur en vendre d'autres.

Depuis le début, la liaison radio était le talon d'Achille du Projet. Elle était toujours en panne, en dérangement, souffrait des changements de température ou du bruit environnant. L'induction magnétique n'était pas repérable par les casinos, mais les joueurs eux-mêmes avaient parfois du mal à la détecter. La tâche de Kanter consistait à faire que les émetteurs arrivent à sortir un signal net, sans confusion possible.

« On peut se les représenter comme un champ magnétique qui se tortille, dit Norman à propos des émetteurs et des récepteurs. On met une boucle de fil dans le champ et ça produit un voltage qu'il faut amplifier pour obtenir un signal décelable par l'ordinateur. Je savais quel plan adopter, mais sa mise à exécution et sa réalisation n'étaient pas chose facile. Nous avions déjà modifié les appareils deux ou trois fois, et lorsque Jonathan suggéra de partir d'une autre conception, nous avons décidé de dire oui.

« Le gros problème était de filtrer le signal pour le faire sortir. Ça n'aurait pas été compliqué si celui-ci n'avait pas été si fort, ce qui en proscrivait l'usage car les casinos auraient pu le repérer. Nous voulions opérer, comme ils disent dans leur jargon technique, *près du bruit.* Mais aussitôt que l'on tente d'opérer près du bruit, on court le risque de tomber dedans. »

Dans sa nouvelle conception de la liaison radio, Kanter avait conservé l'idée de base consistant à transmettre des signaux au moyen de l'induction magnétique. L'émission et la réception se faisaient par voie numérique, comme ces nouvelles chaînes stéréo qui ont un affichage digital à quartz sur les tuners, mais Kanter ajouta des filtres pour débarrasser les signaux des bruits indésirables. « Les filtres amélioraient considérablement la clarté », déclara-t-il, et pour deux semaines de travail sur la liaison radio, il fut payé six cents dollars. C'était la première fois que les Eudaemonic Enterprises sortaient de l'argent pour leur nouvelle génération d'équipement.

Après l'intervention de Kanter, le Projet cessa d'avancer. Il retourna à Silicon Valley et aucun autre hacker compétent ne se présenta. Le Gâteau eudémonique s'envolait de nouveau, rendu plus léger que l'air faute de substance : le Projet se trouvant bloqué, les nouveaux émetteurs et récepteurs de Kanter rejoignirent le reste des ordinateurs et du matériel eudémonique dans des boîtes en carton. Celles-ci étaient conservées au sous-sol de la maison de Riverside, où elles allaient pouvoir moisir tranquillement pendant huit mois.

Par un après-midi ensoleillé d'avril 1980, Norman revenait de Mellis Market avec plusieurs baguettes de pain français sous le bras lorsqu'il rencontra Mark Truitt, un de ses anciens étudiants. À l'âge de trente-deux ans, celui-ci était en train de terminer ses études de physique après s'être spécialisé dans l'art et la sociologie. Étant le plus brillant de sa promotion, il aurait pu décrocher n'importe quel job à Silicon Valley. Mais il ne voulait pas entendre parler de quoi que ce soit qui ait un rapport avec l'armée ou la fabrication de la bombe et il commençait à voir que c'est ce que font, directement ou indirectement, la plupart des physiciens. Le jour même où il rencontra Norman par hasard, Truitt sortait de chez Watkins-

Johnson, une firme d'électronique située à mi-chemin entre Santa Cruz et San Jose. Il venait de refuser la place qu'on lui proposait en apprenant qu'on allait utiliser ses talents pour construire des appareils de brouillage de radar pour bombardiers.

« Un job pour les militaires, c'est un travail sans âme, dit-il.

— On a peut-être quelque chose à te proposer, fit Norman. Tu n'as qu'à venir dîner pour qu'on puisse en parler. »

Après le dîner, Doyne, Norman et Mark sortirent de la maison et descendirent au sous-sol. Ils ouvrirent une porte fermée à clef, traversèrent une petite pièce avec un sol en ciment et des étagères en bois et ouvrirent une seconde porte qui les fit pénétrer au fond de la cave. Et c'est là que sur le sol en terre battue, ils trouvèrent les boîtes en carton et les valises dans lesquelles le Projet, qui n'avait pas fonctionné depuis un an et demi, était stocké.

« Après m'avoir expliqué le système et m'avoir demandé si cela m'intéressait de construire la deuxième génération d'ordinateurs, raconte Mark, ils ont pensé que je devais jeter un coup d'œil à l'équipement. Nous nous sommes donc mis en devoir de tout sortir de la cave et de tout apporter dans la petite pièce sous l'escalier. De ces boîtes et de ces valises moisies, ils extirpèrent des T-shirts à antennes, des chaussures à double fond, des ceintures sacro-iliaques, des boîtes de piles, et des ordinateurs. Tout sentait le moisi. Mais on a tout étalé sur les étagères et on a même réussi à faire sortir un petit quelque chose de l'un des ordinateurs.

« Ils m'ont donné une boîte de piles et un ordinateur pour que je les emporte chez moi et que je les regarde de plus près. J'avais aussi une chaussure avec un bouton dedans. Je les ai mis dans le tiroir de ma commode et je les sortais de temps en temps pour y jeter un coup d'œil. Mais je n'avais qu'une idée en tête : était-il possible de faire tenir l'ordinateur dans une chaussure ? Chaque fois que je les regardais, je me disais que c'était vraiment un problème énorme pour les piles, sans parler du reste du matériel. J'ai dessiné le croquis d'une grande chaussure avec les piles et l'ordinateur à l'intérieur, et rien que les piles, pas toutes même, couvraient la surface entière de la chaussure.

« Après avoir fait le schéma, j'ai cessé de penser au Projet. Je n'arrivais plus à le prendre au sérieux. J'ai toujours aimé les plans à la Robin des Bois, et c'est pour ça que le Projet m'avait plu. Mais je ne pensais pas que ce soit un travail pour moi. »

Doyne avait été invité à passer l'été et l'année suivante à travailler sur les théories du chaos et de la turbulence au département de l'aérospatiale de l'University of Southern California. Avant de déménager pour Los Angeles, il prit rendez-vous avec Mark et discuta avec lui du Projet au Banana Joe's, lieu de rencontre des étudiants à l'université. Était également présent pour l'entrevue Jim Warner, le technicien en électronique attaché au département de physique de l'université de Santa Cruz. Warner connaissait l'existence du Projet et avait déjà donné des conseils pour résoudre des problèmes de matériel. Doyne lui expliqua qu'il fallait maintenant faire entrer l'ordinateur dans une chaussure. Puis Mark sortit son croquis pour montrer que même les piles ne pouvaient pas tenir dans un espace aussi réduit, et encore moins l'ordinateur, les solénoïdes et le reste des circuits.

« Mon Dieu, s'exclama Warner, mais pourquoi vous avez besoin de toutes ces piles ? »

Doyne expliqua que l'ordinateur fonctionnait pendant plusieurs heures d'affilée. Les EPROM, les RAM, les émetteurs, les récepteurs et les solénoïdes exigeaient deux sortes de courant, du douze et du cinq volts, qui à leur tour demandaient deux faisceaux de piles pour que le tout puisse marcher pendant une soirée de jeu.

« Pourquoi vous n'éteignez pas l'ordinateur ? demanda Warner. Quand il ne fait pas de calculs, coupez le jus. Vous économiserez beaucoup de courant. »

« On a tout de suite vu que c'était une bonne idée, dit Mark. Mais il s'avéra qu'elle était beaucoup plus difficile à mettre en application que l'on ne le pensait. C'est la première fois pourtant que quelque chose me donnait vraiment envie de travailler sur le Projet. »

Au cours des semaines suivantes, Mark dessina un autre schéma indiquant le circuit nécessaire pour allumer et éteindre l'ordinateur. Le microprocesseur marcherait à plein courant pour entrer les paramètres et faire les calculs prévisionnels. À d'autres moments, il ne tirerait pratiquement pas de courant. Cela réduisait sensiblement le nombre de piles nécessaires, et quand Mark eut fini de faire son deuxième croquis, pour la première fois il apparut qu'il y avait une possibilité pour que le Projet arrive à faire tenir un ordinateur dans une chaussure.

« Norman, Doyne et moi, dit Mark, nous avons discuté à partir de mon schéma pour le circuit de mise sous tension et de coupure du courant, et nous sommes tombés d'accord pour dire que c'était la marche à suivre. Mais pour construire ce genre de circuit dans un ordinateur, il faut beaucoup de puces supplémentaires parce que, quand l'ordinateur fait baisser le voltage, il doit se rappeler d'où il vient et comment y retourner. On pourrait dire que la nouvelle conception transformait de la mémoire en courant. Et quand on a vu le nombre de puces qu'il fallait pour contrôler le nouveau circuit, on s'est dit : " Mon Dieu, mais tout ça va encore nous remplir la chaussure. " »

Mark dit qu'il allait se pencher sur la question. Il remit tous ses composants dans le tiroir de sa commode, les ressortant de temps à autre pour réfléchir au problème. Au printemps, il reçut son diplôme avec mention très bien et le lendemain, il commençait à travailler comme unique employé des Eudaemonic Enterprises. Il nettoya la petite pièce du sous-sol et y construisit un établi. Il jeta les T-shirts à antennes et fit prendre l'air aux ordinateurs. Entouré de deux oscilloscopes empruntés au département de physique, de l'ordinateur KIM et du programmeur de PROM, de la roulette, d'une étagère remplie de manuels techniques et de plusieurs dizaines de grandes boîtes à glace en plastique pleines d'EPROM, de RAM et autres composants électroniques, il avait installé le dernier en date d'une série de laboratoires eudémoniques.

Mark n'habitait pas loin de la maison de Riverside, au premier coin de rue en sortant par le portail de derrière, dans un petit bungalow qui avait autrefois servi de bicoque de vacances. Aux heures les plus inattendues du jour et de la nuit, il pouvait se balader tranquille dans l'Atelier, comme il disait, pour réfléchir aux trois problèmes techniques que Doyne lui avait donnés à résoudre. En se coinçant, les solénoïdes avaient déjà provoqué des brûlures sur Ingrid et des décharges sur d'autres personnes. Il était aussi arrivé que le circuit responsable des solénoïdes grille entièrement. C'était le premier point à régler. Ensuite, il fallait concevoir et réaliser un circuit pour réguler le courant arrivant à l'ordinateur, dans lequel des puces de mémoire et de logique remplaceraient des piles. La troisième et dernière tâche de Mark était de trouver un moyen concret de faire tenir le nouvel ordinateur dans une chaussure.

Pour une miniaturisation aussi radicale, il était évident que l'ancienne technique du Projet, dans laquelle les puces étaient montées sur des supports et reliées par un système de câblage, allait devoir être remplacée par des cartes de circuit imprimé, des plaques de plastique recouvertes d'une couche de cuivre sur lesquelles on peut charger les puces directement sans aucun support ni câble intermédiaire. La construction des cartes de circuit imprimé serait confiée à une maison spécialisée de Silicon Valley. Doyne se chargeait de toutes les modifications de programme rendues nécessaires par le nouveau matériel. Mais c'était à Mark de proposer au moins un schéma approximatif pour l'agencement des cartes, car c'était la seule façon d'avoir une idée de la taille définitive de l'ordinateur. Pour résoudre le problème des solénoïdes, mettre au point le circuit de variation du courant et faire une maquette d'un ordinateur équipé de circuits imprimés dans une chaussure, Mark recevrait deux mille dollars, payables à la présentation de la première chaussure réussie, plus un salaire minimum pour toutes les heures passées à travailler sur le Projet. Il estimait avoir à résoudre trois problèmes simples, et pensait en avoir terminé à la fin de l'été. Il était loin de se douter, pas plus que quiconque d'ailleurs, qu'il serait encore en train de se battre avec les détails de construction d'un ordinateur à caser dans une chaussure à la fin de l'été *suivant.*

« Chez Mark, seul l'hémisphère droit du cerveau fonctionne », disait Doyne pour expliquer la personnalité de Truitt. Il faisait allusion aux facultés d'intuition et d'association, théoriquement localisées dans l'hémisphère droit, qui permettaient à Mark de faire passer en toute liberté son esprit d'une trouvaille scientifique à une autre. Mais le fait que Mark n'ait *que* l'hémisphère droit en fonction créait aussi certains obstacles. Par exemple, il était privé des zones spécialisées dans l'art de manier le langage et de traiter l'information avec une certaine continuité. C'est-à-dire que les idées de Mark, aussi brillantes fussent-elles, n'étaient pas accessibles dans une conversation en langage courant.

« Mark peut m'expliquer quelque chose pendant des heures et des heures, dit Doyne, sans que j'arrive à me faire la moindre idée de ce dont il est en train de me parler. Je ne comprends que quand Norman arrive et me traduit. L'esprit de Mark fonctionne selon un processus à ramifications au cours duquel il poursuit une demi-douzaine d'idées à la fois. »

Mark le disait lui-même : « J'ai de l'énergie sauvage partout. » Il présentait les symptômes classiques de l'hyperactivité. C'était un survolté de l'intellect, jamais au repos, faisant circuler son esprit de principe élémentaire en principe élémentaire sans admettre a priori quoi que ce soit mais en remettant tout en doute jusqu'à preuve du contraire. « Je pense que l'idée que la lumière se déplace à une vitesse constante n'est qu'une supposition dogmatique, m'a-t-il dit.

J'ai essayé de démontrer cela à deux de mes professeurs, mais aucun n'a voulu écouter ce que j'avais à dire. C'était trop hérétique. Parmi tous les enseignants de l'université, Norman a été le seul à accepter de prendre en considération le fait que la vitesse de la lumière n'est pas constante. Je l'avais comme assistant de physique en deuxième année et à partir de ce moment-là, je suis allé le voir aussitôt que je me posais d'autres questions philosophiques. »

Doyne avait également été l'assistant de Mark pour un atelier en électronique, où il était chargé des cours sur les ordinateurs. « Lorsque nous sommes arrivés à l'étude des microprocesseurs, dit Mark, Doyne s'est servi de sa propre expérience avec le Projet comme élément de base pour son enseignement. Un jour, il a même apporté un des ordinateurs conçus pour la roulette, mais à ce moment-là, je ne savais pas à quoi il était destiné.

« Je n'oublierai jamais le premier cours de Doyne sur les microprocesseurs. Il était mal construit, ça m'a donné mal à la tête et toute la salle râlait mais il avait piqué ma curiosité. Une demi-heure après la fin théorique du cours, il était encore en train de parler. On avait une pause pour le dîner et des travaux pratiques au labo après. Entre le cours de Doyne et le moment de retourner au labo, j'ai repris mes esprits et j'ai tout compris. J'ai eu la révélation des idées fondamentales nécessaires à la compréhension des ordinateurs et, depuis ce soir-là, je n'ai jamais rien appris de si nouveau. »

Mince, les yeux marron, et une barbe rousse, Truitt, comme tous les autochtones de la côte Ouest, porte des chaussures de jogging, des jeans, un T-shirt, et arbore une montre digitale à quartz au poignet gauche. Mais sa démarche élastique et ses gestes rapides dénotent clairement une personnalité métaboliquement supérieure à la normale. Quand on parle avec lui, il y a des moments où on a l'impression qu'en un élan d'enthousiasme, il va se soulever du sol et léviter. Il n'arrête pas de s'interrompre et de revenir en arrière sur ce qu'il a dit. Des phrases entières sont achevées et annulées dès la fin du premier mot. Son visage allongé, ses pommettes hautes, sa barbe en broussaille et son front haut le font ressembler à un Dostoïevski jeune, possédé alternativement par des visions de Dieu et de roulette.

Comme la plupart des Projeteurs, Truitt était un de ces garçons de l'Ouest qui avait vu du pays et passé son adolescence sur fond de spoutnik et de guerre du Vietnam. Né à Santa Barbara, Californie, en 1948, deuxième fils d'un professeur de chimie, il fut victime de ce qui, pour sa génération, illustrait le conflit familial typique, et allait de l'accident de moto à la révolte politique en passant par d'autres drames profondément ancrés dans l'Œdipe. « Quand j'étais petit, j'étais tellement hyperactif que ça donnait le tournis à tout le monde, dit-il. Si la Ritalin avait existé à l'époque, ils m'en auraient gavé. »

Élevé dans une famille de chrétiens réactionnaires, de missionnaires et de quakers, Mark prit leurs préoccupations éthiques, les purifia avec l'existentialisme et en conclut que la seule solution était la révolution. « Je prenais toujours les positions les plus extrémistes. Ma famille avait en moi l'avocat du diable. J'avais lu Camus et Sartre, plongé dans l'existentialisme et fini par me ranger à l'avis de Camus pour dire que si Dieu existait, j'étais contre. À l'époque où je terminais le lycée, je m'étais détaché de tout ce qui m'entourait. » Mark s'était aussi éloigné de la science et de quelques-uns de ses plus extraordinaires talents personnels.

Assistant à une conférence religieuse au lycée, il avait été impressionné par un débat entre un quaker et un chercheur scientifique. « J'ai trouvé que le scientifique était aveugle au monde qui l'entourait. Il m'a semblé que les études scientifiques vous polarisent trop sur le détail alors qu'il est plus important d'avoir une vision large. En terminale, j'ai donc décidé de ne pas faire de sciences. J'ai arrêté les cours de maths et je voulais abandonner tout le reste avec. Je pensais devenir philosophe, écrivain ou homme politique. »

En 1967, Mark entama sa carrière d'étudiant à l'Occidental College, avec des semestres supplémentaires passés à Swarthmore et à Mexico. « On peut avoir une idée de la chronologie comme ça. J'étais à Swarthmore quand le Président est mort d'une crise cardiaque au moment où les étudiants avaient occupé les bâtiments de l'administration, et j'étais à Mexico pendant la Convention de Chicago. À cette époque, je militais à plein temps, je n'arrêtais pas d'occuper des locaux. » Étudiant théoriquement la sociologie, Mark passait en réalité plus de temps à faire de la peinture, de la sculpture et à écrire des nouvelles. Au bout de quatre ans d'études, il abandonna sans avoir passé son diplôme. Pour ne pas faire son service, il paya cinq cents dollars un cabinet d'avocats spécialisé de Los Angeles. Il avait en plus pris la précaution de se faire des amis à Vancouver et dans d'autres villes de la frontière canadienne.

Étant donné l'entéléchie de la révolution des années 60, Truitt passa de la politique à l'agriculture. Travaillant dans une plantation d'avocats, il s'occupait des arbres et faisait de la menuiserie. Il allait souvent à Vancouver, faisant avaler des kilomètres à ses voitures et ses motos qu'il conduisait à vive allure le long de la côte, jusqu'à ce que la mort le frôle de si près qu'il fut persuadé qu'il était le prochain sur la liste. Il eut un accident de voiture dans lequel il perdit son meilleur ami, alors qu'ils roulaient à quatre heures du matin sur la route n° 5 entre Berkeley et L.A. « Ça m'a complètement secoué, dit-il. Je me suis débarrassé de ma voiture et j'ai arrêté de conduire. Avant, j'avais l'impression d'être immortel, j'escaladais des montagnes, j'étais téméraire. Je me suis toujours arrangé pour avoir de la chance et m'en sortir. Mais ç'a été l'expérience la plus dure de ma vie. »

Alors qu'il s'enfonçait dans le bourbier du découragement, Mark vit arriver son sauveteur en la personne d'une fille de six ans de moins que lui et originaire, comme lui, de Santa Barbara. Américano-japonaise, Wendy Tanizaki avait un sourire lumineux qui éclairait un visage où brillait non seulement l'intelligence, mais aussi une sorte de connaissance plus profonde. Mark avait retourné un grand potager organique. Ils plantèrent du maïs ensemble. Lorsque Wendy entra à la fac à l'université de Californie à Santa Barbara, Mark quitta sa plantation et la suivit sur la Côte où il réussit à trouver un travail de restauration d'antiquités. « Quel que soit le travail, je prétendais que j'étais un spécialiste en la matière. Mais ça, ce n'était pas n'importe quoi. Il fallait de la technique et cela s'apparentait à la création d'une œuvre d'art. » Déjà perfectionniste par nature, c'est en travaillant à Santa Barbara comme ébéniste que Truitt affina ses dons d'artiste et d'artisan, talents qui allaient lui servir plus tard pour fabriquer des ordinateurs dans des chaussures.

Lorsque Wendy changea d'université pour aller à Santa Cruz, Mark la suivit et entama un second cycle d'études. Il recommença à zéro, se spécialisant cette fois dans l'écologie. « J'étais obsédé par l'énergie solaire, dit-il. Ensuite, Wendy est partie passer deux ans en Italie par un échange universitaire. J'étais complètement à plat et, pour me consoler, je me suis remis à la physique, et je n'ai fait que ça jour et nuit tout le temps qu'elle a été partie. » Il suivit suffisamment de cours pour passer des examens en maths et en physique. Les rabatteurs de Silicon Valley commençaient à le solliciter et il se dit qu'il « pourrait peut-être faire carrière dans l'électronique ».

Après avoir travaillé pendant l'été à fabriquer des amplificateurs de radio, Mark se vit offrir une situation à plein temps au Stanford Linear Accelerator. Mais il avait refusé pour épouser Wendy à son retour d'Italie et terminer sa dernière année à Santa Cruz. Et c'est à ce moment-là seulement, lorsqu'il fut sur le point d'obtenir son diplôme de physique, qu'il se mit à chercher du travail à Silicon Valley. « Sachant que je pourrais toujours refaire de l'ébénisterie, j'ai décidé de tenter ma chance avec la science encore une fois. Je ne risquais pas grand-chose et je pensais que je pourrais me faire pas mal d'argent. »

Pour sa première expédition sur le marché du travail, Mark prit le bus de Santa Cruz jusqu'à Watkins-Johnson, une des sociétés d'électronique exilées de Silicon Valley vers la Côte pour des raisons de place. Les Santa Cruz Mountains forment une barrière naturelle entre l'intérieur technologique et les rivages autrefois paisibles de la baie de Monterey, avec leurs bois d'acajou enveloppés de brouillard, leurs vallées verdoyantes et leurs champs de choux de Bruxelles sur les falaises dominant l'Océan. Ce petit paradis était très apprécié par les retraités de tous âges, jusqu'à ce que la culture dominante fasse ses premières incursions à Santa Cruz en y construisant une annexe de l'université de Californie. Avec celle-ci apparurent de nouveaux cadres pour le marché du travail, et chaque année, ils avaient de moins en moins loin à aller vers l'intérieur, les firmes de technologie avancée franchissant les montagnes pour les retrouver sur la route n° 17. Aux dernières nouvelles, un des frères Antonelli aurait vendu son jardin de bégonias sur le Pacifique, livrant ainsi la Côte même aux mains des fabriques de semi-conducteurs.

Ayant parcouru les huit kilomètres qui le séparaient de Watkins-Johnson, Mark rencontra un ancien camarade de classe de Santa Cruz, Rob Lentz, qui avait aussi rendez-vous pour le même poste. Ils assistèrent ensemble à une conférence d'orientation, où on leur apprit que Watkins-Johnson voulait les faire travailler sur un programme urgent consistant à mettre au point des brouillages de radar pour des bombardiers de l'armée de l'Air. Refusant ce genre de choses, Truitt s'en alla. Lentz resta ; il convenait pour l'emploi et l'accepta.

« Je suis sorti, dit Mark, parce que je savais que si j'avais eu l'entrevue personnelle, j'aurais attaqué le type. J'avais laissé tomber les sciences au lycée parce que je trouvais que ça ne servait qu'à fabriquer des armes. J'avais fini par surmonter cette idée, et voilà que pour le premier travail auquel je me présente après mes études de physique, on veut me faire construire des appareils pour brouiller les radars. L'électronique aujourd'hui sert surtout à des fins militaires. Il faut bien voir que le gouvernement achète frénétiquement tout un tas de gadgets électroniques. »

Quand Norman le rencontra ce jour-là devant Mellis Market et l'invita à aller voir l'ordinateur eudémonique, Mark eut l'impression qu'il n'avait que deux choix dans la physique. Travailler pour l'armée à faire des bombes et des bombardiers, ou pour les Eudaemonic Enterprises pour battre la roulette. La seconde l'attirait nettement plus.

# 12

## *Les chaussures magiques*

Les machines me prennent par surprise très fréquemment.

Alan Turing

Il faut des dons étranges pour construire des ordinateurs. En plus de la connaissance des mathématiques, de l'électronique et de l'ingénierie, une certaine forme de sensibilité est requise pour donner la vie à des morceaux inertes de silicium. Il faut parler le langage des machines, qui n'est pas plus articulé qu'une série de grognements électroniques télégraphiés passant par une unité centrale de traitement en mégahertz, ou millionièmes de secondes. Il faut descendre jusqu'au niveau des éléments binaires et les forcer deux par deux dans un dédale de branchements. Mais, tout en s'abaissant jusqu'au langage de la machine, il convient cependant de posséder la compréhension des niveaux supérieurs de la pensée informatique, qui n'est pas vraiment de la pensée, mais des éléments binaires de silicium transistorisés disposés en boucles d'une logique qui ne *devient* de la pensée que par la densité de l'itération.

Une fois dotés de vie et promus à l'état de machines pensantes, les ordinateurs, comme les enfants, doivent encore apprendre à faire attention. Les programmes ne sont rien de plus que des dispositifs fournisseurs d'attention. Plus le programme est complexe, plus l'ordinateur pourra soutenir son attention pendant longtemps. Il est encore plus laborieux d'inculquer à ces machines une habileté manuelle. Les ordinateurs peuvent réaliser une grande variété de tâches. Ils peuvent souder par points des pare-chocs, déclencher un allumage, composer des réveils téléphonés, faire vibrer des solénoïdes. Mais, pour faire la liaison entre la conception et la réalisation, fût-ce de la plus simple de ces tâches, il leur faut soutenir leur attention pendant l'itération de *plusieurs milliers* d'étapes logiques.

Construire un ordinateur de A à Z, le programmer pour jouer à la roulette, lui apprendre à faire vibrer des solénoïdes, lui inculquer la faculté de transmettre des signaux radio, le construire à l'intérieur d'un soulier et franchir le seuil de la porte, chaussé du premier modèle de série, tout cela n'est pas une mince affaire. Pour accomplir cet exploit, il faut des connaissances en physique, en mathématiques, en électronique, en théorie de l'information, en artisanat et en cordonnerie. Et l'étonnant de la chose, c'est que soit Truitt possédait des connaissances dans tous ces domaines, soit il faisait semblant et voulait les acquérir. L'empressement qu'il montrait à courir là où les anges n'osent pas mettre les pieds lui donnait toutes les chances de devenir le Léonard de Vinci de la création d'ordinateurs.

Ces diverses connaissances techniques n'empêchaient pas que Truitt prenait au Projet un grand plaisir avant tout d'ordre esthétique. Un ordinateur dans une chaussure représentait pour lui la perfection du minimalisme technologique. C'était le « mot juste » du silicium. Il irait au-delà de la toile et des couleurs pour créer une œuvre d'art avec des cartes de circuit imprimé et des puces. Il croyait que le moyen d'expression des microprocesseurs allait délivrer le message du XXe siècle. C'est dans le silicium que, selon lui, les gens devraient rechercher le concept contemporain de la beauté. Les mécènes de l'art nouveau étaient les Intel et les Hewlett-Packard de Sunnyvale, qui finançaient les artistes par milliers pour concevoir les diagrammes de machines pensantes, de machines réagissant à la voix humaine, de machines qui se réparent et se reproduisent toutes seules.

En plus de son tempérament d'artiste, Mark possédait ce qu'il appelait des « rythmes naturels », qui pouvaient lui ordonner de ne travailler que la nuit, ou de fourrer un ordinateur dans un tiroir et de le regarder du coin de l'œil tous les matins en enfilant ses chaussettes ; mais tout le monde eut vite fait d'accepter ses méthodes, car elles étaient efficaces. On s'habitua à l'entendre ouvrir le portail de derrière de Riverside aux heures les plus incongrues, traverser le jardin, ouvrir le verrou de l'Atelier de la cave, et se laisser aller à ses rêves de cités de silicium construites dans des souliers. Comme tout artiste attaquant une grosse commande, il commença par faire des esquisses. Il dessina des dizaines et des dizaines de diagrammes de branchement pour le circuit de l'interrupteur et pour les vibreurs de solénoïdes, où résidaient les problèmes techniques qu'il avait à résoudre avant de se mettre à travailler sur l'ordinateur lui-même.

« J'ai réglé la question des solénoïdes presque tout de suite, ce qui était encourageant. Je me suis aperçu qu'ils recevaient du courant continu de l'ordinateur. Mais il arrivait que l'ordinateur se perde dans son programme et échappe à tout contrôle, auquel cas la sortie du solénoïde montait. Cela pompait tout le courant des piles, faisait fondre les spires de cuivre sur les solénoïdes, faisait sauter les transistors et provoquait des brûlures chez les joueurs. La solution était simple. J'ai ajouté un condensateur aux circuits des solénoïdes, ce qui ne laissait passer que les impulsions et empêchait le courant de sortir en continu de l'ordinateur. »

Avec sa « méthode à ramifications », Mark travaillait simultanément à la conception d'un circuit d'interrupteurs pour réduire la tension dans l'ordinateur quand il n'ajustait pas les paramètres et ne se livrait pas à des calculs. « Au début de l'été, j'avais fait le dépannage de la partie électronique, et en même temps j'avais eu l'idée d'un circuit d'interrupteurs, non pas avec les liaisons, mais rien que l'idée déjà. Ensuite je me suis penché sur l'histoire de tout faire tenir dans une chaussure, parce que je me disais que si j'avançais dans la construction du circuit, je n'aurais peut-être toujours pas assez de place. C'est à ce moment-là que m'est venue l'idée de faire un ordinateur-sandwich. »

À sa connaissance, personne n'avait encore jamais construit d'ordinateur fait pour que l'on marche dessus. À problème nouveau solution nouvelle : Mark allait séparer les deux fonctions de base de l'ordinateur, logique et mémoire, en deux unités distinctes, renverser l'une des deux et la serrer sur l'autre. L'une des deux opérait uniquement dans le domaine des bits, les éléments binaires par lesquels les ordinateurs orientent le silicium vers la mémoire. Il contiendrait le microprocesseur, EPROM, et les RAM nécessaires pour travailler sur l'algorithme de la roulette. L'autre partie aurait une horloge, cinq puces de logique, et les transistors et les amplificateurs au moyen desquels l'ordinateur pourrait s'adresser au monde extérieur par l'intermédiaire de *top* d'orteils, de signaux radio et de vibrations de solénoïdes. « En regardant tous les composants disposés sur une surface plane, j'avais constaté qu'ils étaient trop nombreux pour tenir dans une chaussure. C'est alors qu'avait surgi en moi l'idée de faire deux cartes de circuit imprimé qui tiendraient l'une sur l'autre comme un Choco BN. Il allait falloir jouer en même temps sur l'épaisseur et la surface totale en tâchant de faire un compromis. Mais j'étais persuadé que cette solution allait marcher. » Avec à peine plus de cent dollars de composants électroniques, Mark finirait par réussir à réaliser un ordinateur-sandwich « déambulatoire » qui, une fois terminé, aurait environ cinq centimètres de large sur une dizaine de long, et moins d'un centimètre et demi d'épaisseur.

« Je poursuivais toutes ces idées de façon désordonnée, ou tout au moins discontinue. J'avais déjà commencé à travailler sur l'ordinateur-sandwich avant d'avoir terminé le dépannage des solénoïdes. » Craignant de voir Mark se perdre dans sa cité invisible, Doyne monta de Los Angeles. Au bout d'une semaine de travail ininterrompu, ils avaient réglé l'affaire des solénoïdes, mis un schéma au point pour le circuit d'interrupteurs, réécrit le programme avec les instructions pour le nouveau circuit, et tracé les premiers croquis complets de l'ordinateur dans une chaussure.

« Vers la fin de ce premier été, dit Mark, je travaillais comme un malade. J'étais complètement obsédé. » Mais l'apparition d'une nouvelle difficulté absorbait son attention au détriment de ses autres préoccupations ramifiées. Mark était allé rechercher Harry qui avait été remisé dans la cave avec les autres vieux ordinateurs. Il l'avait débarrassé de son salpêtre et l'avait installé dans son Atelier. « Je voulais qu'il marche à la perfection avant de continuer à construire la génération suivante de machines. Mais en le testant, je m'aperçus que Harry se perdait sans arrêt dans son programme. C'était grave, parce que soit il émettait des signaux faux, soit il pompait tout le jus des piles. » Travaillant d'arrache-pied pour vérifier chaque câble, chaque support, chaque composant et chaque puce afin de voir s'ils assuraient une continuité électrique, Mark passa plusieurs semaines à chercher l'origine de la panne du matériel de Harry. « J'ai fini par faire descendre le taux d'erreur de 3 à 1 %, c'est-à-dire que chaque fois qu'on lui disait de faire quelque chose, l'ordinateur avait une chance sur cent de se tromper. Cela ne pouvait donc pas arriver plus d'une fois par heure, mais cela restait intolérable et il n'y a aucune raison de laisser un ordinateur faire des choses pareilles.

« Je me sentais terriblement frustré. Après tout ce que j'avais investi de moi-même dans le Projet, je m'apercevais que l'ordinateur n'était pas suffisamment fiable. À la mi-septembre, j'ai fini par dire : “ Qu'est-ce que c'est que ce bazar ? Je sais que je ne suis pas censé m'occuper du programme, mais j'ai des soupçons et ça ne peut plus durer comme ça. ” Je suis allé chercher le manuel du programme dans le sous-sol et je l'ai potassé pendant une semaine. À ce moment-là, il faisait cent cinquante pages et je l'ai étudié ligne par ligne. C'était le dernier recours. J'avais essayé tout ce que j'avais pu imaginer et j'étais prêt à abandonner. »

À la fin de la semaine, Mark trouva l'erreur. À la première ligne d'un sous-programme, une commande simple mais nécessaire pour dire à l'ordinateur de faire attention avait été omise. C'était le genre de chose que seule une machine stupide avait besoin qu'on lui dise. Étant donné les milliers d'instructions qui entrent dans un programme, la tâche consistant à se souvenir de la signification de chacune est simplifiée en regroupant les instructions en fichiers auxquels on peut donner le nom de « Comment circuler sur la piste des modes » ou bien « Les roulettes inclinées ».

« En programmation, explique Mark, il est fréquent de faire des sous-programmes composés de nombreux modules séparés. Ça gagne de la place dans le programme. Au lieu d'écrire dix fois les mêmes instructions quand on veut faire faire telle ou telle chose à l'ordinateur, on exécute le sous-programme à toute vitesse et on retourne au programme. J'utilise énormément les sous-programmes. Cela économise beaucoup de travail quand on veut perfectionner un seul jeu d'instructions pour une fonction déterminée.

« Le programme que le Projet a écrit pour la roulette comprend beaucoup de sous-programmes. Mais il y a une chose à laquelle il faut faire très attention : quand l'ordinateur entre dans un sous-programme, il doit garder une trace pour savoir d'où il vient. Autrement, lorsqu'il a terminé, il n'a aucun moyen de se rappeler d'où il est parti. Les sous-programmes peuvent utiliser d'autres sous-programmes qui utilisent d'autres sous-programmes, et une fois qu'on en a empilé une centaine, on se retrouve avec une combinaison supercompliquée.

« Avant de se brancher sur un sous-programme, l'ordinateur est censé stocker l'information nécessaire dans sa mémoire à accès direct. La première ligne du programme devrait donc dire à l'ordinateur : “ Souviens-toi des adresses des sous-programmes où tu vas et d'où tu viens. ” Et moi, j'ai examiné le programme pendant huit jours avant de voir qu'il ne comportait pas cette commande. Et, à cause de son absence, quand on branchait l'ordinateur, il lui arrivait de se promener jusqu'à une adresse au hasard et de se perdre. »

Avant de commencer à travailler sur la construction proprement dite du nouvel ordinateur, Mark dessina une autre série de croquis d'une liaison radio destinée à opérer entre l'ordinateur-sandwich et son commutateur de modes, qui se trouverait dans la chaussure gauche du preneur de données. Cette seconde liaison radio éliminait tous les fils qui, auparavant, couraient le long de ses jambes. Dans cette nouvelle installation, le preneur de données aurait un commutateur de modes et un émetteur dans sa chaussure gauche, et un récepteur de modes, un ordinateur-sandwich et un émetteur dans sa chaussure droite. L'émetteur de gauche assurerait la communication entre le commutateur de mode et l'ordinateur, alors que le droit transmettrait les calculs de l'ordinateur à un autre sandwich dissimulé dans la chaussure droite du joueur.

Ayant terminé sa dernière série de croquis, Mark acquit enfin la conviction qu'il était effectivement du domaine du possible de réaliser des ordinateurs-sandwiches (avec microcommutateurs, solénoïdes, émetteurs et récepteurs radio, et piles) suffisamment petits pour tenir dans trois chaussures magiques. Il acheva la révision des solénoïdes, mit la dernière main à la conception du circuit d'interrupteurs, et était content d'avoir débogué le programme. Il dessina un agencement d'échantillons des cartes de circuit imprimé nécessaires à la réalisation des ordinateurs-sandwiches. Et, une fois tout cela fait, il se mit en grève. Il ferma la porte de l'Atelier à clef et on cessa de le voir entrer par le portail de derrière.

« J'ai arrêté de travailler pour le Projet pendant une semaine. C'était une période de crise. » La crise naquit de l'existence de la frontière perméable, jamais complètement définie, entre le matériel et le logiciel. Si ce n'est la brève visite de Doyne, Mark avait travaillé seul pendant tout l'été comme unique employé des Eudaemonic Enterprises. Ayant suivi une piste qui l'avait mené d'un problème à l'autre, il avait finalement été forcé de pourchasser un bon nombre de bogues jusque dans le programme lui-même. La programmation du nouvel ordinateur était soi-disant du ressort de Doyne, et Mark n'était responsable que de sa conception et de sa réalisation : le matériel. La division du travail parmi les constructeurs d'ordinateurs est fréquente mais souvent impossible à respecter. Les bogues passent du logiciel au matériel en franchissant une barrière pour eux arbitraire et poreuse. Pour les chasser, Mark avait lui-même été obligé de traverser la ligne de démarcation entre matériel et logiciel et, ce faisant, il s'était laissé prendre dans les mailles du filet pour se retrouver responsable de la programmation de l'ordinateur du Projet en plus de sa construction. Par conséquent, il exigeait deux choses, sans lesquelles il refusait de reprendre le travail. Il voulait que ses nouvelles responsabilités soient reconnues, et il voulait de l'argent.

À la fin du mois d'octobre, avec tous les Projeteurs réunis à Santa Cruz pour la surprise-party annuelle de Halloween, Doyne, Norman, Letty et Mark entamèrent les discussions visant à remettre le Projet sur les rails. « J'ai eu tellement de frustrations et de difficultés, expliqua Mark, que j'ai sérieusement envisagé de laisser tomber. C'était la première fois que je rencontrais Letty, et elle et les autres avaient un point de vue raisonnable sur mes soucis. Objectivement, tout le monde a été d'accord pour reconnaître que j'avais dû m'occuper de beaucoup de choses qui incombaient théoriquement à Doyne ou à Norman, ou que l'on avait supposées achevées alors qu'elles ne l'étaient pas. Nous avons donc passé deux jours à mettre au point un nouvel accord. »

Une partie de cet accord prit la forme d'argent liquide. Il allait recevoir tout de suite les deux mille dollars qui lui avaient été promis. L'investissement en temps de Mark pour le Projet, qui avait été calculé sur la base d'un salaire minimum, avait déjà largement dépassé ce chiffre. En plus de cette avance en espèces, on établit un salaire différé correspondant à dix dollars de l'heure. Mais à ce stade, le Gâteau en tant que tel fut soumis à une transformation. On lui accola une rallonge, définie comme les premiers gains du Projet, et qui servirait à payer la moitié du salaire différé de Mark. L'autre moitié, ainsi que les gains de tous les autres, serait prélevée démocratiquement sur le bon vieux Gâteau sous la forme d'une part triangulaire. Pour Doyne en particulier, qui arrivait déjà à un total colossal de trois mille cinq cents heures, cet arrangement était dur à avaler. Sans une nouvelle génération d'ordinateurs et un autre raid sur les casinos, le Gâteau, avec ou sans rallonge, ne serait jamais servi.

Toutes les personnes concernées commençaient à se rendre compte que le Projet était devenu trop compliqué pour qu'un seul Projeteur puisse en garder le contrôle. Doyne était encore maître d'un programme avec une centaine de sous-programmes imbriqués, et l'arcane des émetteurs et des récepteurs radio restait dans les limites de la compétence de Norman. Letty leur apportait un soutien financier et maintenant Mark avait acquis le statut de directeur général chargé de la réalisation de l'ordinateur proprement dit. Au nom de la solidarité eudémonique, ils se serrèrent la main pour sceller le nouveau contrat et Mark se remit au travail. La grève était terminée, et la tension de la semaine se dissipa avec les vapeurs de Halloween.

Comme les précédentes, la party de Halloween avait un thème. Il était de nature politique, en référence au fait que les communautés et les gestions collectives disparaissaient un peu partout pour faire place à des entités construites autour d'un noyau plus traditionnel. C'était une montée du conservatisme. À la télé, on assistait en direct au transfert d'un cow-boy de Hollywood à la Maison-Blanche. L'argent et le pouvoir revenaient à la mode. Pour étayer l'ordre nouveau, on avait recours à la vieille religion, une forme d'intégrisme chrétien agressif prêt à déclarer la guerre au péché, dont la définition incluait la plupart des choses qui faisaient partie de la vie de tous les jours à Santa Cruz, Californie. C'est ainsi que, dans l'esprit du carnaval qui embrasse les démons et les exorcise par la danse, les membres de la communauté de Riverside invitèrent tout le monde à choisir pour Halloween une « forme de répression religieuse »

Riverside Street fut inondée ce soir-là par une image du péché encore plus voluptueuse que celle qui apparaît dans les sermons les plus évocateurs du feu de l'enfer jamais prononcés par Jerry Falweel. Au cours de cette messe noire animée d'un grand sens de l'humour, on vit des anges travestis danser le bop avec des diables rouges. Dans la maison elle-même, on avait installé des chapelles et des grottes avec des cierges qui brûlaient. Il y avait des pièces consacrées au mysticisme, à la guérison par la foi, à l'imposition des mains et à d'autres rites sacrés ou profanes. Une chambre abritait un Autel aux Rôles sexuels, avec des photos de Burt Reynolds et Dinah Shore, des publicités pour des améliorations physiques et des couvertures de romans d'amour de la collection Harlequin. Dans la salle à manger, on avait installé une croix sur laquelle les gens pouvaient aller se faire crucifier chacun leur tour.

Lorna Lyons arriva, déguisée en sainte Agnès, vierge et martyre du XIVe siècle pour avoir repoussé les avances d'un soupirant à l'âge de treize ans. Elle portait une longue robe blanche, une auréole en boules de coton hydrophile et un maquillage « pour ressembler à une morte. Sainte Agnès était une belle femme qui avait toujours des hommes à ses basques mais qui refusait de se faire sauter, expliqua Lorna. Le premier qui a essayé de la prendre de force se retrouva aveugle et muet. Elle a eu pitié de lui et lui a rendu la vue. Mais, voyant les pouvoirs qu'elle possédait, les gens étaient tellement furieux qu'ils lui ont coupé les seins. J'ai toujours eu plaisir à imaginer son regard foudroyant capable de destruction ».

Portant l'uniforme des bérets verts, des lunettes de soleil miroir et un T-shirt portant les mots « Dieu, Mère et Patrie », Jim

Crutchfield se présentait comme « mercenaire du Christ ». Norman était déguisé en pommier avec un serpent dans ses branches. Ingrid apparut sous les traits d'une Vierge Marie punk. Quant à Letty, c'était madame Dollar et elle était complètement couverte de billets collés sur elle. Doyne, monsieur Moi-Je, était l'apothéose de la « *me-generation* ». Mais, plus tard dans la soirée, attaché à la croix dans la salle à manger, il fut soumis à une crucifixion puis à une résurrection symboliques. « J'ai été transformé en un non-moi, dit-il. J'ai été guéri et j'ai émergé de la misère du moi-je, j'ai pu ainsi revoir les gens autour de moi. »

Quelques jours avant la party, j'avais reçu un coup de téléphone de Doyne. « Est-ce que ça t'intéresse de jouer à la roulette ? demanda-t-il. On est en train de préparer une expédition, et tu pourrais nous être utile. » En plus de son invitation à aller jouer à la roulette avec un ordinateur dans ma chaussure, Doyne avait un service à me demander. Il fallait passer l'année à Los Angeles, à l'université de Californie du Sud, USC, et les autres membres du Chaos Cabal étaient plongés dans leurs recherches sur les attracteurs étranges, ce qui voulait dire qu'il allait laisser Mark travailler au Projet tout seul dans le sous-sol de la maison de Riverside. Est-ce que je pourrais passer à l'Atelier de temps en temps pour lui dire un petit bonjour ? Entouré de RAM, de ROM et du gazouillis d'un programme de cent cinquante pages stockées sur cassette, Mark apprécierait peut-être d'avoir un contact avec un être humain.

Doyne et moi, nous nous étions connus sur les bancs de l'université de Californie à Santa Cruz. C'est surtout une institution de premier et deuxième cycles, et il y a tellement peu d'étudiants de troisième cycle, une centaine en tout et pour tout, qu'il n'est pas rare de voir des écrivains et des physiciens discuter ensemble. J'étais au courant de l'existence du Projet Rosetta Stone depuis plusieurs années, mais je fus tout de même surpris d'apprendre à quel point son incarnation la plus récente était avancée et financée. Doyne m'appela à un moment où je souffrais d'une crise de rédactionnite aiguë. Cette maladie frappe les étudiants diplômés pendant la phase finale de la rédaction de leur mémoire. La maladie, qui peut être mortelle, est composée d'un mélange d'extrême lassitude, d'insomnie et d'autres symptômes psychosomatiques pouvant aller de la chute des cheveux au satyrisme. J'ai donc bien entendu sauté sur l'occasion d'aller jouer à la roulette à Las Vegas avec un ordinateur dans ma chaussure. C'était à l'opposé du fardeau qui pèse sur la conscience. Doyne me garantit que je n'aurais aucun mal à m'en sortir les doigts dans le nez. Bien sûr, cela impliquait de prendre quelques risques. Mais il serait bien plus facile, pensai-je tout de suite, d'affronter la mafia que mon jury de thèse. Un croupier-chef pouvait m'emmener dans une arrière-salle et me poser un tas de questions critiques. Mais à ce moment-là, en parlant aux gars de Las Vegas, le truc consisterait à divulguer le moins de renseignements possible. Quel soulagement ! Après avoir dû me préparer à répondre à tout, à prendre l'air informé et à l'aise à l'oral, j'étais ravi à l'idée d'avoir à la fermer, d'être clandestin, de prendre des précautions. Lorsqu'il s'agit d'avoir un rôle dans ce film noir, je donnai l'assurance à Doyne que j'étais le personnage douteux sur lequel il pouvait compter.

La première fois que j'eus l'occasion de passer à la maison de Riverside, je trouvai Mark dans le jardin en train d'extraire d'un bain d'acide des petites plaques de fibre de verre couvertes de cuivre « Je suis en train de faire des cartes de circuit imprimé, me dit-il. C'est la première fois que j'essaie, alors je me suis dit que j'allais commencer avec des petits morceaux. »

Si on veut fabriquer un ordinateur de A à Z, comme c'était le cas de Mark, on va dans une boutique et on achète quelques puces de logique et de mémoire, une horloge à quartz, quelques transistors et d'autres composants que l'on relie ensemble pour faire un circuit. Parmi les diverses manières de fabriquer ces circuits, la plus simple est le câblage. On monte les puces sur des supports en enfonçant leurs pattes-aiguilles dans une carte en fibre de verre puis on les relie avec des brins de câble conducteur. Pour les premiers ordinateurs du Projet — Raymond, Harry, Patrick, Renata et Cynthia —, on avait utilisé cette méthode, mais cette technique prenait trop de place dans le cas de quelque chose d'aussi compact qu'un ordinateur-sandwich. C'est ce qui avait poussé Mark à passer à celle, plus sophistiquée, des cartes de circuit imprimé.

Une fois terminée, une carte de circuit imprimé consiste en de fines lignes de feuille de cuivre incrustées sur une base en fibre de verre. C'est sur ce réseau de lignes, qui représente un circuit électronique, que l'on branche directement les puces sans supports ni câbles intermédiaires. Une fois que le service de la conception a mis au point un circuit valable, Hewlett-Packard et IBM commandent leurs cartes de circuits imprimés par millions. Leurs installations de production sont nettement plus sophistiquées, mais les méthodes qu'ils emploient pour la fabrication des cartes sont essentiellement les mêmes que celles utilisées par Mark avec son bain d'acide dans son jardin. Tout d'abord, la conception. On rassemble tous les composants nécessaires à la construction d'une cité électronique — ses banques de mémoire, ses banques de données, ses bus et ses unités centrales de traitement — et on cherche à les relier entre eux dans un proche voisinage. Puis vient la mise en place. On dispose les puces sur un terrain électronique factice en Mylar en essayant de trouver le meilleur réseau d'autoroutes et de rampes d'accès pour les connecter et former une métropole laborieuse. Ensuite, le dessin. On trace un plan noir et blanc représentant la ville une fois terminée, avec des pointes à la place des supports de cuivre sur lesquelles seront branchées les puces. On passe alors à la réduction par photo et on reproduit le graphique sur la carte avec une substance protectrice. On termine par la gravure à l'acide, la plus grande partie de la surface de cuivre disparaissant pour ne laisser que les lignes enchevêtrées d'un circuit métallique incrusté sur un support en fibre de verre. « Lorsqu'on en est là, dit Mark, il ne reste plus qu'à brancher les éléments dessus. »

Tout de suite après Halloween, Mark s'était attelé à la tâche du circuit imprimé. Il est rare que les constructeurs d'ordinateurs fabriquent leurs cartes eux-mêmes. Ils sous-traitent et confient ce travail à des sociétés plus petites spécialisées dans la conception, la mise en place, le dessin, ou la photogravure des circuits imprimés. Les Eudaemonic Enterprises avaient aussi prévu de faire faire leurs cartes, mais après avoir feuilleté l'annuaire et téléphoné à une douzaine de sociétés de Silicon Valley, Mark constata avec surprise qu'ils prenaient plus de deux mille dollars rien que pour le dessin, plus cinq cents dollars pour la fabrication d'un prototype. C'était trop pour le Projet, alors Mark décida de tout faire lui-même. À l'exception des composants internes, les ordinateurs-sandwiches eudémoniques seraient donc complètement faits à la main. Mark se lançait dans la fabrication maison de la technologie de pointe.

Avec un papier et un crayon, il entreprit de dessiner un circuit. « Il faut trouver son chemin dans un labyrinthe, dit-il. On travaille dans un enchevêtrement à trois dimensions de lignes qu'il faut mettre en place sur une surface à deux dimensions. Dans les boîtes de Silicon Valley, il y a des services entiers spécialisés dans ce genre de choses. Ils ont même des ordinateurs programmés pour résoudre le problème du dédale à votre place. Un ordinateur peut engendrer plus de versions d'un circuit qu'une personne ne peut en digérer.

Quand j'ai eu terminé, j'étais complètement écœuré. Mais un ordinateur ne possède pas la faculté d'avoir la nausée. »

Mark travaillait sur une table à lumière bricolée. Utilisant du papier millimétré, il dessina des dizaines d'essais de circuits pour les composants qu'il lui fallait entasser et relier. « Étant donné le nombre de lignes, on ne peut pas résoudre toutes les difficultés à la fois. Alors, on fait plusieurs versions du circuit ; à chaque fois, on résout certains problèmes et on en pose d'autres. On arrive à connecter trois lignes correctement pour s'apercevoir qu'une autre se retrouve bloquée. Les lignes ne peuvent pas se croiser sans entrer en contact. Alors il faut s'en occuper une par une, et quand une partie du circuit a l'air d'aller, on copie le tracé des lignes sur du papier millimétré avant d'aller arranger une autre partie qui a l'air catastrophique. »

En cherchant une solution au dédale, Mark commença le dessin. Il utilisait un papier collant noir très étroit pour protéger les lignes sur un prototype en Mylar qui ressemblait un peu à un morceau de cellophane rigide. Il travaillait à grande échelle, le papier collant n'avait que 0,8 millimètre de large. Après avoir tracé les lignes et s'être assuré qu'aucune ne se touchait, Mark fixa des petites étiquettes représentant les plaques de cuivre sur lesquelles les puces seraient branchées en fin d'opération.

Lorsqu'il eut fini de tisser son dédale impeccable de lignes et de plaques, Mark alla porter son dessin chez un photographe pour le faire réduire. On lui rendit un négatif du schéma exactement de la même taille que la carte de circuit intégré prévue, mais les lignes et les plaques noires sur l'original apparaissaient maintenant comme un filigrane transparent sur un fond noir. Le transfert de ce négatif sur une carte revient exactement à faire une planche contact en photographie. La lumière est projetée à travers le négatif sur une surface qui est impressionnée, rincée et fixée. Mais, au lieu d'utiliser du papier photo, on « imprime » les circuits électroniques sur des morceaux de fibre de verre couverts d'une feuille de cuivre d'un millimètre et demi d'épaisseur.

Mark avait passé un mois à mettre au point la conception du circuit ; il lui fallait maintenant fabriquer les plaques elles-mêmes. Travaillant dans une chambre noire avec une laque sensible à la lumière, une ampoule de 150 watts, un bain de solvant, un projecteur et une solution de gravure de perchlorure de fer, il faisait franchir à ses matériaux la demi-douzaine d'étapes nécessaires à la transformation d'un tracé négatif en positif sur un circuit d'ordinateur. En sortant la première carte de circuit imprimé du bain d'acide, Mark regarda les lignes qui le sillonnaient et pensa en son for intérieur que tous les problèmes de conception qu'impliquait la construction d'un ordinateur dans une chaussure avaient été résolus.

« Ce jour-là, j'étais vraiment content. Dès que j'avais vu la première carte sortir du bac, j'ai su que ça allait marcher. » Percer, charger et souder un circuit de cette dimension exige beaucoup de travail. Les composants qui y seraient fixés seraient difficiles à dépanner. Il fallait encore que Mark trouve un moyen de fixer les cartes ensemble pour former des sandwiches. Et il y avait le problème final consistant à installer l'ordinateur dans des chaussures à double fond. Ces « petits détails techniques » allaient lui prendre encore un an de travail à temps plein pour être réglés, mais, en ce qui le concernait, Mark estimait que le Projet était déjà une réussite totale.

# 13

## *La cité de l'informatique*

La fortune incertaine est bien maîtrisée par l'équité du calcul.

Pascal

Les acacias sont en fleur et l'air est plein du doux parfum des freesias et autres plantes printanières, quand je reçois un coup de téléphone de Doyne me demandant si je veux aller avec lui faire des achats à Silicon Valley. Il n'y va pas pour acheter des provisions ou des vêtements, mais un autre article vendu là dans des dizaines de magasins grands, petits, de soldes ou de luxe. Il va faire son marché de puces de silicium. Les cartes faites à la main du Projet, après avoir été percées et limées à dimension, sont prêtes à recevoir leur chargement de RAM, ROM, transistors, diodes et autres composants qui garnissent l'ordinateur.

Ayant quitté Santa Cruz en début d'après-midi, nous roulons, Doyne et moi, dans les futaies d'acajou qui bordent la route n° 17, puis traversons les Santa Cruz Mountains en direction de San Jose. Cette mégalopole sert d'ancre à l'extrémité sud de la Santa Clara Valley, plus connue sous le nom de Silicon Valley. Nous obliquons vers le nord sur la route n° 101, et pénétrons dans la brume rosée de la vallée proprement dite. Traversant les villes contiguës de Sunnyvale, Mountain View et Palo Alto, nous faisons des arrêts en chemin en quittant la grand-route pour emprunter les larges avenues d'anciennes villes agricoles aujourd'hui homogénéisées en villes-dortoirs et services de maintenance pour Hewlett-Packard, Intel, Memorex, Teledyne, Synertek, Siliconix et des dizaines d'autres compagnies, dont les noms sont des abréviations de plusieurs mots appartenant au langage électronique. Les usines d'ordinateurs elles-mêmes sont abritées dans d'immenses hangars construits sans fenêtres à cause de l'air conditionné. À l'exception des toits de tuiles et des entrées en verre, ils n'offrent guère au regard que des hectares et des hectares de béton préfabriqué. Autour des hangars s'étendent des parkings et des clôtures avec des barrières qui régulent le flot des voitures. Les véhicules, avant de sortir, s'arrêtent aux barrières, et des gardiens quittent leur guérite à air conditionné pour fouiller les porte-documents des passagers et parfois leurs poches.

« Le vol est un gros problème dans la Vallée, me dit Doyne. Un porte-documents plein de puces peut représenter trente mille dollars. »

Au lieu de stationner au quartier général de la profession, nous garons le Blue Bus dans un parking non gardé à Halted, un magasin de composants de Santa Clara dont l'intérieur ressemble au garage d'un hacker devenu fou. Des postes de radio et de télévision en pièces détachées et des antennes tapissent les murs, et le reste de l'espace est occupé par des étagères métalliques grises bourrées jusqu'au plafond de boîtes de pièces électroniques. Le contenu de chaque boîte est indiqué au crayon, avec des précisions données en ohms et en farads, mais il y en a de nombreuses marquées « divers » ou « ? ».

Doyne me tend un carton de « résistances assorties » et me dit de prendre les plus petites, avec des valeurs de l'ordre du milli-ohm. Les corps cylindriques des résistances sont codés en couleurs par un arc-en-ciel de rayures, et je mets au creux de ma main des dizaines de perles africaines ; Doyne me donne d'autres boîtes à fouiller pour trouver des condensateurs mesurés en picofarads, qui valent chacun $10^{-12}$ d'un farad. Ressemblant à des sucettes miniatures avec des bâtons en papier, les condensateurs sont également codés par couleurs, dans les verts, bleus et violets. Après avoir acheté plusieurs bobines de fil d'antenne pas plus gros qu'un cheveu, nous sortons du magasin avec soixante-quinze dollars de marchandises qui tiennent dans un sachet en papier de la taille d'un Esquimeau.

Remontant la Vallée vers le nord, nous passons devant ce qu'on pourrait prendre pour un terrain de dépôt avec des dizaines de boxes à louer, jusqu'à ce que je comprenne, à l'enseigne, qu'il s'agit d'une usine de puces. Puis nous longeons un autre bâtiment fait en arches de brique qui s'enfilent à l'infini, le faisant ressembler à un restaurant McDonald qui aurait deux kilomètres de long. Après Halted, notre prochain arrêt est pour Anchor Electronics, qui n'est en fait rien d'autre qu'un entrepôt avec une cloison de verre à travers laquelle une dame passe les puces. Doyne a téléphoné à l'avance, et la femme nous attend avec un choix de puces CMOS, RAM et EPROM qu'elle a placées dans deux tubes en plastique antistatique, qui font chacun cinquante centimètres de long. CMOS (*c*omplementary *m*etal *o*xide *s*emiconductor, semi-conducteur à oxyde métallique complémentaire) est le nom générique d'une famille de puces faites pour travailler sans consommer beaucoup d'énergie et dans des conditions et des températures très variées. Bonnes pour les missiles de croisière et les bombardiers B 1, ces puces ne sont pas mauvaises non plus pour des ordinateurs pour la roulette montés dans des chaussures. Doyne a encore besoin de condensateurs, et il reste au guichet une vingtaine de minutes à parcourir une liste de prix. « Nous voulons ce que vous avez de plus petit, ne cesse-t-il de répéter à la dame. Elle ne pose pas de questions, mais cesse bientôt de fournir des sachets en plastique pour les condensateurs. « À deux cents pièce, les sacs sont trop chers », explique-t-elle. Doyne paie avec un chèque des Eudaemonic Enterprises et nous sortons avec deux tubes de puces et un sac de condensateurs pour une valeur totale de cent quatre-vingt-sept dollars.

Essayant d'arriver avant la fermeture, nous poussons le Bus toujours vers le nord de la Vallée jusqu'à Zack Electronics à Palo Alto. Zack's ressemble à une quincaillerie avec un comptoir longeant un mur d'un bout à l'autre. Mais les écrous et les boulons que l'on y vend sont destinés à la haute technologie et coûtent fort cher. Palo Alto est un quartier chic, et le fil d'antenne qui vaut deux dollars chez Halted est ici à onze dollars quatre-vingt-dix-neuf. Derrière le comptoir, deux personnes sont en train de fouiller dans des boîtes de composants pour servir Doyne. Il achète un fer à souder à pointe extra-fine, un rouleau de fil d'antenne, quatre piles miniatures d'1,5 volt et une poignée de résistances pour cent cinquante dollars. Nous sommes les derniers clients à sortir du magasin, et nous nous faufilons dans les encombrements de l'heure de pointe en nous dirigeant vers les montagnes qu'il nous faut franchir pour regagner Santa Cruz.

Plusieurs semaines plus tard, je retrouve ces puces et ces composants câblés ensemble et formant un prototype d'ordinateur connu sous le nom de carte expérimentale, résultat du travail minutieux que représente l'assemblage des ordinateurs. Un après-midi, Norman arrive chez moi avec quelque chose qui ressemble à une boîte de papier photo Kodak. « Ça va peut-être t'intéresser de jeter un coup d'œil là-dessus, dit-il en ouvrant sa boîte. C'est une carte expérimentale d'ordinateur. Il y a là-dedans à peu près tout ce qui compose ces machins. » Je regarde dans la boîte et vois deux morceaux de mousse de polystyrène dans lesquels ont été épinglés une poignée de puces noires et des composants multicolores. Ils me rappellent les planches entomologiques du Muséum d'histoire naturelle, où l'on peut voir des espèces d'insectes exotiques capturés dans des micro-habitats radicalement différents des nôtres. Il ne manque que les étiquettes à la collection de Norman ; mais elles sont remplacées par des filigranes de câble courant d'un spécimen à l'autre. « Quand les puces seront montées sur une carte de circuit imprimé, dit Norman, elles n'auront plus besoin de fils. C'est la carte elle-même qui les reliera en un circuit et le tout sera beaucoup plus compact. »

Les composants épinglés sur les deux morceaux de polystyrène expansé ont été répartis en fonction de la moitié de l'ordinateur-sandwich qu'ils occuperont et divisés en puces de mémoire et puces logiques, la première catégorie étant la plus importante et la plus grande des deux. La plus grosse puce, de toute évidence reine de la collection, est un rectangle noir comptant pas moins de quarante pattes. « C'est un microprocesseur MOS Technology 6502, dit Norman. On pourrait dire que c'est le cerveau de l'opération. »

Le microprocesseur est un composant tellement important pour le fonctionnement d'un micro-ordinateur que les mots *microprocesseur* et *micro-ordinateur* sont devenus pratiquement synonymes. « Il n'y a pas un choix énorme de microprocesseurs, m'expliqua Mark plus tard. Il doit y en avoir une vingtaine, mais la plupart font partie de la même famille de composants. Il existe cinq grandes familles de microprocesseurs qui ont chacune leur langage. La plus grande est issue du 8080 fabriqué par Intel, qui à son tour a donné le Z80 fabriqué par Zilog à Cupertino. C'est l'une des quinze sociétés de la Vallée qui appartiennent à Exxon. Le microprocesseur eudémonique fait partie de ce qu'on appelle la série des 6500. Fabriqué à l'origine par MOS Technology, il a été repris par Mostek, une filiale de Texas Instruments, qui a été à son tour absorbée par United Technologies. »

Si l'on cassait sa carapace de plastique ou de céramique, la pièce noire d'un microprocesseur, connue également sous le nom de CPU, (*c*entral *p*rocessing *u*nit) ou unité centrale de traitement de l'ordinateur, révélerait au microscope un treillage gris de silicium. Les uns après les autres, les replis de ce treillage sont serrés en rangées de registres ou d'emplacements de mémoire, certains consacrés à des fonctions arithmétiques et de contrôle, et d'autres capables de mémoire.

« La tâche principale du microprocesseur, dit Norman, est de distribuer les données, qu'il fait passer par ces quarante pattes d'or.

En ce moment, elles sont plantées dans du polystyrène, mais plus tard, elles vont être soudées sur un circuit imprimé. Chaque patte remplit une fonction différente bien que les données montant ou descendant le long de cette patte ne soient rien de plus compliqué qu'un 1 ou un 0. Une patte transmet un bit, ou élément binaire, ce qui veut dire qu'elle peut être soit « on » soit « off ». Mais on peut aussi rassembler les bits et faire passer les 1 et les 0 par tronçons. Un tronçon de quatre 1 et 0 s'appelle un quatre bits ; un tronçon de huit 1 et 0 s'appelle un huit bits, etc. Chaque microprocesseur a une taille de mot caractéristique, qui représente le nombre de bits qu'il peut faire passer d'un seul coup. Le nôtre est un microprocesseur huit bits, c'est-à-dire qu'il manipule des mots de huit bits. D'autres ordinateurs utilisent des mots de longueurs différentes, et la longueur d'un mot est la différence majeure entre les micro-ordinateurs et les grosses machines. L'IBM 360 par exemple se sert de mots de soixante-quatre bits. Un mot aussi long exige d'énormes quantités de traitement, c'est l'une des raisons pour lesquelles ces machines n'ont jamais été miniaturisées. »

Norman soulève le polystyrène de sa boîte et montre du doigt plusieurs puces plus petites épinglées à côté du microprocesseur. « Tu as un micro-ordinateur composé d'un microprocesseur et de deux puces de mémoire supplémentaires. Ces deux-là, les noires, sont des RAM CMOS Harris 256 octets, que l'on peut considérer comme les blocs-notes du système. Comme ce sont des mémoires vives, l'ordinateur peut griffonner dessus quand il cherche à résoudre des équations, puis les effacer avant d'attaquer le problème suivant. Ces puces sont neuves, consomment peu de courant et sont très difficiles à trouver. Apparemment, les gens ne se soucient guère d'économiser un ou deux watts. CMOS, *c*omplementary *m*etal *o*xide *s*emiconductor, est le nom d'une famille de logique qui utilise les oxydes métalliques comme isolants et conducteurs. Lorsque l'on dépose ces oxydes sur différentes couches de silicium, ils forment des transistors. CMOS n'est qu'une des nombreuses familles de logique. La plus courante est TTL, *t*ransistor-*t*ransistor *l*ogic, et chez Hewlett-Packard, on utilise SOS, *s*ilicon *o*n *s*apphire. »

Attirant mon attention sur une autre puce épinglée le long du microprocesseur, Norman me montre un rectangle violet qui ressemble à un modèle réduit de minibus californien avec un toit ouvrant transparent. « C'est la mémoire morte. Elle stocke le programme dans une mémoire à long terme, ou à la lecture seule.

Celle-ci est un modèle grand luxe, un EPROM Texas Instruments 2532 avec quatre mille emplacements de mémoire qui peuvent être reprogrammés autant de fois qu'on veut. Dans la génération d'ordinateurs précédente, il fallait trois puces pour accomplir ce que fait celle-ci toute seule. » Il explique que le toit ouvrant est en fait une fenêtre de quartz et qu'en faisant passer des rayons ultraviolets à travers, on peut effacer les charges électriques qui représentent les 1 et les 0 de la mémoire de l'ordinateur. La puce peut alors être reprogrammée en établissant une nouvelle série de charges.

Dans la hiérarchie des mémoires, la plus simple est fixée de manière permanente dans une ROM (*r*ead-*o*nly *m*emory), mémoire à lecture seule ou mémoire morte. Le degré du dessus est occupé par la PROM (*p*rogrammable *r*ead-*o*nly *m*emory), mémoire morte programmable. Mais la plus souple, qui mime ce que Freud décrivait comme le bloc-notes mystique de l'esprit humain, est l'EPROM (*e*rasable *p*rogrammable *r*ead-*o*nly *m*emory), mémoire morte programmable effaçable. Cette dernière peut être modifiée ou complétée tout au long de la vie de la puce. « Les hackers plaisantent entre eux sur une quatrième sorte de mémoire, qu'ils appellent WOM, *w*rite-*o*nly *m*emory, dit Norman. On peut y mettre de l'information mais on ne peut pas l'en faire ressortir. »

En regardant par la fenêtre de l'EPROM, je vois une masse grise de silicium posée sur un plat doré de lignes conductrices. « Le long du bord de la puce, les lignes décodent et contrôlent sa logique. La masse grise homogène du milieu renferme les quatre mille emplacements de mémoire. Si on bouge légèrement la tête d'arrière en avant, en regardant à travers la fenêtre, on voit des arcs-en-ciel. Ils viennent de très fines gravures sur le silicium qui composent les emplacements proprement dits. Contrairement à l'EPROM, si l'on ouvre la fenêtre d'une puce de microprocesseur, on découvrira une architecture interne beaucoup moins uniforme. On distinguera des zones de silicium destinées à accomplir des tâches différentes. La complexité de ce qu'il réalise rend la structure d'un microprocesseur beaucoup plus complexe que celle d'une puce de mémoire.

« En fait, dit Norman, on pourrait construire un ordinateur en partant uniquement d'un microprocesseur, sans aucune RAM ni ROM extérieures. Ses possibilités seraient réduites parce que les puces de mémoire ne stockent pas seulement de l'information que l'on manipule, mais aussi les instructions servant à faire fonctionner l'ordinateur. Mais le microprocesseur lui-même a déjà une demi-douzaine d'emplacements de mémoire, et cela suffit à gérer le plus simple de tous les programmes, celui qui dit : “ Retourne à l'instruction qui dit retourne à l'instruction. ” Et le microprocesseur resterait là, à retourner à la même instruction en une boucle sans fin. Aussi vain qu'il puisse paraître, ce programme sert assez souvent quand on veut que le microprocesseur se mette au repos entre deux *top*. »

Après m'avoir montré l'EPROM, Norman met un morceau de papier collant sur son toit ouvrant. « Il faut masquer la fenêtre parce que le programme pourrait être effacé par la lumière du soleil. Les rayons ultraviolets rompent les contacts électriques dans la puce et réorientent tous les emplacements de mémoire dans la même direction. Le programme, qui est stocké dans des milliers de petites charges établies entre matériaux, s'envole purement et simplement. Dans ce cas, il serait toujours possible de reprogrammer la puce, mais ce n'est pas toujours aussi simple que ça en a l'air. Sur l'ordinateur KIM, on a installé un circuit spécial qui adresse chaque emplacement de mémoire dans l'EPROM, lui envoie une impulsion électrique et lui donne la charge désirée. Mais il faut faire très attention à ne pas appliquer un mauvais voltage, sinon c'est toute la puce qui disparaît en fumée. On a un cimetière entier d'EPROM à trente dollars qui se sont fait cramer. »

Épinglée dans le polystyrène à côté du microprocesseur, des deux RAM et de l'EPROM, on trouve la cartouche noire d'un PIA Synertek, initiales de *p*eripheral *i*nterface *a*dapter, (circuit d'interface de périphérique). C'est la cinquième — et dernière — qui se trouvera sur la tranche du bas du sandwich. « On a donc, dit Norman, un ordinateur composé d'un microprocesseur et de puces de mémoire. Mais si on veut le faire communiquer avec le monde extérieur, il faut un interface quelconque. »

Pendant que Norman m'explique à quoi il sert, je me dis que le PIA joue un peu le rôle de la direction du port de New York pour l'ordinateur. Il fournit le réseau et les véhicules permettant de déplacer des bits par millions d'une puce à une autre et au-delà, jusqu'aux composants périphériques. Le PIA assure le transfert des bits à l'intérieur de la cité de l'Informatique dans ce qu'on appelle des bus. Les bus vont et viennent depuis des ports de données sur le côté du PIA et ils passent à travers un réseau de circuits imprimés ou de câbles qui couvrent tout le trajet entre l'unité centrale de traitement et la périphérie de l'ordinateur. Dans ces bus voyagent des signaux émis depuis le monde extérieur en direction de l'unité centrale et inversement. D'un côté du PIA se trouvent les lumières clignotantes, les solénoïdes vibrants, les fréquences radio, les frappes et les mots phosphorescents au moyen desquels les humains communiquent avec les ordinateurs. De l'autre côté, il n'y a que la navette silencieuse des électrons franchissant les portes de silicium au rythme d'un million de cycles à la seconde, si ce n'est plus.

Norman montre dans la boîte Kodak un amas de fils multicolores qui fleurissent sur les ports de données du PIA. « Deux sortes de bus arrivent ici, dit-il. Il y a les bus de données et les bus d'adresses. Un bit décide de prendre un bus ou un autre en fonction du plan suivant. Quand le microprocesseur a terminé le calcul d'une prévision de roulette, il a besoin de transmettre les nouvelles à quelqu'un, en l'occurrence le joueur. Et il le fait en mettant seize bits, ou deux octets, dans le bus d'adresse et un autre dans le bus de données. Les octets qui ont pris le bus d'adresses arrivent les premiers et avertissent une patte déterminée du PIA qu'elle doit attendre un message. Celle-ci prévient à son tour le PIA d'envoyer un signal depuis l'un des ports de données, et c'est ce dernier signal qui fait vibrer un relais, transmet une onde radio ou fait tout un tas d'autres choses utiles.

« Le bus de données est bidirectionnel, et le processus fonctionne de la même manière pour l'information arrivant à l'ordinateur. Disons que le microprocesseur doit arracher quelque chose de sa mémoire. La mémoire, rappelle-toi, contient quatre mille octets sur une seule puce. Le microprocesseur veut en prendre un seul ; alors il envoie une adresse par le bus d'adresses, qui dit à la puce de mémoire quel octet il veut. Après que la puce de mémoire a décodé l'adresse, il renvoie l'octet désiré par le bus de données. »

Laissant de côté microprocesseur, puces de mémoire et PIA, Norman sort un deuxième morceau de polystyrène de la boîte Kodak. Y sont épinglés les composants destinés à la tranche du haut du sandwich. Alors que le bas est principalement consacré à la mémoire, le haut se spécialise plutôt en logique. Cinq rectangles noirs, environ de la taille d'un ongle, enfoncent leurs pattes dorées dans le polystyrène. « Ce sont des puces de logique, annonce Norman. Elles disent au microprocesseur quand il doit s'allumer ou s'éteindre. Et ce n'est pas une mince affaire. Comme pour tout le reste de l'ordinateur, l'unité de base d'information pour la puce de logique est le bit. Un bit peut passer par un câble qui a soit un niveau bas, correspondant à un 0, soit un niveau haut, correspondant à un 1. Les fonctions logiques d'un ordinateur sont effectuées par des milliers de câbles disposés en circuits, et les circuits eux-mêmes sont organisés en diverses espèces de cubes de construction. »

Les « câbles » et les « circuits » d'une puce de logique ne sont en fait rien de plus que des emplacements microscopiques appelés portes logiques, gravées par milliers dans la structure cristalline d'une pastille de silicium. Ces circuits d'interrupteurs miniatures ont deux états, ouvert ou fermé, et la façon exacte dont ces deux possibilités permettent aux chiffres binaires de résoudre les problèmes logiques est primordiale pour arriver à comprendre le mode de « pensée » des ordinateurs. Les étapes les plus simples réalisées au niveau des portes logiques procurent la base des formes de connaissance plus avancées d'un ordinateur.

Les ordinateurs entament leur processus de réflexion en remplaçant les relations entre les nombres par des relations entre des affirmations. Les portes logiques accomplissent cette tâche en traduisant des combinaisons de 1 à 0 en « vrai » et « faux ». La logique mathématique des circuits numériques, qui sont les règles d'après lesquelles est effectuée cette traduction, fut mise au point au XIXe siècle par l'Anglais George Boole, contemporain de Charles Babbage. Ces règles, connues sous le nom d'algèbre de Boole, permettent l'expression de relations qui sont simultanément mathématiques et logiques.

L'explication la plus claire de l'algèbre de Bool est donnée par l'observation du processus effectif par lequel l'ordinateur opère et contrôle ses portes logiques. Chaque porte consiste en un commutateur électronique avec deux lignes qui y arrivent et une qui en sort. Lorsque du courant passe dans cette ligne, on dit qu'elle est « haute », et lorsqu'elle n'est pas sous tension, on dit qu'elle est « basse ». Les deux lignes et les deux voltages menant à la porte permettent quatre combinaisons possibles. La façon dont le commutateur interprète ces combinaisons — et permet ainsi d'émettre soit un haut voltage, soit un bas voltage par l'autre côté de la porte — est contrôlée par quelque chose qui porte le nom de table de vérité.

Une table de vérité peut donner l'ordre à la porte de ne s'ouvrir que si et seulement si les deux lignes qui y arrivent sont « hautes ». Ou bien elle peut dire à la porte qu'une seule ligne sous tension est suffisante pour son ouverture. Un commutateur qui fonctionne d'après la table du premier cas s'appelle une porte ET, alors que le second s'appelle porte OU. La logique formelle qui sous-tend le fonctionnement d'une porte ET est exprimée par l'énoncé : « Si, et seulement si, A est vrai *et* B est vrai, leur combinaison est également vraie. » Lorsque les tables de vérité des portes ET ou des portes OU sont inversées en propositions négatives, elles donnent des portes NON-ET et des portes NON-OU. Ces quatre sortes de portes sont les pierres qui permettent la construction de tout ordinateur numérique. La table de vérité pour une porte ET est reproduite ci-dessous ; *a* et *b* représentent les deux lignes arrivant à la porte, et *c* est la ligne qui en sort. Une flèche dirigée vers le haut représente un haut voltage, ou un 1, ou un « vrai ». Une flèche dirigée vers le bas représente un bas voltage ou un 0, ou un « faux ».

| *opérateur* | *opérande* | | *résultat* |
|---|---|---|---|
| | *a* *b* | | *c* |
| + | ( ↑ , ↑ ) | = | ↑ |
| + | ( ↑ , ↓ ) | = | ↓ |
| + | ( ↓ , ↑ ) | = | ↓ |
| + | ( ↓ , ↓ ) | = | ↓ |

Figure 2. La table de vérité pour une porte ET.

« On peut spécifier ce qui se passe à la ligne de sortie d'un ordinateur pour chaque éventualité d'entrée, m'apprend Norman. À partir de ces éléments logiques simples, qui sont assez faciles à construire en électronique, on peut fabriquer des systèmes beaucoup plus compliqués. Le microprocesseur lui-même est entièrement composé de ces blocs logiques, de même que la mémoire. Le microprocesseur contient des milliers de blocs, qui renferment à leur tour plusieurs transistors capables d'être orientés soit " on " soit " off ".

« Sur les cinq puces de logique utilisées dans l'ordinateur du Projet, quatre sont faites entièrement de portes NON-ET, qui sont des portes ET inversées. La table de vérité pour une porte NON-ET aura un 1 partout où la table de vérité pour une porte ET aura un 0. Avant d'aller acheter des puces, il faut d'abord savoir quelles fonctions logiques on en attend. Est-ce qu'on veut des portes ET ou des portes NON-ET ? Une fois qu'on a décidé, on consulte un catalogue pour voir quelles sont les puces qui exécutent ce type de fonction. Puis on prend sa voiture, on va à Silicon Valley, on approche du comptoir et on dit " Pourriez-vous me donner une 7400 ou une CD 4001 s'il vous plaît ? " et la personne à qui tu t'adresses sait exactement ce que c'est. »

En fin d'après-midi, Norman déclare : « Voilà pour les puces. Pour le reste, tu vois ici quelques résistances et condensateurs, un amplificateur, un filtre et deux émetteurs et récepteurs pour transmettre les signaux d'une chaussure à l'autre. La seule autre partie réellement importante de l'ordinateur est cette petite boîte en aluminium. Elle contient l'horloge qui sert à la synchronisation des événements qui se déroulent dans le microprocesseur. Il faut absolument une horloge pour régler les diverses activités de l'ordinateur. Celle-ci est composée d'un quartz liquide qui oscille à un mégahertz, ce qui veut dire qu'elle émet une petite onde carrée qui passe de 1 à 0 un million de fois par seconde. Pendant chaque cycle de l'horloge, le microprocesseur fait quelque chose. Il va chercher une instruction, exécute un ordre, ou met un octet sur le bus de données.

« Cela te donne une petite idée de la vitesse à laquelle tout se déroule. Ça va très vite, beaucoup plus vite que la perception humaine du temps, et c'est l'une des raisons pour lesquelles nous nous servons d'un microprocesseur pour prévoir les résultats de la roulette. Les êtres humains sont lents par rapport à la rapidité de l'électronique. C'est déjà pas mal quand on arrive à avoir des réflexes d'un dixième de seconde. Et c'est encore cent mille fois plus lent qu'un microprocesseur. Bien sûr, dit Norman, en s'appuyant sur le dossier de sa chaise avec un sourire malin, il y a des choses qui prennent beaucoup de temps pour un microprocesseur, faire la conversation par exemple. »

Pour compléter cette collection de puces et de composants épinglés sur le polystyrène, manquent à l'appel de nombreux éléments indispensables au fonctionnement de l'ordinateur, comme les piles pour son alimentation et les solénoïdes pour transmettre ses prévisions. Mais le cerveau de l'opération, c'est-à-dire des milliers de portes logiques orientées en fonction du programme, s'étale devant moi. « Voici en gros ce qui fait un micro-ordinateur, conclut Norman en remettant le couvercle sur la boîte Kodak. Tu vois, ce n'est pas compliqué. L'une des choses les plus étonnantes dans l'industrie informatique, c'est qu'on peut utiliser des microprocesseurs et des micro-ordinateurs — les contrôler et leur dire quoi faire et construire leurs circuits — sans avoir la moindre idée de ce qu'est un transistor, ou de ce qui se passe dans une puce au niveau des électrons. Une fois qu'on a spécifié ses caractéristiques, on n'a pas besoin de savoir quoi que ce soit sur la façon dont une puce est fabriquée. Même pour des premières approximations, on peut être totalement ignorant de toutes ces affaires et ne rien savoir non plus de l'électronique vieille manière. Il suffit de manier les puces comme de petites boîtes noires. C'est magique, mais tout ce qui compte, c'est que ça marche. »

Je grimpe l'escalier d'entrée du 707, Riverside, où je suis invité à dîner et à voir la roulette. Je pousse la porte, qui n'est jamais fermée, et je trouve Norman assis par terre dans l'entrée, son long corps littéralement plié en deux sur une boîte blanche qui, en y regardant de plus près, s'avère être un ordinateur portatif avec clavier, affichage d'une ligne et liaison MODEM par téléphone avec l'unité centrale de l'université. « Je suis en ligne, dit-il en me regardant pour m'adresser son sourire de travers. Tu sais ce que c'est ? Quand la muse appelle, il faut être là. »

Je le laisse entrer ses fonctions de chaos dans sa machine et passe dans le salon où Lorna, avec ses collants noirs — elle sort de son cours de danse jazz — et sa coupe de cheveux à la Jane Fonda (raie au milieu et dégradé autour du visage), est en train de regarder *I Walked With a Zombie* à la télé. « C'est un film des années 30, un genre d'expressionnisme français avec des éclairages incroyables, dit-elle. Il y a des scènes géniales. » Depuis sa cabine de pilotage devant la télé, Lorna gère le tout — venant de Riverside. Voulez-vous savoir s'il reste du cumin à la cuisine ? Demandez à Lorna. Où se trouve la note de téléphone du mois dernier ? Demandez à Lorna. Elle vient de reprendre la fac pour terminer sa licence de lettres, et son travail vient interrompre les projections pendant la journée, mais si vous voulez connaître l'intrigue de n'importe quel film qui ait jamais été projeté sur un écran, demandez à Lorna.

Une odeur de cuisine me fait traverser la salle à manger pour aller jusqu'aux fourneaux où je trouve Jim Crutchfield en train de nous concocter un repas chinois qui s'annonce somptueux. Il dispose ses ingrédients sur une longue table au milieu de la pièce. Je vois des tas de légumes épluchés, des petits pois, des pousses de bambou, des morceaux de gingembre et des filets de poisson marinant dans de l'alcool de riz. L'aide-cuistot de ce soir est Grazia Peduzzi, une gauchiste italienne qui enseigne sa langue maternelle à l'université. Le teint basané, le nez aquilin et le sourire épanoui, elle éclate de rire quand Crutchfield lui montre comment extraire le liquide du tafu enveloppé dans un linge à fromage blanc. Revenant de leur jogging sur la plage, Doyne et Letty entrent dans la cuisine tout rouges, en shorts et chaussures de jogging. La dernière arrivée, ployant sous le poids d'une caméra vidéo et d'un magnétoscope portable, Ingrid annonce : « Je fais un film sur les femmes scientifiques réunies en groupes de travail, mais ça n'en finit pas. Ce qui est drôle, c'est que je fais ça avec trois autres femmes et qu'on n'arrive à s'entendre sur rien. »

Il y a à manger plus qu'il n'en faut pour huit personnes et les plats font le tour de la table les uns après les autres. Doyne et Norman ont gardé leur réputation de gros mangeurs depuis l'époque de Silver City, où ils pouvaient ingurgiter deux poulets entiers à l'Holiday Inn. Voyant que les baguettes ne ralentissent même pas leur rythme, Grazia reprend un fou rire. Crutchfield déguste avec l'air absorbé du chef qui goûte ses sauces. Ingrid prend un numéro de *Good Times* et annonce les films qui passent au cinéma. Lorna fait des commentaires interminables sur les acteurs, les metteurs en scène et les scénarios. Elle condamne sans pitié tout film grand public un tant soit peu « sexiste ou débile » mais, finalement, tout le monde se met d'accord pour aller à une séance où on donne deux films, *Les Damnés* et *Mort à Venise.* « Avec ça, dit Ingrid, on doit avoir sa dose d'angoisse. »

Le repas avance et la conversation commence à tourner autour de l'informatique et de l'évolution.

« Dans cinquante à soixante ans, on sera habitués à voir des machines se reproduire toutes seules, déclare Doyne.

— Mais pour l'instant, on n'a même pas de machines qui se *réparent* toutes seules, remarque Ingrid.

— Il n'y a pas loin de l'autoréparation à l'autoreproduction. Tant qu'elles ne peuvent pas se reproduire, les machines ne sont même pas aussi intelligentes que des amibes. Mais, entre le premier ordinateur construit dans les années 40 et, maintenant, il s'est écoulé si peu de temps que leurs perspectives d'évolution sont étonnantes. Amibe, moisissure, grenouille, *Homo Sapiens,* le prochain échelon de l'évolution serait-il la machine ?

— Nous pourrions être la première espèce à concevoir nous-mêmes notre successeur, dit Letty. La nouvelle espèce viendrait de l'une des deux directions possibles : manipulations génétiques ou machine autoreproductrice. Mais nous n'avons même pas encore de langage pour parler de ces éventualités. Des mots comme machines, espèces et évolution sont trop étroitement liés à d'anciennes significations. »

Après le dîner, une fois tous les autres partis au cinéma, Doyne et moi sortons de la maison et descendons dans le jardin. Nous restons là un moment. L'air de la nuit est un mélange aigre-doux entre l'odeur des magnolias en fleur et celle des anchois échoués au cours de leur passage annuel dans le port. La terre vient d'être retournée. Par-dessus la haie, à l'horizon, le couchant se teinte d'opalescences corail et bleu comme si le ciel allait prendre la place de la mer et inversement. En dehors du bruit des vagues sur le rivage et de l'aboiement des lions de mer qui nagent sous la jetée, la nuit est parfaitement calme.

Pour entrer dans l'Atelier, nous ouvrons la porte sous l'escalier qui constitue une partie du plafond, les murs ayant quant à eux des fentes assez larges pour qu'on puisse admirer le coucher de soleil. L'air est humide et plein de l'âcre odeur de soudure. Les établis et les étagères qui couvrent les murs sont bourrés de matériel électronique, dont deux oscilloscopes, l'ordinateur KIM, les montages expérimentaux et des rangées et des rangées de boîtes à glace en plastique remplies de piles et de composants. Doyne allume la radio, la règle sur KFAT, la station locale de musique country où passe une chanson d'amour de Willie Nelson.

Une grande partie du sol de l'Atelier est occupée par des établis, une boîte de raccordement Heath, une perceuse et une scie à ruban. Il y a aussi une bibliothèque avec un choix d'ouvrages de référence, des cahiers de laboratoire, des catalogues de micro-commutateurs, des brochures de casinos et des romans. Entre le *Guide du radio amateur* et un volume sur la logique transistor-transistor on trouve le *White Album* de Joan Didion. Si la pièce est surtout consacrée à la science, le mur ouest est réservé à l'art. On y trouve, contemplant la scène avec des yeux en verre rouge, une tête de buffle grandeur nature en terre cuite montée sur une planche avec, sous sa barbiche, une plaque dorée portant les mots : *Manifest Destiny.* Au-dessous du buffle, des chaises disposées en cercle entourent une table en billot de bois et une caisse à claire-voie sur laquelle, calée par trois vérins en inox, est posée la roulette B. C. Wills du Projet.

Doyne se penche sur l'engin et me montre l'endroit où le vernis a été brûlé par un stroboscope qui a explosé au cours d'un essai. Il touche le moulinet chromé et fait tourner le cylindre.

Même à la lumière d'une ampoule nue, les numéros rouges et noirs créent une certaine hypnose propre à la roulette en mouvement.

Mais, toutes les quelques secondes, elle fait frrtt, frrtt, frrtt ; Doyne prend un morceau de papier de verre et le glisse entre le cylindre et la carcasse, à l'endroit où ils se touchent. « C'est triste de voir la roulette dans cet état, dit-il. Pendant l'hiver, on l'a rangée sous l'escalier, et au printemps, quand j'ai enlevé ce qu'on avait mis dessus pour la protéger, j'ai trouvé une mare d'eau en plein milieu. La bande de cuivre qui entoure le cylindre est sérieusement voilée. Il faudrait que je la rapporte à Reno pour la faire remettre à neuf, mais pour le moment, on s'arrange avec du papier de verre. »

Une fois que le cylindre ne frotte plus contre la piste, Doyne range le papier de verre et essuie la poussière qui s'est déposée jusque sur la carcasse en acajou qui s'élève comme les gradins d'un stade. Sur ce vénérable morceau de bois, patiné par des années de service, se trouvent les éléments d'un autre jeu — une force contraire, une antiroulette — qui défiera la roulette : que le meilleur gagne !

L'ordinateur eudémonique qui n'est toujours pas monté sur une carte est donc encore planté dans deux couches de polystyrène. Comme les vrilles d'une plante grimpante, les fils multicolores passent de l'ordinateur à plusieurs faisceaux de piles, deux micro-commutateurs et trois solénoïdes. Tous ces éléments forment le système au complet, avec cerveau, alimentation, entrée et sortie. Les commutateurs, fixés sur un morceau de bois, sont manipulés par l'index, rôle qui reviendra à l'orteil une fois qu'ils seront installés dans les chaussures. Les solénoïdes sont montés sur une plaque de métal destinée à être portée sur l'estomac, mais ils finiront également au fond d'une chaussure. Doyne branche les piles sur l'ordinateur et j'entends le cliquetis des relais au moment de la mise sous tension. Il fait tourner doucement le cylindre qui entre en rotation autour de son axe d'acier : nous sommes prêts à jouer à la roulette.

D'un mouvement du poignet plein d'expérience, Doyne lance la bille sur la piste rainurée sous la carcasse. Elle tourne vite et passe une bonne dizaine de fois devant nous avec le bruit d'une pièce de monnaie qui roule sur un sol dur. Elle ralentit sous l'effet du frottement et de la résistance de l'air puis reste suspendue un instant sur le bord de la piste avant de finir par se soumettre à la force de gravité. La chute vers l'une des trente-huit cases numérotées est lourde de sens. Sans attache dans l'espace, la bille en chute libre est un appel à la chance, et, tant qu'elle lutte contre le piège du disque central, tous les espoirs sont permis.

La bille choisit son chemin entre les huit galets chromés qui hérissent la carcasse. Elle tournoie au-dessus de la cuvette vernie, heurte une cloison entre deux cases, rebondit et reste encore en suspens un instant avant de se reposer complètement. Ce qui était un champ ouvert à toutes les possibilités est maintenant fixé, déterminé par un numéro compris entre 00 et 36. Doyne relance encore et encore la bille sur la piste. Il appuie sur les microcommutateurs à côté de l'ordinateur avec ses index gauche et droit et regarde la bille tourner et tomber.

« Le commutateur de gauche sert à changer de mode, explique-t-il. Je m'en sers pour circuler sur la piste des modes. L'autre sert à entrer des données. Il me permet d'incrémenter et de décrémenter les paramètres. »

Il montre *Manifest Destiny* au-dessus de la Roulette. Scotché au nez du buffle, il y a un schéma de la piste des modes, qui n'est rien de plus qu'une série de boucles connectées avec un code qui permet de passer de l'une à l'autre en appuyant sur un bouton. Les boucles représentent des domaines à l'intérieur du programme, dont chacun s'occupe d'une partie différente de l'algorithme de la roulette. Cette séparation du programme en modes lui permet d'être ajusté en fonction des caractéristiques spécifiques, ou paramètres de mouvement, qui varient d'une roulette à l'autre.

« Je viens de passer au mode cinq, me dit Doyne. C'est celui qui sert à établir le paramètre du cylindre. Comme tous les autres modes, il a une valeur standard préétablie qui doit être augmentée ou diminuée en fonction de ce que l'on trouve dans les casinos. Ce soir par exemple, la roulette ralentit plus vite que d'habitude. Il faut donc que j'ajuste le paramètre pour prendre en compte le frottement supplémentaire.

« Il peut y avoir de très grosses variations d'un jour à l'autre sur la même roulette. Le casino peut changer de bille ou huiler la machine, ou la déplacer pour passer l'aspirateur. C'est pour ça qu'il faut absolument déterminer les paramètres juste avant de jouer. Autrement, les prévisions seront faussées. L'ordinateur va te dire de miser dans l'ombre, c'est-à-dire la partie du cylindre sur laquelle la bille ne tombe *presque jamais,* et tu vas te faire avoir. Au lieu d'avoir un avantage de 40 %, ce sera le taux de ta perte. »

Doyne recommence à tapoter ses microcommutateurs et fait passer l'ordinateur d'un mode à l'autre. Je suis son chemin sur le diagramme scotché sur *Manifest Destiny*. Au fur et à mesure qu'il traverse les sous-programmes et affine les paramètres, l'ordinateur améliore ses calculs.

« Je mets environ un quart d'heure à couvrir la piste, mais des fois, ça se complique. Je me perds et je n'arrive plus à savoir où je suis, ou bien c'est l'ordinateur qui se plante. Je ne peux pas sortir mon plan en plein milieu du casino, alors il faut avoir toutes les instructions en tête. Maintenant j'arrive à me promener dans le programme sans trop de problèmes, mais si j'ai vraiment des ennuis, je suis obligé de reprendre à zéro, en effaçant les paramètres et en renvoyant l'ordinateur aux valeurs préétablies. »

Avec des doigts de pro, Doyne fait traverser les huit sous-programmes à l'ordinateur. Des deux mains, il tapote son code sur ses boutons pour entrer sur tel ou tel mode, le mettre au point puis en sortir. Il calcule la décélération du cylindre en chronométrant deux révolutions et en prenant un point de repère fixe. Il en fait autant pour la bille. À un autre endroit dans le programme, il fait une estimation du moment où la bille est susceptible de quitter la piste. Cinq autres modes fixent les variables pour jouer sur des roulettes horizontales, inclinées, ou légèrement biaisées.

« On dirait que ce soir, c'est le mode quatre qui fera l'affaire, dit Doyne en achevant son circuit. Voyons comment il se débrouille contre la roulette. »

Il pousse le moulinet et le cylindre se met à tourner à une vitesse modérée. Il lance la bille sur la piste. Une fois le tour commencé, chaque seconde compte pour arriver à calculer l'issue du jeu. Doyne commence son pointage au moment où le 00 vert passe devant le point de repère, et fait la même chose pour la bille... Quatre *top*... et, en quelques *microsecondes,* l'ordinateur fournit sa conclusion pour jouer à un jeu qui, dans la vie réelle, prend entre dix et vingt secondes. Il calcule les coefficients des frottements et de la résistance de l'air qui s'exercent sur la bille. Il détermine le taux de décélération, la position et le moment où la bille chute de son orbite. Il connaît à l'avance la vitesse, la distance et la trajectoire de la bille le long des pentes de la carcasse. Il suit la vitesse et la position relative du disque qui tourne en dessous. Il indique l'un des huit groupes de numéros qui forment un cercle autour de la roulette et annonce, plusieurs secondes avant le moment de sa réalisation, l'endroit où la bille va finir par atterrir sur le cylindre.

J'entends le bourdonnement sourd d'un solénoïde placé sous la chemise de Doyne. « Neuf », dit-il, traduisant une vibration haute fréquence sur le solénoïde numéro trois en un signal indiquant de ne pas miser. « J'ai dû appuyer trop tard. »

Doyne relance la bille et chronomètre son déplacement sur la surface vernie. Ressemblant à un yogi en train de méditer sur un chakra inférieur, ou bien à un patient atteint de colite souffrant d'aérophagie, il se concentre sur les vibreurs qu'il a sur le ventre. « Six », claironne-t-il, c'est-à-dire une pulsation haute fréquence sur le solénoïde numéro deux. Le sixième huitième de cylindre sur la roulette comprend les numéros 30, 26, 9, 28 et 0. Doyne et moi attendons : la bille ralentit sur la piste, reste un moment en suspens, entame sa descente, décrit un arc de cercle, glisse sur les cloisons et vient se mettre dans la case numéro 9.

« Ça a l'air bon, dit-il. Mais on ne sait jamais exactement ce que ça va donner avant d'avoir compilé un histogramme de réussite avec des centaines d'essais. Tout ce qui nous intéresse, c'est la loi des grands nombres. »

Nous lançons la roulette et la bille des dizaines et des dizaines de fois. Doyne annonce le résultat selon la pulsation qu'il reçoit sur l'estomac, et moi je trace un histogramme dont les coordonnées indiquent si la bille est arrivée avant, après, ou juste dans l'intervalle prévu. Doyne a pris le rythme pour tourner la roulette, lancer la bille, appuyer sur les commutateurs et déchiffrer les messages des vibrations sur son ventre. Tourne, lance, appuie, vibre. Il est concentré ; tout son corps est tendu. Ses réflexes sont parfaitement au point pour traduire le mouvement de la roulette et de la balle en *top* manuels numériques pour le programme. Remplissant simultanément les fonctions de croupier et de preneur de données, il ressemble à un joueur de basket en train de s'exercer à faire des passes et à lancer le ballon dans le panier, seul sur un terrain, le soir, bondissant et sautant en extension sans se lasser. Après des années de pratique, il est dégingandé et décontracté mais il garde toujours le contrôle et ne se trompe jamais en chronométrant chaque tour. Tourne, lance, appuie, vibre. Nous notons tous les essais et accumulons les points de repère qui s'élèvent en hautes colonnes au-dessus de l'axe des abscisses de notre histogramme. Si l'une des tours du centre de la courbe est plus haute que les autres, c'est qu'on a un net avantage sur le casino : c'est le moment de glisser l'ordinateur dans sa chaussure et de prendre la route, direction Las Vegas.

« Vas-y, essaie, me dit Doyne en s'éloignant de la roulette. Tu joues et moi, je m'occupe de l'histogramme. »

Je me mets aux commandes de l'ordinateur, mais il me faut un moment avant d'attraper le coup. Le commutateur de données, une lame d'acier fixée au-dessus d'un point de contact, est très sensible. En essayant d'appuyer juste au moment où la bille passe devant le point de repère, je suis parfois en avance. Il m'arrive aussi de réagir trop tard.

« Ne t'inquiète pas pour ça, me dit Doyne. Persévère, c'est tout. Dans un moment, on te mettra devant la machine à rétro-action biologique pour que tu travailles ta coordination main-œil. »

Ce n'est pas évident non plus de lire les messages des solénoïdes. Les petits vibreurs mécaniques sont maintenus en place par un morceau de bas nylon et je mets un bout de temps avant de bien faire la différence entre les vibrations lentes, moyennes et rapides. Au lieu de les glisser sous ma ceinture, je préfère les lire avec la paume de ma main. Quand ils seront définitivement installés dans les chaussures magiques, c'est la plante de mes pieds qu'ils viendront chatouiller.

Après quelques faux départs, je commence à prendre le rythme. J'apprends à ne pas trop me dépêcher pour les boutons. Je m'améliore pour ce qui est de déchiffrer les vibrations des solénoïdes et de les traduire en chiffres. Debout sous une ampoule nue, Doyne et moi restons penchés sur la roulette pendant encore une heure. Nous écoutons la bille sautiller autour de la piste puis descendre et s'immobiliser dans une des cases métalliques du cylindre. Nous sommes fascinés, et tellement pris par le jeu que si quelqu'un était entré à ce moment-là, il aurait pu croire qu'il était tombé sur le siège de la loterie clandestine locale. C'est mon baptême de l'air aux commandes d'un ordinateur. Je tombe en extase devant la précision de la machine, le rythme du jeu, le tournoiement des numéros de fond de la cuvette de bois verni, et l'éclat de la bille qui se dirige inlassablement vers son point de rendez-vous avec le destin.

Plutôt que de simplement prévoir la trajectoire de la bille, j'ai l'impression de la *diriger*. Je peux pousser les commandes de l'ordinateur et faire atterrir parfaitement la bille sur la surface du disque en rotation. Et ça recommence. Je touche les boutons, la bille quitte son orbite et vient se loger en plein milieu de l'octant prévu. C'est comme si je *contrôlais* l'issue du jeu, comme si je dirigeais la petite bille blanche à distance, à travers le cosmos newtonien d'une roulette dont j'aurais maîtrisé les lois.

« Regarde un peu ça, dit Doyne en me montrant l'histogramme

de jeu de la soirée. Au-dessus de l'axe des abscisses, les points de coordonnés forment une haute tour unique, avec deux colonnes de chaque côté nettement plus petites. C'est exactement le but recherché : une répartition des fréquences en forme de V renversé. La plupart des points sont en plein sur la cible : à l'harmonieuse rencontre de la prévision et de l'issue réelle, le jackpot, le point merveilleux où le joueur gagne le gros lot et fait sauter la banque.

« D'après ça, annonce Doyne, l'ordinateur va les écraser. On ratisse la banque. »

J'imagine les jetons qui s'entassent devant nous, les monceaux et les tas qui s'accumulent comme des piles de biscuits. Dans ce scénario, l'ordinateur est un genre de machine antigravité, un tuyau d'aspirateur qui fait passer l'argent d'un bout à l'autre de la table. Je prends l'histogramme en main pour mieux regarder ; Doyne glisse la plaque de solénoïdes sous sa chemise et lance la bille sur la piste. Un sourire redoutable se dessine sur ses lèvres : il demande encore une prévision à l'ordinateur.

# 14

## *Science rebelle*

Goliath vaincu, les géants ont cessé d'inspirer le respect.

Freeman Dyson

Plusieurs mois après la séance de roulette dans l'Atelier, je reçois un autre coup de téléphone de Doyne.

« On a fini la première paire de chaussures magiques aujourd'hui. Je les ai aux pieds en ce moment même.

— Et comment elles te vont ?

— J'avais peur de les enfiler. On ne sait pas encore si on va vraiment pouvoir marcher sur le sandwich. Mais je suis en train d'appuyer sur les commutateurs avec mes orteils, et les chaussures ne me font pas mal. »

Au moment où l'ordinateur fut prêt à être compressé en sandwich, je n'habitais plus à Santa Cruz. Et le New-Yorkais de fraîche date que je suis prend des nouvelles de sa ville natale :

« Il fait beau là-bas ?

— On a travaillé jour et nuit, on a vraiment bourré, dit Doyne. Je crois qu'on va bientôt aller faire un tour dans le désert. Qu'est-ce que tu dirais de venir nous rendre une petite visite dès que tu peux ? »

Les conversations téléphoniques sur le Projet se déroulaient toujours à mots couverts et celle-ci, qui traverse tout le pays, est particulièrement riche en sous-entendus.

Il me faut deux jours pour disparaître de la grande ville et me transporter, sous l'aspect d'un amateur de soleil partant en vacances, de New York en Californie. Arrivant au 707, Riverside à l'heure du dîner, je m'attends à trouver tout le monde autour de la table devant des assiettes bien garnies. Mais, à ma grande surprise, la cuisine est ouverte à tous, on grignote des sucreries ou des tortillas, et la maison est en effervescence. Mobilisés par une alerte générale, tous les membres de la communauté se préparent pour l'assaut final contre les tables de roulette du Nevada. Les eudémonistes circulent dans la maison avec des ordinateurs aux pieds. Un tapis de roulette couvre la table de la salle à manger. On entend le cliquetis de la bille de roulette qui monte depuis le sous-sol. Le langage quotidien ordinaire s'est transformé en un jargon technique où il n'est plus question que de bateaux-piles, de piste des modes et d'histogrammes.

Du mois d'avril à l'automne 1980 et, entre-temps, durant tout l'été, le Projet a été une véritable course d'obstacles pour surmonter les problèmes techniques. On se disputait pour savoir qui était responsable, s'il y en avait un, du retard. Doyne était resté un peu à l'écart pour finir sa thèse, après quoi il avait pris ses premières vacances depuis des années et avait fait un voyage de six semaines avec Letty en Indonésie et à Bali. Norman s'était colleté, pendant son temps libre, avec les problèmes que posait la communication entre chaussures, mais il était très occupé par le Chaos Cabal et les attracteurs étranges. Quant à Mark, il s'était remis en grève et exigeait plus d'argent et une grosse part du Gâteau.

Mark n'appréciait pas non plus le fait que Doyne ait accepté une bourse pour poursuivre ses recherches après le doctorat au Laboratoire national de Los Alamos au Nouveau-Mexique. Lieu de naissance de Little Boy et de Fat Man, les deux bombes atomiques lâchées sur Hiroshima et Nagasaki, le Laboratoire de Los Alamos avait assuré la production ou la conception de la plus grande partie de leur mortelle descendance. Doyne devait pourtant travailler au Centre d'études non linéaires, au fin fond du domaine réputé inoffensif de la section théorique, mais Mark n'avait pas confiance dans la combine. Cela ne faisait que confirmer ses pires craintes, à savoir que les physiciens finissent toujours, d'une manière ou d'une autre, par construire des bombes. Il apprécia encore moins que Norman gagne une bourse de l'OTAN pour aller passer un an près de Paris à l'Institut des Hautes Études de la Défense nationale.

Mark exigea que Doyne téléphone à Los Alamos pour repousser son arrivée de trois mois. Doyne accepta car il se rendait compte, comme tout le monde, que s'ils voulaient terminer le Projet, c'était maintenant ou jamais. Après les années passées à perfectionner la recette du Gâteau eudémonique, il était temps de le mettre au four. La séparation imminente des membres de la communauté rendait leur travail d'autant plus urgent. Tant que la communauté tenait le coup, leur rêve d'autosuffisance restait vivant. Ils pouvaient encore, à la dernière minute, battre la roulette de façon spectaculaire. Cela leur fournirait l'argent dont ils avaient besoin pour être indépendants vis-à-vis des universités et des gouvernements, acheter du terrain dans les montagnes de la côte Ouest, transformer leurs connaissances scientifiques en outil pour un mode de vie convivial, et échafauder une dizaine d'autres projets eudémoniques.

La seule chose qui retardait la dissolution de leur entreprise était un petit objet : un micro-ordinateur construit dans une chaussure. C'est sur ce mince morceau de fibre de verre et de silicium que reposaient tous leurs espoirs d'un sursis de dernière minute. « J'ai perdu tout l'élan romantique qui me poussait à jouer à la roulette, avoua Norman. J'ai passé assez de temps dans les casinos. Mais si on pouvait se faire vingt mille dollars par mois, ça vaudrait le coup, et je dirais adieu à ma bourse de l'OTAN. »

En descendant à l'Atelier le lendemain matin de mon arrivée en Californie, je le trouve bourré de matériel avec pas moins de cinq personnes installées aux établis, en train d'assembler des micro-ordinateurs et de les installer dans les chaussures. Norman, qui essaie de repérer un mauvais contact, manipule les sondes d'un oscilloscope à l'intérieur d'un des récepteurs radio. Des ondes sinusoïdales apparaissent sur l'écran.

Doyne manie un fer à souder au-dessus d'une carte de circuit imprimé sur laquelle il est en train de monter une collection de RAM et de ROM. Entouré d'un nuage de fumée de résine, il louche sur les puces et leurs minuscules pattes. « Elles marchaient bien hier quand elles étaient montées sur le circuit expérimental, marmonne-t-il, mais aujourd'hui, elles ne donnent plus le moindre signe de vie. »

Letty est adossée au mur sous la tête du buffle *Manifest Destiny*. Une feuille de papier de verre à la main, elle se penche au-dessus de la roulette pour écouter le *frrtt* du cylindre gonflé qui frotte contre la carcasse. À l'autre bout de la pièce, Mark est devant une scie électrique montée à l'intérieur d'un cadre en bois.

« Bouchez-vous les oreilles, hurle-t-il. Ça va faire mal pendant une minute. » Les yeux protégés par des lunettes de soudeur, les cheveux et la barbe pleins de poussière de fibre de verre, il fait un vacarme incroyable en coupant les bords d'une carte de circuit imprimé. Rob Lentz, qui n'est membre du Projet à part entière que depuis l'automne 1981, se tient au milieu de la pièce, assis à un établi couvert de piles, de fil d'antenne, de connecteurs, de résistances et de boîtes en plastique ayant la forme d'un talon de chaussure.

Torse nu sous sa salopette rouge, Lentz est un Californien du Sud, les yeux bleus, large d'épaules et éclatant de santé. Il arbore une moustache et ses cheveux châtains, séparés par une raie au milieu, gonflent au-dessus de ses oreilles. Avec des bras musclés et une fine couche de tissu adipeux enveloppant harmonieusement tout son corps, il a le look propret du surfer qui revient de la plage.

Malgré les dix années qui les séparent, Lentz et Truitt étaient dans la même classe à l'université de Santa Cruz. Doyne avait été l'assistant de Lentz pour un cours de physique mathématique, et Rob Shaw son directeur de thèse. Quand Mark était allé à son rendez-vous pour un emploi chez Watkins-Johnson, le camarade qu'il avait rencontré là-bas était ce même Rob Lentz. Et lorsque Mark, écœuré d'apprendre qu'il s'agissait d'un travail pour l'armée, était parti, c'est Lentz qui avait eu le poste. Rob était resté un an et demi chez Watkins-Johnson où il avait gravi les échelons et terminé responsable d'un contrat de vingt et un millions de dollars avec Raytheon pour des composants de missiles Sparrow. Et là, écœuré lui aussi, il était parti.

« Quand je leur ai dit que je m'en allais, les grands patrons m'ont invité à déjeuner et ont commencé à discuter avec moi : “ Rob, on ne comprend pas. C'est un contrat en or pour nous. Vous voulez plus d'argent ? Vous voulez plus de personnel ? ” Ils se torturaient les méninges pour essayer de trouver la raison de mon départ. Je travaillais dans la section VCO, c'était le secteur qui avait la croissance la plus rapide de la boîte. VCO veut dire *voltage control oscillators*. Ce sont des petits appareils radar à haute fréquence et à ondes courtes, le même genre de trucs qu'on fait ici au Projet, mais chez Watkins-Johnson, tout était mal foutu. Quand ils m'ont mis à la tête du programme des missiles, il avait deux ans de retard. On satisfaisait des commandes de matériel militaire, ce qui veut dire qu'on passait autant de temps à casser des trucs qu'à en fabriquer. Voilà ce que c'est, une boîte d'électronique ordinaire moyenne. Mais c'était un vrai foutoir et si c'est comme ça que marche le business électronique, je ne peux pas en faire partie.

« Au déjeuner avec les patrons, je leur ai dit froidement : “ Je ne veux pas travailler pour les militaires. Je n'ai pas envie de discuter du côté moral de la chose, mais je vais laisser quelqu'un d'autre faire ce sale boulot à ma place. Ça mène droit à l'Apocalypse. ” Une grande partie de ce qui a l'air de la bonne physique tombe entre de mauvaises mains ; alors j'envisage de me retirer de la science pour me consacrer à l'art. Mon cerveau a un hémisphère droit qui est sous-employé. »

Rob envisageait de commencer des études de médecine ou

d'autre chose, ou de faire une croisière au Mexique. Il gardait en tête deux ou trois projets possibles et assistait aux conférences de Rob Shaw sur la théorie du chaos. Un après-midi, il sortait du bâtiment de physique et s'apprêtait à aller faire un peu de surf quand il tomba sur Doyne dans le couloir. Ils bavardèrent quelques minutes et Doyne lui dit : « Tant que tu es au chômage, j'ai une proposition qui pourrait t'intéresser. » Ils prirent leur voiture et allèrent en ville boire un espresso au Caffè Domenica, et Doyne parla du Projet à Rob.

« Cette histoire n'avait pas l'air vraie. On a traversé la rivière à pied et on est allés à la maison. Quand j'ai vu l'Atelier, et la roulette, et les ordinateurs, je me suis dit : “ C'est vraiment super. C'est exactement ce que je faisais chez Watkins-Johnson, mais c'est de la physique antinucléaire. C'est de la haute technologie pour civils. ” C'était le genre de truc que je cherchais, et c'est arrivé juste au bon moment, c'était l'occasion de faire de la science rebelle. »

Rob s'engagea pour travailler sur le Projet à plein temps sans rémunération et sans rien de plus concret que la perspective d'une part du Gâteau eudémonique. Il avait assez d'argent pour le moment. Il pouvait avoir ses après-midi libres pour aller faire du surf. Tout ce qu'il voulait, c'était mettre ses connaissances au service de quelque chose d'autre que la construction de composants pour les missiles de Sparrow. Son aspect bon enfant apportait dans l'Atelier une bouffée d'air frais au Projet.

Les contrôleurs au sol avaient envoyé un compagnon inattendu à l'équipe qui était déjà sur orbite.

Un an et demi s'était écoulé depuis que Doyne et Norman avaient eu l'idée de mettre les ordinateurs dans des chaussures. Depuis que Mark s'était joint au Projet, ils avaient tous les trois travaillé continuellement au nouvel appareil, qui était enfin prêt à être installé. Ils étaient arrivés à un système à trois pieds dans lequel le preneur de données avait un commutateur de mode et un émetteur radio basse fréquence sous le pied gauche ; dans sa chaussure droite étaient entassés un commutateur de données, un microprocesseur dans un ordinateur-sandwich, trois solénoïdes, une collection de piles et un émetteur capable de transmettre les prévisions à un joueur situé dans un rayon de trois mètres. La chaussure droite du joueur contenait un ordinateur-sandwich avec un microprocesseur, un récepteur radio et une antenne, un ensemble de piles et trois solénoïdes qui vibraient sous la plante du pied et le talon.

Pour les faire tenir dans un espace aussi réduit, les émetteurs et les autres composants avaient été introduits dans des boîtiers spécialement fabriqués à la forme des semelles et des talons. Faites pour pouvoir se glisser dans des cavités creusées dans des souliers à double fond, ces unités modulaires simplifiaient les opérations de rechargement des piles, de dépannage du système et de modification des ordinateurs pour améliorer le confort du pied.

Après avoir terminé ses sculptures sur silicium, Mark examina cette nouvelle forme d'art pédestre et déclara : « Les composants, et en particulier l'ordinateur lui-même, sont tellement compacts et appropriés à leur fonction que je leur trouve un intérêt esthétique. Je les regarde et je me dis : “ Y aurait-il mieux à faire ? Non, certainement pas. ” »

Une fois que Mark eut fabriqué un prototype du système complet — avec commutateur de mode, ordinateur-sandwich, et ensemble de piles —, il ne restait plus qu'à concevoir un modèle de chaussure assez spacieux pour tout contenir. En rentrant de son voyage à Bali, Doyne se mit en quête d'un bottier qui fabriquerait des chaussures à façon. Il en trouva un à Rio del Mar, un peu plus au sud sur la côte, et lui téléphona pour prendre rendez-vous. Le Projet était un secret jalousement défendu, surtout à ce stade délicat de l'opération. Alors, Doyne n'emporta pas les composants de l'ordinateur avec lui mais seulement des blocs de bois coupés aux mêmes dimensions. Il avait l'intention de ne pas souffler mot de l'usage qu'il avait l'intention d'en faire.

En arrivant à Rio del Mar, Doyne eut la surprise de trouver un garçon d'une trentaine d'années, grand, bronzé, et visiblement aussi dans le coup que beaucoup de jeunes artisans installés dans la baie de Monterey. « Je veux une paire de chaussures à double fond, dit Doyne. Rien d'illégal, rassurez-vous. »

Le bottier alla fermer la porte du magasin à clé, baissa le rideau de fer, emmena Doyne dans l'arrière-boutique et lui demanda de quoi il s'agissait exactement. Doyne sortit ses morceaux de bois et dit : « Je ne veux pas entrer dans les détails, mais j'ai besoin de me promener avec ça dans mes chaussures. Le gros morceau, là, va au bout, sous les orteils, et celui-ci doit aller sous le talon. Si vous pouvez me faire ça, vous ne devriez pas avoir de problème à faire tenir ce petit bloc-là dans la chaussure gauche.

— Premièrement, dit l'artisan, peu m'importe le genre de

business que vous faites, drogue, diamants, ça m'est égal. Je ne pose pas de questions, vous n'avez pas à me donner de réponses. Comme ça, vous gardez vos affaires pour vous et moi, je reste en dehors... Regardez ça, dit-il en sortant une paire de chaussures de marche de l'étagère. On dirait des chaussures ordinaires, hein ? Elles n'ont rien de spécial, mais soulevez un peu la semelle intérieure. Oui, oui, ajouta-t-il pendant que Doyne regardait, il y a beaucoup de place là-dedans. Ça me demande un peu de travail de collage et de couture, mais c'est assez simple. Il faut seulement acheter un modèle qui convient, quelque chose que je puisse démonter et remonter sans qu'on voie que je les ai bricolées. Sinon, vous pouvez commander du sur mesure, et faire fabriquer la chaussure de A à Z, mais ça va vous revenir cher. C'est pourquoi je vous conseille de vous en tenir au prêt-à-porter. »

Ils se serrèrent la main pour conclure le marché et se donnèrent rendez-vous pour le lendemain à Santa Cruz. En échange d'une visite guidée des boutiques de chaussures, le bottier voulait que Doyne l'invite à déjeuner au Hilary's, le restaurant le plus cher de la ville.

« Je suis sûr qu'il ne se doutait absolument pas de ce qu'on faisait, dit Doyne. Il devait croire que c'était du trafic de drogue, parce qu'un jour, il m'a dit qu'il aimerait bien avoir un petit cadeau quand on rentrerait de voyage.

« Il s'est avéré que ce type était un personnage bien connu dans les parages. Il est arrivé au déjeuner avec un veston sport et un foulard de soie. La serveuse avait dû s'entraîner pendant des semaines pour avoir un sourire aussi parfait. À la table, c'était un véritable défilé de gens qui venaient lui dire : “ Bonjour, ça va ? Je voudrais passer vous voir demain au magasin pour vous montrer un petit quelque chose. ” »

Après le déjeuner, le bottier, Rob Lentz et Doyne allèrent au centre commercial Pacific Garden. Ils s'arrêtèrent devant une bonne dizaine de vitrines, et le bottier faisait un commentaire ininterrompu sur la nature des articles exposés. « Chez Penney, ils sont spécialisés dans les articles de mauvais goût pour dames, tennis et chaussures blanches d'infirmières. Gallenkamp, le préféré du chômeur, propose son spécial tout plastique à huit dollars quatre-vingt-dix-huit. Chez Morris Abrams on peut trouver des Padmores et des Florsheim à semelles crêpe véritables à des prix dépassant soixante dollars. Ces autres magasins, là, ont des bottes de cow-boys de westerns spaghetti, des escarpins à hauts talons, des desert boots, des sandales Birkenstock et des mocassins de chez Gucci. Mais vous remarquerez aussi, si vous regardez bien, qu'il y a beaucoup de gens qui ne veulent plus entendre parler de tout ça et se promènent nu-pieds. »

S'arrêtant devant chez Herold où la vitrine regorge de Richelieu perforées et de mocassins à la Pat Boone, ils virent aussi des chaussures à semelles crêpe Dex and Drifter, et à bouts très larges, mode lancée par le mouvement « Pour le confort du pied » dans les années 60. Plusieurs modèles plus décontractés inspirés des chaussures de jogging Nike ressemblaient à des pattes de canard avec des rayures dessus. Ils entrèrent, le bottier prit une dizaine de chaussures sur les rayons et s'assit au milieu du magasin en les posant autour de lui.

« La première chose à voir, c'est l'épaisseur de la semelle. Alors il faut du crêpe, ou du très bon synthétique. Faites attention à ce genre de semelle striée, disait-il à Doyne et Rob en pliant le dessous d'une chaussure avec des trous d'aération. Elle n'est pas pleine, et quand on coupe dedans, ça tombe en morceaux. Vous pouvez prendre une chaussure soit avec un talon, soit à semelle compensée mais, de toute façon, il faut qu'il y ait une semelle intermédiaire, c'est-à-dire la couche qui se trouve entre la semelle du dessous et la semelle intérieure. S'il n'y en a pas, on ne peut plus recoudre la chaussure.

« Presque tout ce qu'il y a ici, c'est de la camelote, dit-il en soulevant la languette des chaussures pour observer l'intérieur. Au lieu de faire des modèles avec semelles intermédiaires et trépointe, ils replient tout simplement le cuir et le collent. Vous pouvez imaginer sans peine ce que ça donne, conclut-il en pliant une chaussure en deux. Il faut quelque chose de souple mais de solide, avec beaucoup de place au bout et pas de renforts en fer ou autres obstacles. »

Une vendeuse rôdait autour d'eux, fronçant les sourcils et les regardant d'un air agacé. « Je peux vous aider ? » fit-elle. À côté du bottier, toujours avec son foulard de soie et son veston sport, Doyne avait un T-shirt balinais teint style batik, un short et une paire de chaussures de jogging prêtes à rendre l'âme. Rob, le troisième de la bande, arborait des sandales indiennes éculées et une salopette rouge, ce qui lui donnait l'air d'un garçon de ferme, résultat d'un croisement entre un pain de maïs et un gâteau au cannabis.

« On est venus ici pour tourner un film, expliqua Doyne à la dame. Et on a des scènes où il nous faut des chaussures à effets spéciaux. »

Ils achetèrent une paire de Bass et une paire de Clarks. Trois jours plus tard, les chaussures étaient de retour à Riverside Street, apparemment intactes, si ce n'est les semelles compensées. Extérieurement, elles avaient l'air parfaitement normales. Ce n'est qu'en soulevant la semelle intérieure et en regardant bien, que l'on découvrait des cavités suffisamment grandes pour contenir une bonne quantité de drogue de Colombie, ou encore des commutateurs de mode, des bateaux-piles et des ordinateurs-sandwiches.

La semaine avant Halloween, le Projet prit de la vitesse. Letty quitta son job et retourna à Santa Cruz. Doyne téléphona à son patron à Los Alamos pour lui annoncer qu'il aurait trois mois de retard pour prendre son travail. Rob Lentz cessa d'aller faire du surf l'après-midi. Mark Truitt passait des nuits blanches à fignoler le système. Norman mit sa thèse dans un placard et repartit à la chasse aux bagues dans ses récepteurs radio. Grazia Peduzzi faisait cuire des pâtes pour tout le monde. Lorna payait les factures et entretenait le jardin. Wendy Tanizaki avait trois jobs à la fois pour que Mark n'ait plus de soucis d'argent. Tout le monde se mettait à parler le langage de l'informatique. Les conversations étaient brèves et on ne parlait que de stratégie. Aux réunions qui se tenaient autour de la table de la salle à manger, les tâches de dernière minute étaient distribuées par lots de trois ou quatre à la fois : charger des puces sur des cartes de circuits imprimés, fabriquer des bateaux-piles, régler les récepteurs, huiler la roulette, rendre visite au bottier, aller acheter des puces à Silicon Valley, s'entraîner à la machine de coordination œil-orteil, préparer des tenues pour jouer à Las Vegas. Comme les coulisses d'un théâtre le jour de la générale, l'air était chargé de tension et de gaieté nerveuse.

Pour faire parvenir joueurs et ordinateurs à Las Vegas dans les meilleurs délais, les Projeteurs envisageaient un transport en deux vagues, une partant immédiatement, l'autre suivant avec le reste du matériel dès qu'il serait prêt. Naturellement, Doyne fut choisi pour remplir les fonctions du preneur de données et partirait avec la première fournée. Mais j'eus la surprise de me voir nommé et élu comme second membre de l'équipe pour y tenir le rôle du joueur qui devait miser gros.

« On va te mettre une chemise de cow-boy et une cravate-lacet, dit Doyne. Tu seras parfait avec l'accent traînant du Sud. Tu as tout à fait l'air de sortir d'une famille qui a de l'argent. »

« Mais attention aux endroits comme le Caesars Palace, m'avertit Letty. Quand ils s'y mettent, ça peut chauffer très vite. » Dès qu'on commence à gagner à la roulette, on attire tous les regards. Les chefs de table et les commissaires viennent vous pousser du coude. Et à mesure que la température monte, ils passent des égards aux menaces. À ce stade du scénario, cela se transforme en bravade, on marche sur la corde raide au-dessus d'un gouffre plein de nouvelles potentiellement très mauvaises. Mais les dons requis pour jouer à la roulette à Las Vegas avec un ordinateur sous le pied — de la trempe, du courage, de la duplicité, et des réflexes d'une technique devant atteindre la perfection — ne sont-ils pas les mêmes que ceux que doit réunir un écrivain lorsqu'il affronte la page blanche ? Cette douce pensée, tout illusoire qu'elle fût, vint me rappeler qu'il fallait que j'invente une histoire sur mon personnage, une histoire que les croupiers de Las Vegas devraient lire par-dessus mon épaule avec un grand intérêt. Pour un public si rusé, il fallait que je puisse sortir un récit qui coulerait sans le moindre accroc du début à la fin.

« O.K., répondis-je en m'adressant officiellement à mes compagnons eudémonistes pour la première fois. Donnez-moi une paire de chaussures magiques et je jouerai le rôle du gros joueur. Mais il va falloir que l'on revoie le rôle. Je n'ai jamais aimé les cravates-lacets texanes. Que diriez-vous de la remplacer par une chaîne en or et une bague au petit doigt ? »

Avant de prendre une décision définitive pour les départs, on décide encore une réunion pour le lendemain soir. Après le dîner, Doyne, Letty, Norman, Rob Lentz et moi descendons l'escalier de derrière, traversons le jardin et sortons par le haut portail de bois du fond. Après être passés à côté de la grange appartenant à la maison de Riverside, nous prenons une allée commune qui dessert tous les bungalows construits sous la digue qui longe le San Lorenzo, nous tournons au coin et nous arrivons chez Mark et Wendy.

Avec du parquet et des murs tout blancs, leur maison de deux pièces est sobre et soignée. Dans la pièce du devant il y a une commode, une petite table, une fougère en pot, un lit couvert d'un patchwork et une lithographie de Goines, *Pandora's Box.* Dans la bibliothèque, il y a des ouvrages traitant de tout, depuis la biologie jusqu'à l'optique, une *Encyclopaedia Britannica,* une collection de livres de science-fiction, une lampe à huile, un pot avec des pinceaux. Nous nous asseyons tous les six dans la pièce, par terre ou sur le lit. Son grand bloc de papier jaune à la main, Doyne annonce l'ordre du jour.

« Il y a une longue liste de choses à faire avant de pouvoir partir. Je crois qu'il faudrait qu'on se répartisse les tâches et qu'on mette nos initiales devant chacune. Comme ça, on saura qui est responsable de quoi. » Mark dit qu'il lui faut trois jours pour terminer les deux premiers ordinateurs-sandwiches. Rob annonce une trentaine ou une quarantaine d'heures de travail sur les bateaux-piles. Letty fait savoir qu'elle avance bien dans l'assemblage des solénoïdes. Norman est optimiste en ce qui concerne une mise au point provisoire des récepteurs radio. Doyne s'engage à terminer le transmetteur de mode, et je prends la responsabilité d'apprendre le tableau de jeu par cœur. À la fin de la discussion, Doyne coche la liste point par point :

« Il nous reste pas mal d'heures à faire là-dessus ; probablement de l'ordre de cinq ou six jours encore.

— Attention à la loi de Murphy, prévient Rob. S'il y a un risque de panne, il y en aura sans doute une.

— Il nous reste quarante ou cinquante heures d'entraînement à faire, dit Doyne. Je vais installer la machine à rétroaction œil-orteil et compiler des histogrammes. Je veux aussi déterminer de manière analytique l'avantage des nouveaux ordinateurs sur les roulettes qui vont très vite, pour le cas où on tomberait dessus à Las Vegas.

— Pourquoi, demande Letty, tu ne peux pas calculer l'avantage qu'on a d'après les histogrammes compilés pendant les séances d'entraînement ? »

S'ensuit une longue discussion pour savoir combien d'ordinateurs la première équipe doit emporter à Las Vegas. Doyne veut deux ordinateurs pour un système complet, plus deux autres en réserve. Mark voudrait envoyer l'équipe avec une seule paire le plus vite possible.

« Ça me fait peur d'aller dans le Nevada sans ordinateurs de secours, lui dit Doyne. Sur l'établi, la machine marche bien. Mais quand je commence à me balader en marchant dessus, elle a tendance à donner des signes de faiblesse. Je reçois des parasites et autres saletés dans les *top*.

— On se demande aussi, plaisante Norman, s'il n'y a pas quelque chose dans l'environnement de Las Vegas qui déplairait à l'ordinateur. Où crois-tu qu'il soit vulnérable ? demande-t-il à Mark.

— On n'a aucune protection de software contre le bruit, répond celui-ci. Il peut y avoir des tas de saletés dans l'environnement qui brouillent soit l'ordinateur — soit la transmission radio.

— Dans le passé, on s'est toujours fait coincer à Las Vegas, dit Doyne. Même quand on y allait avec deux ou trois assortiments de matériel, on se retrouvait avec un seul en état de marche. Alors, tout le monde restait là à attendre avec l'envie de bouger et le système de rotation foirait complètement. »

La question de savoir combien d'ordinateurs envoyer avec la première vague resta sans réponse, et Doyne passa aux points suivants :

« Il faut que quelqu'un décide : combien doit-on emporter d'argent comme capital de départ pour jouer ? On a besoin d'une trousse à outils pour les réparations. Il faut faire les costumes. Et puis il y a le problème du transport. La Fiat de Letty fera l'affaire, mais ça va être dur de trouver une deuxième voiture. Qu'est-ce que vous diriez de prendre le Blue Bus ?

— C'est pas une bonne idée, répond Rob. Avec un autocollant orange " Question-Authority " collé devant, le Bus ne donne vraiment pas le genre qu'on veut avoir en arrivant au Caesars Palace. »

Il est plus de minuit quand Doyne arrive en bas de la liste.

« Il faut qu'on fasse une répétition générale le plus tôt possible, conclut-il.

— Je ferai le chef de table », dit Mark.

Norman offre ses services pour être croupier, Doyne pour être preneur de données et Rob pour jouer la serveuse.

« Et moi, je ferai la caissière, dit Letty. Et toi, Thomas, ajoute-t-elle en se tournant vers moi avec un sourire, tu n'as qu'à être le joueur qui nous vole de l'argent sous notre nez. »

J'entre dans l'Atelier de bonne heure le lendemain matin. Tout le monde est déjà au travail, fabriquant des ordinateurs-sandwiches, assemblant des bateaux-piles et faisant tourner la roulette. Dans une pièce qui ne fait pas plus de six mètres sur quatre, avec des murs qui sont soit pas encore terminés, soit juste recouverts de plaques isolantes argentées, le moindre centimètre carré de sol en ciment est occupé par les deux poteaux qui étayent les poutres du toit, les trois établis, la machine à percer montée sur colonne, la meuleuse et la roulette calée sur sa table. Sont venus s'ajouter au décor une combinaison de plongée en caoutchouc et un surf appuyé contre le mur sous la tête menaçante de *Manifest Destiny*.

« C'est pour quand on ira à Biarritz, dit Rob en montrant le surf. Quand on ne sera pas en train de jouer à la roulette, on pourra se faire quelques vagues. »

Je remarque que la pièce a l'air plus propre que d'habitude. Les boîtes à glace en plastique qui couvrent les rayonnages portent des étiquettes neuves : PUCES MSC, DIODES LED, RESISTANCES MSC, TRANSISTORS, PRISES MÂLES ET FEMELLES, CA 110 V 60 HZ, etc.

« C'est la bonne influence de Rob, dit Doyne. Il arrive même à nous faire ranger nos outils à la fin de la journée. »

Doyne est devant une table de travail sur laquelle trônent un oscilloscope Tektronix, un générateur de signal pour accorder les composants et un transformateur pour passer du courant alternatif en courant continu, avec, au milieu de ces instruments, un commutateur de mode sur un montage provisoire.

« Hier, il marchait très bien, dit-il, mais aujourd'hui, je n'arrive pas à lui faire émettre un seul signal clair. » Il tripote les composants reliés à l'oscilloscope. Au lieu d'ondes uniformes oscillant régulièrement sur l'écran, les lignes forment des dents de scie avec des pics et des creux. Espérant les redresser, Doyne tourne deux ou trois boutons sous l'écran, mais la seule conséquence est de faire pencher les ondes comme sous l'effet d'un gros coup de vent.

« Attachez vos ceintures », hurle Rob. Avec ses lunettes vertes de sécurité, il se penche sur la perceuse et fait trois jolis petits trous bien nets sur le bord d'un bateau-piles. Destiné à entrer dans un talon de chaussure comme réserve de courant et poste de radio pour un ordinateur-sandwich, chaque bateau (ainsi nommé parce que sa forme arrondie le fait ressembler à une péniche) contient plusieurs types de piles, une antenne, deux solénoïdes, un émetteur et un récepteur radio.

« C'est un peu délicat, explique Rob après avoir percé ses trous. Il y a cent quarante spires d'antenne là-dedans. Un faux mouvement avec la perceuse, et hop ! une semaine de travail à la poubelle. »

Non seulement les bateaux-piles ressemblent à des bateaux mais ils sont aussi fabriqués de la même façon qu'une coque. Le processus commence par un moule en plâtre dans lequel le fil d'antenne, enroulé et attaché, est disposé tout autour, puis enduit de plusieurs couches de tissu en fil de verre pour le renforcer ; le moule est rempli de résine liquide à moulage que l'on peut se procurer dans un magasin de matériel de marine. En une demi-heure, la résine a pris la consistance de la gélatine, et à la fin de la journée un éléphant — ou en tout cas un humain — peut marcher dessus.

Lorsque l'on casse le moule en plâtre, les blocs sont meulés, évidés, polis, percés et bourrés de composants. Les bateaux finissent par transporter un chargement complet de résistances, de condensateurs, de diodes, de piles, de solénoïdes, d'antennes, bref, de tout ce qu'il faut pour alimenter un ordinateur et pour entrer, sortir et transmettre ses signaux. Après avoir été testés, les bateaux sont fermés par un couvercle en plastique transparent d'où sortent deux des trois solénoïdes frappeurs du système. Afin de pouvoir opérer sur une autre partie du pied, le troisième vibreur est placé plus en avant sur le sandwich.

« Ce n'est pas le premier plastique venu, explique Rob en soulevant un des couvercles de bateaux. C'est du polycarbonate, ou Lexan. Ça coûte quatre-vingt-dix dollars le mètre carré et c'est avec ça qu'ils font les fenêtres des prisons. »

Avec son câble ruban qui sort de sa poupe, le bateau une fois terminé ressemble à un spermatozoïde en plastique grossi un million de fois dont on pourrait se servir en cours de biologie au lycée. Le câble ruban, qui est destiné à passer sous la plante du pied, relie le bateau à son ordinateur. Il se termine par une prise à huit broches avec des pattes indépendantes capables de faire passer du courant 0 ou 5 volts (pour le microprocesseur) ou encore 20 volts (pour la transmission radio et l'activation des solénoïdes).

« À l'origine, ces connecteurs sont fabriqués pour les maquettes d'avion télécommandées, dit Rob. Ce sont de ravissantes petites choses. Mais pour les souder sur le câble, ç'a été le plus difficile de toute la construction des bateaux. »

Une boîte de graisse et une bague de roulement à billes du mécanisme intérieur à la main, Letty se penche sur la roulette :

« Les prévisions qu'on a faites hier étaient plutôt vaseuses. Le cylindre a joué à cause de la pluie qu'il a reçue cet hiver. Alors, je l'ai démonté pour passer le tout au papier de verre et graisser les roulements.

— Le climat de Santa Cruz est trop humide pour elle, dit Doyne. Elle serait plus heureuse si on la ramenait à Las Vegas.

— Elle a eu une vie bien plus excitante que les autres roulettes, dit Letty. On l'a libérée des casinos et on l'a amenée ici pour faire quelque chose de beaucoup plus intéressant. Je suis sûre qu'elle nous aime encore. »

À la radio, sur KFAT Dolly Parton chante la chanson de *Nine to Five.* Mark Truitt, la barbe et les cheveux en bataille, fait irruption dans l'Atelier. « Ciré et fin prêt, s'exclame-t-il. Après un aller et retour jusqu'au centre commercial, le sandwich réagit toujours parfaitement sur l'oscilloscope. »

Mark tient dans sa main un rectangle de fibre de verre arrondi à un bout. Pas plus grand et à peine plus épais que la semelle d'une chaussure d'enfant, l'ordinateur est d'un gris opalescent et translucide, et en le tenant contre la lumière, on distingue à l'intérieur la poignée de rectangles noirs plus petits qui ont été entassés les uns sur les autres dans ce club-sandwich électronique composé de RAM, de ROM et d'un microprocesseur.

Le sens de la métaphore de Mark, dont il vient de faire la démonstration, réside dans le fait que ce sandwich est assez solide pour qu'on marche dessus. Après avoir inventé une conception nouvelle pour construire les ordinateurs avec les puces les unes sur les autres, il a eu une autre idée originale pour faire tenir ces composants en place grâce à une opération qu'il appelle « le cirage du sandwich ». Ayant eu l'idée avant de trouver le moyen de la réaliser, il s'était dit que quelque part au monde il devait bien exister une substance, visqueuse quand on la chauffe et dure quand on la fait refroidir, que l'on pourrait verser au centre d'un ordinateur-sandwich. Le matériau miraculeux, après avoir enveloppé le microprocesseur, refroidirait et se figerait comme du ciment avec un objet témoin de l'année pris dedans. Les seuls éléments de l'ordinateur restant exposés au monde extérieur seraient un microcommutateur actionné par les orteils, un solénoïde, une prise de pile et le dos de deux cartes de circuits imprimés qui, figurant les deux tranches de pain du sandwich, seraient couvertes de points de soudure, seules marques visibles d'un circuit autrement indécelables.

L'idée de Mark avait pour elle sa simplicité. Le fait de cirer le sandwich donnerait un ordinateur d'une pièce, un modèle prêt-à-porter. Si jamais il tombait entre des mains ennemies à Las Vegas, l'appareil resterait sans doute un objet non identifié que même un spécialiste ne pourrait pas démonter. Mais le fait même qu'on ne puisse plus y toucher était aussi un argument contre l'idée de Mark. Une fois scellé, le dépannage du système et le remplacement des composants grillés s'avérerait difficile, sinon impossible.

On discuta et on rediscuta de la question au cours de plusieurs réunions du Projet. Doyne préférait laisser le sandwich ouvert et construire une boîte en métal pour le mettre dedans, contrairement à Mark qui voulait le couler dans une résine époxy. Ils tombèrent d'accord sur un compromis, une troisième solution. Après avoir installé une rondelle de polycarbonate entre la carte du haut et celle du bas, on remplirait le sandwich de cire microcristalline. C'était la substance magique que Mark recherchait. Dérivée du pétrole, parente du plastique, la cire microcristalline est dure, solide et rigide — mais à 150°, elle prend la consistance de la mélasse.

« C'est un peu osé, dit Mark en me tendant l'ordinateur fraîchement ciré. On prend un microprocesseur et en une heure, on en fait quelque chose de très difficile à réparer si on l'a esquinté. »

Expliquant le processus du cirage, Mark raconte qu'il est resté debout pratiquement toute la nuit à essayer de régler le four de sa cuisinière à gaz à 150°. « C'est la température donnée comme maximale pour nos puces, et je ne voulais pas prendre de risques. J'ai mis un thermomètre dans le four, mais j'avais du mal à laisser la porte entrouverte pour lire ce qu'il indiquait. Une fois que j'ai eu supprimé tous les courants d'air de la cuisine et que j'ai enfin obtenu la bonne température, j'ai enfourné l'ordinateur pendant une heure. Je voulais le faire chauffer avant de couler la cire qui était en train de chauffer sur le gaz au bain-marie avec un thermomètre à caramel. Quand la cire a été bien visqueuse, je l'ai fait couler tout doucement à l'intérieur du sandwich avec un entonnoir et j'ai tout remis au four pendant quelques minutes encore. Ensuite j'ai sorti l'ordinateur et je l'ai mis à refroidir sur une claie. Dès que j'ai pu, je l'ai branché sur l'oscilloscope et j'ai fait une prière pour que tout soit intact. S'il y avait eu des problèmes, théoriquement, j'aurais pu remettre l'ordinateur au four, faire fondre la cire et l'enlever. L'opération est en principe réversible, mais on n'avait encore jamais eu l'occasion de faire d'essai. »

J'avais le sandwich en main. Les seules parties encore clairement visibles étaient les lignes de cuivre gravées à l'intérieur des cartes et les points de soudure qui criblent le dos de ces mêmes cartes. Ces points de soudure indiquent les emplacements où, de l'autre côté de la fibre de verre, sont plantées les pattes d'or qui mènent à des boîtiers de silicium qui sont maintenant pris — peut-être pour toujours — dans une mer de glace translucide de cire microcristalline.

Mark montre les lignes courbes à l'intérieur du sandwich.

« C'est une architecture peu courante pour le circuit d'un ordinateur. Tu remarqueras qu'aucune ligne n'est droite.

— Et pourquoi ? demandai-je.

— Parce que je les ai tracées sans règle. »

# 15

## « *Chers Eudémonistes* »

Le zodiaque peut être regardé comme une immense roulette sur laquelle le créateur a lancé un très grand nombre de petites boules.

Henri Poincaré

Ce soir-là, ou plutôt aux premières heures du lendemain, je trouve Doyne et Norman dans la cuisine, debout en train de manger des gâteaux secs, devant la table sur laquelle sont éparpillées des feuilles de papier millimétré couvertes de centaines de points de coordonnées.

« Tout ça m'inquiète, dit Doyne en montrant les courbes. Letty a passé toute la journée à collecter des données. Mais ça a l'air plus aléatoire que d'habitude. Je crois que je vais ressortir les anciens histogrammes pour comparer. Je veux aussi essayer le KIM à la place des chaussures. En utilisant l'ordinateur pour simuler les *top* que nous donnons avec les orteils, on devrait pouvoir déterminer si les fluctuations statistiques sont dues à des erreurs humaines. Mais ce qui me trouble, c'est le fait que le premier hurluberlu venu qui traîne au centre commercial serait fichu de déclencher les *top* mieux que ça. »

Norman mâche son biscuit en se caressant la barbe.

« Est-ce que quelqu'un a tripoté le programme ? demande-t-il.

— Mark a fait des changements et maintenant on ne chronomètre plus le cylindre qu'un tour sur deux quand il passe devant le point de repère. C'est plus précis comme ça. Et il a fait un peu de ménage à une ou deux adresses.

— Et il a une idée de ce qui se passe ? Est-ce qu'il s'est penché sur le problème ?

— Oui, il y pense. Mais au point où on en est, je ne veux aucune supposition. Il faut qu'on refasse d'autres essais et qu'on mette le programme sur le KIM.

— Au moins, tu as de l'aide dans ta guerre des logiciels. Avant, tu la faisais tout seul.

— Je regrette de ne plus être seul, dit Doyne. Il n'y a aucune documentation sur les récents changements apportés au programme, c'est-à-dire qu'il y a des parties sur lesquelles *personne* ne connaît rien. »

Plus tard dans la matinée, après le petit déjeuner, Doyne débarrasse la table de la salle à manger et s'adresse à moi : « On va chercher tes chaussures chez le bottier cet après-midi. Faudra que tu t'occupes d'ici là, mais je crois qu'il est temps que tu commences à t'exercer à engager les mises. »

Il étale devant moi le tapis eudémonique. D'une vieille boîte à cigares il sort une poignée de jetons de casino et les éparpille sur le feutre. « C'est peut-être pas l'authentique, mais ça donne une idée. »

Puis il pose sur la table un ordinateur-sandwich et un bateau-piles. Les deux objets, blottis l'un contre l'autre, ressemblent à la semelle et au talon d'une chaussure faite pour un enfant pied-bot. Il va falloir s'habituer à marcher là-dessus. Doyne déplie le câble ruban qui relie le bateau à l'ordinateur. « Dès que tu branches le sandwich, tu as le courant. Les piles doivent durer plusieurs heures. Mais fais quand même attention à bien débrancher l'ordinateur quand tu ne joues pas. »

À côté de la boîte à cigares pleine de jetons, Doyne en met une autre, plus grande, en plastique vert. « C'est la boîte à exercices de mise, dit-il en ouvrant le couvercle. Là-dedans tu as un voyant LED, des piles et quelques puces collées sur un circuit électronique. »

Je regarde dans la boîte. « C'est Harry, annonce Doyne en parlant du vieil ordinateur pour la roulette. J'étais triste de voir ça, mais Mark trouvait qu'il fallait le mettre en pièces. »

Doyne m'explique le fonctionnement de la boîte. « Quand tu rabats ce petit levier, Harry commence à émettre des signaux assez puissants pour faire vibrer tes solénoïdes à quatre mètres cinquante. J'ai écrit un programme spécial de chiffres aléatoires pour le circuit, alors il n'y a pas de modèle de vibration. »

Un tic-tac vient de l'ordinateur et du bateau-piles qui sont devant moi. Un de leurs trois solénoïdes commence à monter et descendre. Doyne met sa main sur les vibreurs et étouffe le son. Avec un solénoïde dépassant du sandwich et les deux autres du bateau, les vibreurs sont alignés à quelques centimètres les uns des autres. Un autre *tic, tic, tic* vient de sous sa main.

« C'est un 1, dit-il. Une vibration basse fréquence sur le solénoïde de devant. » Je regarde à l'intérieur de la boîte à entraînement pour les mises et je vois le chiffre 1 apparaître en rouge sur le voyant LED. Un deuxième *bzzzz,* plus insistant celui-là, me parvient de dessous la main de Doyne. « Haute fréquence, solénoïde du devant », dit-il. Les diodes de la boîte font apparaître le chiffre 3. Un autre *bzzzz* se fait entendre du côté des métacarpes de Doyne. « Haute fréquence, solénoïde du milieu. » Et c'est le chiffre 6 qui s'affiche sur l'écran.

« C'est comme des cartes-mémoires informatisées, explique-t-il. J'ai fait cette boîte exprès pour que nos joueurs puissent s'entraîner pendant le trajet à Las Vegas. La vitesse est réglable. Avec ce bouton, tu peux faire sortir les vibrations aussi vite que tu veux. Une fois que tu as appris les signaux et pris de la vitesse, tu peux commencer à travailler sur les schémas de mise.

« Il faut que tu mémorises les numéros de chaque huitième de cylindre, plus un ou deux numéros à côté. C'est pour te permettre de varier les séries de chiffres sur lesquels tu mises et de tromper ceux qui chercheraient à deviner ton système. Tu ne dois couvrir que trois ou quatre numéros à la fois, cela dépend du capital de départ dont tu disposes, mais il faut que tu aies un éventail de choix. S'il y a beaucoup de monde à la table et que tu es coincé à un bout du tapis, il se peut que tu aies du mal à atteindre tous les numéros qui le couvrent. Si tu ne peux pas mettre un jeton sur le 30 par exemple, tu peux le remplacer par un 11, son voisin sur la roulette mais plus haut sur le tableau des mises. Il faut que tu mettes au point diverses stratégies de ce genre pour engager tes mises le plus vite possible. Tes gestes doivent être automatiques. L'ordinateur t'envoie une vibration moyenne sur le solénoïde du milieu. Le cinquième huitième numéros 12, 8, 19, 31 et 18. Bing. Tu couvres le 8 et le 12 parce qu'ils sont voisins sur le tapis, et ensuite le 18 et le 19. Mais tu peux laisser tomber le 31 parce qu'il est à l'autre bout de la table. »

Doyne me laisse dans la salle à manger devant la nappe sur laquelle sont peints des chiffres rouges et noirs. Je mets la main sur l'ordinateur et le bateau-piles. Le solénoïde du devant chatouille ma ligne de vie en montant et descendant. *Tic, tic, tic.* Vibration basse fréquence. Huitième de cylindre numéro un. Je regarde dans la boîte d'entraînement et j'attends que l'écran affiche son chiffre carré. Je souris en voyant la carte-mémoire électronique me faire un O.K. en levant le pouce.

Je me concentre sur la roulette et c'est à peine si je remarque que toute la journée, les orages éclatent les uns après les autres venant du Pacifique. En fin d'après-midi, je sors dans le jardin, et des vents violents s'allient à de gros nuages pour annoncer un orage. J'entre dans l'Atelier et je découvre Letty, Rob et Doyne pressés autour de la roulette. Sur l'image sainte, le moindre pouce de la carcasse vernie est couvert de fils électriques et d'instruments scientifiques, dont une poignée d'optrons dirigés sur la bille. Ce sont des transistors infrarouges photo-sensibles, de mignons petits gadgets qui enregistrent la position et la vitesse d'un objet en mouvement par des rayons infrarouges. Je regarde Letty appuyer sur des microcommutateurs puis se retourner pour voir les chiffres qui s'affichent en rouge sur la face du KIM.

« On a attelé Letty à la machine de coordination main-œil, dit Doyne. C'est la vieille expérience homme contre machine où on se rend compte à quel point on peut être maladroit à côté d'un optron pour chronométrer une bille. Letty s'en sort bien, mais il y a quelque chose de bizarre et on n'arrive pas à comprendre ce qui se passe. On a établi les paramètres et les prévisions ont l'air excellentes. Et une demi-heure plus tard, on voit que la bille tombe avec un ou deux huitièmes de cylindre d'avance. Pour une raison quelconque, il y a un dérapage dans les calculs. »

Depuis une semaine, du gros temps arrive de l'ouest. Le soleil se montre puis disparaît derrière les nuages avec une rafale sur toute la baie. Les vagues passent par-dessus la jetée et viennent laver la promenade et là-bas, dans Steamer Lane, seuls les meilleurs surfers se risquent sur la houle. À la pleine lune, le temps a été hésitant, ne sachant s'il allait dégager le ciel ou au contraire envoyer encore des nuages filant en remontant la vallée du San Lorenzo, où ils surplombaient les forêts d'acajous comme une tente trempée. Avec un claquement de tonnerre et des torrents de pluie, un autre orage éclate.

Mark ouvre la porte de l'Atelier. Avec juste un pantalon et un T-shirt, la barbe dégoulinant de pluie, il se secoue comme un chien. « Ça y est, s'écrie-t-il. J'ai trouvé. Regardez ça. » Il prend une demi-douzaine de billes et se met au-dessus de la roulette. Il les lance vite les unes après les autres. Elles diffèrent par la taille, la forme et le bruit qu'elles font sur la piste depuis la note aiguë et tendre du plastique jusqu'au son plus doux de l'ivoire sur le bois. Elles ont également des vitesses très variables. Les plus rapides se cognent dans les plus lentes, rebondissent en arrière et rejoignent les retardataires.

« À l'écart le plus grand, dit Mark, la bille en Téflon ralentit deux fois plus vite que la bille composée. Cela vous montre à quel point ces petites choses sont sensibles. On ajuste bien les paramètres pour les différentes billes mais chacune d'entre elles connaît aussi des variations. Le problème vient de l'air. Je veux dire, l'air, ce n'est pas que de l'air. Il y en a qui sont plus épais et dans lesquels on se déplace moins bien que dans d'autres. J'ai remarqué ça quand je fais du vélo un jour de brouillard. Je regardais Rob et Letty compiler les histogrammes ce matin. Tout marchait bien, mais au bout d'une demi-heure, les prévisions étaient décalées. Plus ils jouaient, plus la bille s'éloignait de son point de sortie d'origine. Je suis rentré chez moi pour réfléchir à la question et je suis revenu ici à l'heure du déjeuner pour me livrer à une petite expérience. Il y avait du soleil dehors, alors j'ai laissé la porte ouverte. Les paramètres de la bille ont commencé à déraper. J'ai fermé la porte. Ils ont reculé d'un huitième de cylindre. Visiblement, la bille allait plus vite quand la porte était ouverte.

« Je suis rentré chez moi et j'ai téléphoné à Bill Burke à l'université. Je sais qu'il joue au billard et j'espérais qu'il aurait peut-être une idée sur ce qui arrive à nos billes. Il m'a dit que les joueurs de billard connaissent bien ce problème avec les vraies billes en ivoire. Elles changent de forme et ne sont plus bien rondes quand il y a des changements de pression atmosphérique ; on remet les tournois jusqu'à ce que la pression se stabilise. Comme nous avons de l'acétate et des plastiques, notre cas n'est pas tout à fait le même, mais il pense quand même que ce que nous observons est provoqué par des variations de la pression et de la densité de l'air. Il suppose qu'on doit avoir un décalage de 5 à 10 % toutes les heures. Nous avons toujours su que les billes différentes avaient des taux de décélération différents, mais personne n'aurait songé que l'*air* pouvait changer si vite en si peu de temps.

— Ça devrait aller mieux là-bas dans le désert, avance Letty. J'imagine que le climat des casinos est plus stable.

— Dans *C'est idiot de mourir,* Mario Puzo raconte l'histoire d'un gérant de casino qui cherche à mettre un peu d'animation, dit Doyne. Alors, à trois heures du matin, il vide dans la salle quelques bonbonnes d'oxygène pur. Qui sait quel décalage on aurait dans ce cas-là ! »

Une fois l'orage passé, et le soleil revenu, Doyne se tourne vers moi. « Viens, on va se faire une petite provision d'endorphines », dit-il. Nous enfilons nos chaussures de course pour aller faire un sprint sur la digue du San Lorenzo. Ses eaux sont rapides et boueuses. Devant nous, un mur de nuages est plaqué contre les montagnes. Nous coupons par le cimetière et ralentissons l'allure pour grimper la côte. L'atmosphère est chargée de l'odeur des eucalyptus et des lauriers. Mouillée par la pluie, l'écorce orange foncé des manzanitas est comme vernie. Une fois arrivés à la ligne de brume, où des nappes de brouillard flottent dans les bois d'acajous, nous faisons demi-tour pour retourner vers l'océan.

Au-dessous de nous, disséminée sur la plaine inondable du San Lorenzo, s'étend la ville de Santa Cruz. Nous arrivons à repérer l'église de la Mission, reconstruite aux trois quarts de ses dimensions après un incendie, la Grande Roue qui tourne au-dessus de la promenade et le grand D illuminé au-dessus du restaurant Dream Inn. Les taches sombres à la périphérie de la ville sont les champs de choux de Bruxelles au nord, les forêts et les ensembles de logements universitaires. Un point de néon rouge brille devant les poissonneries de la jetée. La lampe du phare éclaire par intermittence les surfers qui attrapent les derniers rouleaux sur Steamer Lane. Droit devant nous se dessine la courbe de la baie et la nuit, une pointe de terre à l'autre bout brille des feux de la ville de Monterey. En redescendant la digue vers la maison, les nuages au-dessus de nos têtes s'écartent pour laisser apparaître des plages de ciel bleu et sur la baie, des rayons de soleil illuminent les V dorés des sillons des bateaux de pêche qui rentrent au port.

Pour le dîner, Grazia a fait des pâtes et du poulet à la crème. Tout le monde s'occupe de Norman qui, ce soir, fait ses débuts sur scène comme chanteur dans un concert de musique de la Renaissance. Lorna s'active autour de lui pour essayer de l'habiller. « Packard, c'est incroyable de voir le goût que tu as, dit-elle en regardant ce qu'il s'est mis sur le dos. Ce n'est pas bien du tout. » Norman réapparaît avec un pantalon noir étroit et une chemise beige ouverte. Lorna lui noue un foulard autour du cour. Nous nous dépêchons de manger et nous le faisons sortir.

L'église est pleine à craquer quand Norman monte sur scène. Ressemblant à un enfant de chœur qui aurait trop poussé pendant une adolescence prolongée, il donne le ton et le tempo pour le madrigal d'ouverture. Il a une voix de ténor agréable, mais qui ne porte pas assez pour remplir la salle. Les choristes et les solistes, accompagnés par un orchestre de luths, de cornets à piston, de saquebutes, de violes et d'un petit orgue, interprètent des morceaux définis par le programme comme étant de la « Musique de la

Sérénissime ». Mélange de chants d'Église et de chants profanes composés à Venise au XVII^e siècle, cette musique exprime un ordre et une cohérence qui ont disparu de cette planète depuis bien longtemps. Grazia, qui est assise à côté de moi, se laisse aller à des exclamations en italien. « *La stella !* » s'exclame-t-elle en couvrant la voix du soprano. « *Brava ! Brava !* » C'est la musique d'un peuple libre, est-il écrit dans le programme, de gens qui étaient suffisamment éloignés du centre de l'Empire romain pour cultiver une sensibilité et un raffinement esthétiques qui leur fussent propres. « Ils font une analogie avec Santa Cruz, dit Grazia en riant. Loin de Washington et de New York, c'est la Venise de l'Empire américain. » Quelle que soit la part de vérité contenue dans cette analogie, il y a effectivement dans cette musique des résonances et une légèreté qui correspondent parfaitement à la grâce d'une douce nuit sur les rives de la baie de Monterey.

Le lendemain matin, on commence par une réunion du Projet dans la salle à manger avec Doyne, Norman, Mark, Letty, Rob et moi. Norman, bâillant ostensiblement, est enveloppé dans une robe de chambre rouge. Mark, portant un T-shirt à manches longues, un pantalon kaki et des chaussures de jogging Nike, s'accroupit sur le banc devant la fenêtre et sautille sur la pointe des pieds comme un entraîneur de football regardant ses joueurs sur la ligne de touche. Letty a un blue-jean et une chemise Oxford avec les manches retroussées. « Cette nuit, dit-elle, j'ai rêvé qu'il y avait du chewing-gum collé sur la roulette, qu'il fondait dans les roulements et que ça coinçait tout le mécanisme : c'était horrible. » Rob Lentz montre à tout le monde qu'il vient de se couper les cheveux et de se tailler la moustache. « Je me prépare pour Las Vegas », annonce-t-il.

Doyne, en pantalon de varape et en gros chandail de laine d'Islande, les cheveux encore mouillés de sa douche matinale, ouvre la réunion en distribuant des photocopies de *Predicting Roulette,* le manuel où le Projet explique en vingt-cinq pages comment battre la roulette avec des ordinateurs. « Vous l'avez déjà vu, dit-il, mais il manquait des pages à certains d'entre vous. J'ai aussi eu l'idée d'une amélioration super pour le programme, un moyen d'ajuster les paramètres automatiquement tout en jouant. Cela me prendrait deux jours et je ne sais pas si vous voulez attendre ici encore autant de temps. »

Cloué à la porte de la salle à manger, un tableau noir se couvre d'équations tandis que Doyne se lance dans un miniséminaire sur la physique de la roulette. De longs chapelets de variables déferlent entre les crochets de logarithmes. Des deltas surgissent devant des paramètres ajustables. Des parenthèses enferment des taux mesurables et des tranches de chiffres. Des valeurs préétablies et des « facteurs de triche » sont disséminés un peu partout. De la poussière de craie flotte dans les rayons du soleil qui tombent en oblique de la fenêtre, et Doyne finit d'écrire au tableau la dernière de trois équations multifonctions. « Ce sont les deux équations de mouvement pour la bille et le cylindre, conclut-il, et voici la solution : un algorithme qui combine ces équations et les résout. »

Après avoir noté les équations sur un cahier, Rob lève les yeux et caresse sa moustache.

« Doyne, demande-t-il, est-ce que je suis vraiment obligé de connaître tout ça ? Moi, du moment que le matériel marche, tout ce que je veux, c'est aller là-bas et m'en servir.

— Attends, dit Mark en se balançant d'avant en arrière sur la pointe des pieds, il y a quelque chose que je trouve super dur. Dès que quelqu'un parle de quelque chose qui ne marche pas dans le système, il met ça sur le dos du hard, mais les emmerdes qu'on a eus venaient aussi souvent du soft.

— Dis donc, t'es susceptible aujourd'hui, mon vieux, dit Rob. Je ne t'accusais de rien. Je demandais juste à Doyne si je pouvais jouer à la roulette sans en connaître toute la physique. Ce n'est pas que je n'aie pas envie de la connaître, mais je croyais qu'on voulait sortir d'ici le plus vite possible.

— Je suis d'accord avec Rob, dit Letty, qui est recroquevillée dans un fauteuil dans le coin de la pièce. Je n'ai pas suivi grand-chose. Ce dont nous avons besoin en ce moment, c'est d'un dictateur charitable. Tu n'as qu'à juste nous dire quoi faire et on y va.

— Je pense que deux d'entre vous devraient partir tout de suite pour Las Vegas, insiste Mark, sans changer le programme ou attendre qu'une deuxième paire d'ordinateurs soit cirée. Je sais que tu veux un ensemble de secours, dit-il à Doyne, mais je peux en finir un et te l'envoyer dans deux jours. Tu devrais abandonner les tests supplémentaires avec l'appareil à rétro-action et prendre la route.

— Mais, objecte Doyne, ça fait deux ans qu'on n'a pas fait une série complète de tests de coordination œil-orteil.

— Je sais, approuve Mark, mais est-ce que ton système nerveux s'est vraiment détraqué depuis ? »

Je porte une paire de chaussures magiques, avec leur chargement complet, et je suis debout dans le sous-sol en train de recevoir des signaux, sous forme de vibrations, émis par la boîte d'entraînement à la mise. Ce sont des Clarks, de jolis souliers qui n'ont rien de particulier si ce n'est l'ordinateur qui se trouve dedans et qui me chatouille le pied droit.

C'est mon dernier essayage — mon fignolage, comme on dit — pour bien ajuster mes vibreurs. Letty est devenue la spécialiste de la fabrication de ces pistons métalliques qui vont et viennent verticalement dans les solénoïdes. La dernière étape du processus consiste à les adapter en les limant en pointe. C'est tout un art d'avoir un ordinateur dans ses Wallabees. On essaie de ne pas boiter› mais on a quelques scrupules à fouler aux pieds le microprocesseur. Si on soulève légèrement le talon, les pistons sautent en l'air comme du pop-corn. Mais après la fraction de seconde qu'il faut pour les déchiffrer, une prise d'appui sur le tarse peut complètement étouffer les solénoïdes.

Ayant lui aussi sa paire de chaussures magiques aux pieds, Doyne se promène autour de la roulette. « Mon ordinateur vient de me laisser tomber. Je viens d'avoir un 9, annonce-t-il, c'est-à-dire le signal de ne pas miser, une haute impulsion sur le solénoïde de derrière. Dès que je mets ces chaussures, elles ne marchent plus.

— Est-ce que tu pues des pieds ? demanda Rob. Je me disais qu'il faudrait peut-être faire passer un test d'odorat à l'ordinateur. »

Le visage de Doyne se crispe et un sourire de travers lui tord la bouche. « Ouais, admet-il. Il faudrait tout tester. »

L'autre gag du jour vient de la susceptibilité de Mark qui croit qu'on l'accuse du retard. Tout le monde a tendance à reporter la responsabilité davantage sur le hard que sur le soft, mais Mark a raison sur un point. Une erreur dans le programme, qui permet à un électron errant de se glisser dans une porte de logique une fois sur un million d'opérations, peut faire griller un circuit tout autant qu'une mauvaise soudure. Pourtant, quand on vous présente des transistors grillés, il est souvent difficile d'expliquer leur état pitoyable par un accident logique. La blague, c'est qu'on ne précisera plus l'origine des problèmes du système, on les désignera désormais par les termes « erreurs de l'utilisateur ». Je passe l'après-midi à travailler sur la boîte d'entraînement à la mise. Les solénoïdes qui rebondissent sous ma plante de pied et mon talon me transmettent les signaux allant de 1 à 9. Je les traduis en séquences de chiffres sur le tableau et j'éparpille des jetons sur le tapis. Je me tiens devant la table de la salle à manger, pariant d'après les vibrations qui se succèdent les unes après les autres. J'apprends à distinguer les solénoïdes. Je maîtrise les différentes fréquences. Je mémorise les numéros de chaque huitième de cylindre de la roulette. Penché sur le tapis avec ce qui est en train de devenir une précision réflexe, je me concentre sur mon travail comme un acteur qui répéterait dans l'intention de devenir le Marlon Brando de la prévision à la roulette.

Doyne, qui n'a pas quitté la deuxième paire de chaussures, entre dans la pièce et annonce : « Bon, on va faire un essai de portée. »

Appuyant sur les microcommutateurs avec ses orteils, il simule le réglage du mode et la saisie des données au cours d'un jeu réel. Pour la première fois, les signaux que je reçois dans la chaussure sont transmis de son ordinateur au mien, exactement comme cela se passera à Las Vegas. Nous faisons une douzaine d'essais, et Doyne s'éloigne progressivement de moi. « C'était un 8 », dit-il.

J'ai une vibration moyenne sur le solénoïde arrière. Je le confirme : « Exact.

— 5.

— 5.

— Encore un 8.

— Non, j'ai eu un 9.

— C'est notre portée limite. Après deux mètres soixante-dix ou trois mètres, tu n'auras que des signaux “ pas de mise ”. »

Il se tourne vers la boîte d'exercice et me regarde deviner les numéros et jeter des plaques sur le tapis.

« Tu engages bien tes mises où il faut, remarque-t-il, mais ta technique est mauvaise. Tu es un gros joueur et tu ferais mieux de savoir manier tes jetons, dit-il en prenant une pile et couvrant les numéros sur le tableau en deux fois moins de temps que moi. Au lieu de te servir de tes deux mains pour distribuer tes plaques comme des cartes, tu dois les mettre toutes dans une seule main et les faire glisser entre tes doigts comme un distributeur de pièces de monnaie. Sans faire bouger le poignet tu les fais sortir deux fois plus vite, ajoute-t-il en s'éloignant pour me regarder faire. Encore une chose : quand tu maîtriseras bien tous tes gestes, sois détendu. Si tu passes ton temps à jouer, tu es censé t'amuser. »

Letty entre par la porte d'entrée. « Vous êtes prêts pour le départ ? demande-t-elle en sortant une liasse de billets de banque de son sac à main. Voici le capital de jeu, deux mille cinq cents dollars en liquide. Ils étaient surpris, à la banque, quand je leur ai demandé de sortir ça. “ Généralement, nous ne donnons pas autant d'argent sans avoir été prévenus d'avance ”, m'a dit le directeur. Alors je lui ai dit : “ Vous allez être obligé de vous contenter de ma parole, mais les circonstances sont un peu particulières. ” »

À la réunion, il avait été convenu que nous nous séparerions pour aller à Las Vegas en deux vagues. Doyne et moi devions partir incessamment dans la Fiat bleue de Letty. Dès qu'il aurait terminé les autres paires de chaussures, Rob nous suivrait avec elle dans sa Duster Plymouth. Mark a l'intention de rester à Santa Cruz. Il a plusieurs raisons, un mélange d'orgueil et de trouille, pour ne pas vouloir aller à Las Vegas. Soit les ordinateurs fonctionnent aussi bien qu'il le dit, soit il en va autrement. Est-ce que nous lui faisons confiance ? Quant à sa trouille, Letty a essayé de le convaincre que les règles de jeu dans le Nevada n'interdisent pas de manière explicite le port d'appareils divinatoires dans les casinos. Mark ne peut quand même pas s'empêcher de se représenter des Mafiosi aussi imposants que les membres de la tribu Watusi en train de le torturer dans l'arrière-salle du Caesars Palace ou de faire saisir le moindre petit meuble dont il dispose dans sa maison déjà modeste.

Au début de la soirée, je sors par la porte de derrière et je trouve Doyne dans le Blue Bus. Il a enlevé le capot et il est plongé dans les pistons avec un assortiment de clés à douille. N'ayant pas servi depuis un mois, le Bus était garé devant la maison jusqu'à ce que la police vienne menacer de le faire enlever. Comme c'est le premier voyage à Las Vegas sans le Bus, Doyne avait dit qu'il allait le pousser dans la grange. Je suis donc surpris de le trouver là, couvert de graisse, entouré de pièces de moteur, et je lui demande : « Qu'est-ce qui se passe ?

— C'est une histoire psychologique. Je ne sais pas pourquoi, mais je me sens mieux quand le Bus est en état de marche. Ça m'embêterait de partir avant qu'il ait donné signe de vie. »

Pendant le dîner ce soir-là, deux textes firent le tour de la table. Le premier était un article du *San Francisco Chronicle,* venant de Carson City, Nevada : « Les joueurs ont perdu 688,3 millions de dollars dans les casinos du Nevada pendant les trois mois d'été, avec une augmentation de 8,1 % par rapport à l'an dernier, chiffre considéré par un officiel comme encourageant compte tenu de la récession. »

« Qui penserait qu'il y a autant de crétins dans le monde ? » demande Letty.

Le second est une lettre de dix pages. « J'aimerais avoir votre avis là-dessus, dit Doyne. J'ai envie d'en envoyer un exemplaire à tous ceux qui ont une part dans les Eudaemonic Enterprises. À présent que nous avons une nouvelle génération d'équipement, je pense que tous ceux qui ont droit à une part de Gâteau devraient être informés de ce qui se passe. »

Voici le début de cette lettre : « Chers Eudémonistes, le baptême de la dernière paire de chaussures magiques étant imminent, il est grand temps de rendre compte du statut du Projet. Voici ci-dessous un essai de répartition du Gâteau eudémonique, ainsi qu'une révision et une extension de l'accord initial. La photo ci-jointe du " sandwich " et du " bateau " devrait vous donner une idée du niveau actuel de la technologie mise au point pour la roulette. Le sandwich est un ordinateur preneur de données complet et le bateau contient toutes les piles, antennes, et deux des trois vibreurs plantaires (l'autre se trouvant sur l'ordinateur). »

La lettre décrit l'expédition imminente au « Champ d'oseille du Nevada », où le nouveau matériel va être testé au cours d' « un mois de jeu avec fortes mises ». La lettre éclaire également les récentes mutations du Gâteau eudémonique, en particulier le fait qu'y est venue se greffer une rallonge, et propose la répartition générale suivante du Gâteau, sur lequel seront prélevées les parts individuelles revenant aux membres du Projet.

| | |
|---|---|
| Recherche et évolution (main-d'œuvre) | 80 % |
| Investissement de capitaux | 19 % |
| Développement fructueux | 1 % |

« Avant d'entrer dans les détails de la charte révisée pour l'Eudémonie, poursuit la lettre, certains d'entre vous seront peut-être intéressés à prendre connaissance du pointage actuel du temps et de l'argent qui ont été investis dans la folie de la roulette. » Suit un espace blanc sur la page où Doyne avait l'intention de faire ce décompte. Avec tout ce qu'il a eu d'autre à faire, il n'a pas eu le temps. Mais l'eût-il fait, les gros points de la balance eudémonique auraient donné à peu près ceci : capital total investi de quinze mille dollars, le plus gros venant de Doyne et de

Letty, plus mille dollars mis par Norman, Tom Ingerson, Dan Browne et d'autres. Sur cet argent, huit mille cinq cents dollars ont servi pour l'avance versée à Mark pour un an et demi de salaire d'heures supplémentaires. Le reste a été dépensé pour acheter des puces et d'autres composants. Un fonds séparé de capital de jeu a été constitué par Rob Shaw, Tom Ingerson, Letty et les parents de Doyne. Mais le plus étonnant aurait été placé sous la rubrique « Bonne volonté ». En tête de la liste des personnes ayant fourni de la main-d'œuvre et des idées pendant six années de folie de la roulette venaient Doyne, avec trois mille cinq cents heures de crédit dans le Gâteau eudémonique, Mark avec trois mille, et Norman avec deux mille.

Tard dans la soirée, je trouve Mark dans l'Atelier. Son visage est éclairé par la lueur verte des ondes sinusoïdales qui balaient l'oscilloscope. Devant lui passent des brins multicolores de fils de bus reliant le KIM à un des sandwiches. « Je teste le système, dit-il. Le KIM fait passer le sandwich dans un programme cyclique. Il marche comme un humain qui surveillerait l'ordinateur dans ses prévisions, sauf que le KIM ne fait pas d'erreurs et ne s'ennuie jamais ; il peut sortir le même résultat mille fois de suite.

« Je veux être sûr que l'ordinateur ne manque pas une seule étape. Je vais donc rester ici un moment, dit-il. Peut-être toute la nuit. »

En préparation de la réunion annuelle des détenteurs de Gâteau, eudémonistes, mages de la physique et amis travaillent pour transformer la maison car la fête commence dès les premières heures du jour de Halloween. Des odeurs de tarte aux fruits et de gâteau au chocolat sortent de la cuisine. Doyne apporte une bouteille d'azote et montre comment, à −165°, on peut répandre par terre un peu de liquide qui va se transformer en un nuage de vapeur. « On peut aussi en faire sortir de sa bouche, dit-il en faisant une démonstration d'avaleur de feu à l'envers. Ça devrait amuser tous les mages physiciens. » Ingrid s'affaire à transformer les aquariums de Norman en coupes à punch pleines de glaçons secs. Letty s'occupe de transformer les chambres en chambres tactiles et chambres de méditation. Norman et Rob Shaw, qui ont emprunté une sono professionnelle avec des baffles d'un mètre cinquante de haut, installent leur matériel quadriphonique dans le salon qui devient une discothèque avec murs tapissés de papier d'aluminium et un light-show de lasers et de projecteurs stroboscopiques. Après avoir mis des écrans de télévision partout dans la maison, Jim Crutchfield métamorphose l'ancienne salle du Projet en studio de production, avec table de maquillage, miroirs, moniteur télé et caméra vidéo. L'un des thèmes de la party de Halloween cette année est le feedback. La caméra et les moniteurs sont installés de telle manière que les gens, où qu'ils se trouvent dans la maison, pourront se regarder en train de se regarder.

Malgré tous les efforts déployés, cette année il y a un fond de déprime dans l'air. On sent que tout ça va bientôt éclater, que la maison va être vendue et que ses habitants vont être disséminés comme les graines d'une cosse. Doyne à Los Alamos. Norman à Paris. Ingrid à San Rafael pour travailler chez Lucas Films. Et Letty soit au Nouveau-Mexique avec Doyne, soit à San Francisco pour voler de ses propres ailes. Conscient de l'ambiance générale, le titre officiel de la réunion de cette année est : « La dernière party de Halloween. »

La maison s'emplit de bonne heure de danseurs costumés. Les écrans de télé reliés à la caméra qui se trouve dans la pièce de devant transmettent un spectacle permanent. Une femme assise devant le miroir de maquillage se colle une moustache au-dessus de la bouche. Un sosie de Phyllis Schlafly montre comment on doit croiser et décroiser les jambes. Une fille saute en l'air comme un pantin. Un monstre dévore un boy-scout. Déferlent sur l'écran — et dans la maison — une procession de clowns et de princesses-fées, un miroir avec des trous pour les yeux grattés dans le tain, un Rubik's cube, des divinités sylvestres, des cheikhs arabes, et des survivances de croyances diverses. Je découvre Rob Lentz sous un burnous en tissu-éponge. Jim Crutchfield circule en collant violet et lunettes de soleil. Je suis tellement impressionné par le réalisme de la pâte verte qui imite du cerveau s'écoulant par son front que c'est à peine si je reconnais Lorna sous les traits de Frankenstein. Couverte de collants verts et de peinture dorée, Wendy danse avec un singe qui porte des lunettes de soudeur couvertes de poils. C'est Mark. Letty, en perruque noire, sarong et sandales, est habillée comme une touriste balinaise. Norman porte des chaussures blanches, un pantalon et une chemise noirs, une cravate blanche et une sorte de haut couvre-chef en crêpe noir et blanc.

« Je suis une intégration de base, annonce-t-il.

— Comme en mathématiques ? demandé-je.

— Non. Comme en noir et blanc. C'est la voie de l'avenir. »

À minuit, la maison se vide et toute la troupe marche jusqu'au restaurant New Riverside Szechuan. Sur le parking, Rob Shaw, en perruque blond platine et en caleçon long, prépare un feu d'artifice maison. La foule pousse des exclamations à chaque fusée et à chaque bouquet qui explose dans le ciel. « Un point pour le Nicaragua. Un peu plus à l'est, Rob. On va peut-être arriver à prendre Washington. »

De retour à la maison, au son des pulsations de la musique, les danseurs tournoient sous les rayons laser et les boules à miroirs. Deux princesses de conte de fées dansent joue contre joue. Un jésuite aux dents de vampire flirte avec une bonne sœur barbue. Le troisième sexe est très à l'honneur mais il semble y avoir cette année une frontière culturelle entre décadence et punk, entre look travelo-transexuel et bon vieux nihilisme noir. Ingrid, avec des bottes de moto, un T-shirt coupé et les cheveux gominés en queue de canard derrière, est venue sous les traits d'un Hell's Angel. Son T-shirt porte l'inscription : « Mustache Rides » devant, et derrière on peut lire :

Born on a mountain
Raised in a cave
Biking and sex
Is all I crave (1)

Doyne, qui penche plutôt du côté décadent du spectre, porte des bas et des hauts talons. Il a du rouge à lèvres, des bracelets, des boucles d'oreille en or, un corset et un soutien-gorge avec une liasse de billets de jeu entre les deux seins. Flottant sur sa tête, une perruque blonde lui donne l'air provocant et vulgaire d'une call-girl de Las Vegas déjà bien décrépite.

La maison vibre au son de Xene qui chante *Johnny Hit and Run Pauline*. Du sol s'élève de la fumée d'azote liquide. Les moniteurs télé commencent à émettre d'étranges dessins. Je découvre Ralph Abraham en train de diriger la caméra vidéo droit sur un des écrans de télé. « C'est une boucle de feedback, me dit-il en se dirigeant vers les boules de lumière qui apparaissent et disparaissent sur l'écran. La caméra prend une image d'elle-même en train de prendre une image d'elle-même en une régression sans fin. À cause d'une fraction de seconde de décalage dans sa mise au point, l'image est instable. Ce qui fait que l'on obtient un feedback continu. C'est une espèce de surcharge sensorielle. » Les pulsations de

(1) Née sur une montagne, élevée dans une grotte
Le sexe et la moto, c'est tout ce qu'il me faut.

boules et de croissants de lumière composent une danse kaléïdoscopique d'électrons. Sur l'écran surgissent des ensembles de formes qui ne se répètent jamais. « Le système est tellement surchargé qu'il ne peut se fixer en une forme stable, explique Ralph. C'est un exemple parfait d'attraction étrange. »

Le lendemain en fin de matinée, nous soignons nos gueules de bois en dégustant une salade de crabe sur la terrasse de chez Aldo, clignant des yeux pour regarder les flots bleus et les voiliers qui dansent dans le port. Mark mange du bout des dents et évite de regarder le soleil. Ingrid s'excuse et quitte la terrasse pour aller s'allonger sur un lit de ficoïde glaciale.

« J'ai l'impression que la party était un retour au passé, dit Norman. C'était plus décadent que punk et la décadence est démodée.

— Ça donnait l'idée d'une époque qui touche à sa fin, dit Doyne, et l'impression que ça pourrait bien être la dernière party. Quoi qu'il en soit, ajoute-t-il en se tournant vers moi, c'était un bon coup d'envoi. Allons faire nos bagages et partons d'ici. »

# 16

## *Le bateau de Cléopâtre*

Acharnés, mais pas sérieux.

Adam and the Ants.

Ce jour-là, Doyne et moi mettons deux paires de chaussures magiques et deux paires de chaussettes tout aussi magiques dans la Fiat, et dans l'après-midi, nous partons pour Las Vegas. Nous emportons aussi vingt-cinq dollars en liquide et un assortiment de pantalons infroissables et de chemises hawaïennes à fleurs. Nous prenons la direction du sud sur la route n° 101 qui traverse des vignobles et des pâturages au-dessus de la baie de Monterey. Doyne est au volant. Il se tourne vers moi : « Tu sais pourquoi l'ordinateur-sandwich s'appelle sandwich ?

— Non.

— Mark s'était dit que, si on se trouvait vraiment en mauvaise posture, il nous restait la solution de le manger. On avait même imaginé d'incorporer des sachets de ketchup dans les chaussures. Mais on a reculé devant la difficulté d'élaborer des porte-sachets de ketchup. »

Doyne fouille dans un sac en papier et en sort un petit gâteau au chocolat, vestige de la party. « J'aimerais qu'on soit déjà au casino. Ce qui ne veut pas dire que je n'ai pas hâte d'arriver à Bakersfield. »

À Paso Robles, nous obliquons vers l'est et nous attaquons la chaîne côtière ; de l'autre côté, c'est Bakersfield puis le passage de la Sierra Nevada, plus haute que la Diablo Range. Ce n'est qu'après avoir franchi Tehachapi Pass que nous entamerons la descente sur Boron, Barstow, Baker, avant d'aborder la portion toute plate qui traverse le désert Mojave jusqu'à Las Vegas.

Tout à coup, Doyne donne un coup de volant et tend le cou pour regarder dans le rétroviseur. « T'as vu cette tarentule ? hurle-t-il.

— Je n'ai rien vu du tout, dis-je en me retournant pour ne voir que le bitume défiler derrière nous.

— Elle était grosse comme un tourteau. Énorme. C'était peut-être une chauve-souris ou un vampire », dit-il tandis que nous éclatons de rire.

En haut du col pour passer les Diablos, vers l'est, on voit la haute Sierra de l'autre côté de Central Valley. La neige qui couvre les sommets rougeoie à la lumière du soleil couchant. Nous traversons la route n° 5, l'axe nord-sud le plus emprunté par les camions, et nous nous retrouvons dans un paysage plat rayé par les lignes des champs de coton. Du côté de Wasco, où le coton laisse la place aux fruits et aux noix, nous tombons sur un nombre incroyable de vieilles Chevrolet 1957 qui passent sur la route. Une banderole accrochée au-dessus de la Grand-Rue annonce la grande chasse au dindon de Wasco, et on entend les détonations des fusils dans les champs.

« Notre Explorer Post avait organisé un tir aux dindons une fois, me dit Doyne. On essayait de ramasser de l'argent pour aller faire un voyage en Amérique du Sud. »

Dan Hicks et ses Hot Licks passent à la radio et font entendre leur style spécial de musique hawaïenne tutti-frutti. « Si jamais j'arrive un jour à avoir un peu d'argent, je voudrais m'acheter une chaîne et des disques. Je commencerais par du jazz, la vieille cuvée des années 20 et 30, Louis Armstrong, Nat King Cole, Django Reinhardt, Stéphane Grappelli, Mike Lowell France. Ils pouvaient reprendre n'importe quoi, depuis *Sweet Sue* jusqu'à *Sewanee River* et en faire une musique sur laquelle on peut danser. Ensuite je prendrais quelques Fats Waller, Willie Maybaum et d'autres pianistes de blues du début des années 50. Et les Boswell Sisters. Elles chantaient du swing et du jazz qui balançait toujours. J'achèterais tous les Hank Williams et au moins les premiers disques de Dan Hicks. Je voudrais aussi une bonne quantité de Cream pour quand je me sens dans l'humeur " Cream ", et les Beatles et les Stones du début, et les Kinks et Buffalo Springfield. Ajoute à ça les Coasters. Et j'allais oublier tout Chuck Berry. »

Le col de Tehachapi Pass est ouvert, annoncent les signaux clignotants sur la route. Nous prenons la queue derrière les poids lourds et faisons l'ascension de la montagne dans une brume de diesel. Nous descendons jusqu'à la ville de Mojave, passons devant le Bel Aire Motel et une enseigne au néon allumée au-dessus de chez une voyante qui lit dans les lignes de la main. « Je m'arrêterais bien pour qu'elle me dise l'avenir, dit Doyne, mais maintenant qu'on est dans le désert, on ferait aussi bien d'y aller. »

La nuit transparente nous enveloppe, avec des étoiles qui brillent comme des diamants éparpillés sur le plateau d'un bijoutier. Une lune gibbeuse s'élève dans le ciel. Vidant le dernier sac de pommes et de gâteaux au chocolat, nous franchissons la frontière inter-États dans un bourdonnement de néon avant de replonger dans le bleu de la nuit du désert.

À soixante kilomètres de Las Vegas, le ciel s'éclaircit. Pris dans un flot de voitures, nous roulons vers une aube surnaturelle qui passe de l'ambre brûlée au rose puis tout à coup, au-dessous de nous dans une vallée s'étendant à l'est des Spring Mountains, nous découvrons la lueur de ce dôme de plaisirs qui brille de tous ses feux en plein désert. Des bouquets de lumière géants éclatent et se transforment en un film accéléré de fleurs ouvrant leurs pétales de néon. Des veines argentées de lumière s'enfoncent loin dans le désert tandis que la ville organisme photocynétique au-dessous de nous clignote et tournoie.

Nous quittons l'autoroute et prenons le Las Vegas Boulevard South, connu également sous le nom de Strip. Le flot de voitures roule doucement en passant d'une explosion de couleurs à une autre. Dans ce jardin de néon on découvre, éclairés par des spots, les fontaines, les statues de plâtre, les carrelages persans, les arches, les portiques et loggias romains qui décorent des casinos dont les styles vont, comme le dit Robert Venturi, du marocain de Miami au Bauhaus hawaiien en passant par le Hollywood orgasmique, le Niemeyer mauresque, le romain orgiaque et le Tudor arabe. Une frénésie de lumière explosant en étoiles et tournoyant au-dessus de palmiers en aluminium illumine les gigantesques enseignes hautes de sept étages qui annoncent l'attraction de la soirée. « Wayne Newton joue aujourd'hui à l'Aladdin, lit Doyne avec l'enthousiasme feint du guide qui accompagne un groupe de touristes. L'Aladdin était un vrai tripot mais ils l'ont refait avec une enseigne lumineuse aussi grande que les autres. Les choses changent.

« Voici le MGM Grand reconstruit après l'incendie, et le Jockey Club, un nouveau casino. Sur ta droite, tu as le Barbary Coast et Maxim et le Flamingo Hotel, où Bugsy Siegel a démarré toute l'affaire. Sur ta gauche, c'est l'entrée majestueuse du Caesars Palace. Le tapis roulant surélevé vous permet de descendre du ciel jusqu'au casino. Les statues, comme tu pourras le remarquer, ont des formes anatomiques avantageuses. » L'enseigne de néon du Caesars Palace, qui est décorée de statues de centurions et de garçons de bains de vapeur, annonce que Cher passe au Circus

Maximus, et que Pupi Campo et Bruce Westcott se produiront au Cleopatra's Barge.

« Nous approchons maintenant du Monde Sauvage du Burlesque au Holiday Casino et sur ta droite se trouve l'Imperial Palace, pour les plaisirs orientaux. Nous sommes aveuglés devant le Nob Hill Casino, le Sounds et le Costaways, qui est une autre attraction de la ville. » Des jeunes gens dans des voitures de sport font craquer leurs vitesses et klaxonnent au moment où nous passons ensemble devant le Frontier, le Desert Inn et le Stardust.

« Ici, c'est Silver Slipper, célèbre pour son petit déjeuner à quatre-vingt-dix-neuf cents. Tiens, je vois qu'il est passé à un dollar vingt-neuf. Et voici le casino Silver City, théâtre de notre premier gros gain, où Ingrid a gagné cinq cents dollars en une demi-heure. Sur ta droite, tu as la Landmark Tower puis à gauche, pour le jeu en famille, nous avons le Circus Circus. Comme tu sais, c'est là que nous avons connu bien des séances gagnantes. À côté, au Stardust, nous avons comme attraction " *The All New Direct from Paris Lido Show Les Bluebell Girls with a Cast of a Hundred* ".

Un peu plus bas sur le Strip, une photo de Loretta Lynn illumine la façade du Riviera. « Elle a pas l'air mal, dit Doyne. Nous ferions bien d'aller voir ça. » Après le Silverbird et la Candle Light Wedding Chapel annonçant : « Service de mariages immédiats — tous chèques acceptés », nous tournons à droite au Foxy's Firehouse Casino sur Sahara Avenue, avant de prendre tout de suite à gauche sur Paradise Road.

« Nous sommes déjà venus ici, rappelle Doyne en s'arrêtant au Brooks Motel. Il n'y a pas mieux comme situation et ce n'est pas cher. » Le patron nous demande une semaine d'avance et nous faisons le tour en voiture par derrière pour décharger nos bagages. On entend des détonations de revolvers et des galopades à la télé en passant devant les fenêtres. Traversant dans une petite cour occupée par une piscine et un palmier, nous montons un escalier qui mène à notre appartement, lequel comprend une chambre et un living séparé de la cuisine par une demi-cloison. Une porte à glissière donne sur un balcon juste au-dessus de la piscine.

« C'est par là que passent les types du premier étage, me dit Doyne en indiquant le balcon. À Las Vegas, il y a beaucoup de drôle d'argent qui se promène dans les poches des gens et ces types-là s'imaginent qu'ils contribuent à assurer sa circulation. Alors, si tu veux ouvrir la fenêtre la nuit, tu as peut-être intérêt à garder tes chaussures pour dormir. » Je ne sais pas de quelles chaussures il veut parler : avec ordinateur ou sans ordinateur ?

Il est une heure du matin et nous sommes fatigués, mais excités d'être à Las Vegas. Alors, nous fermons l'appartement et prenons la voiture jusqu'à Fremont Street, où se trouvent les trois groupes de casinos qui représentent ce qu'on appelle le centre ville. Nous nous séparons et arpentons le couloir de néon. J'entre en flânant dans le Mint et dans le Golden Nugget, où je m'arrête pour regarder ce qui se passe du côté des tables de roulette. Dans un petit carnet — fourniture officielle du Projet —, je consigne des renseignements concernant la roulette sur le sens de l'inclinaison et la vitesse du cylindre. Je prends des notes sur les croupiers et dessine la disposition des tables dans la salle. « Les roulettes de Las Vegas sont toujours aussi penchées, déclare Doyne quand nous nous retrouvons dans la voiture. Ça me paraît bien parti, très bien parti. »

Le lendemain, nous nous réveillons tard. Il fait déjà chaud et l'air sec nous enveloppe comme un sac à vêtements. Je sors sur le balcon. En dessous, à côté de la piscine, le gérant de l'hôtel remplit la machine à Coca-Cola avec des boîtes rouges et blanches. La veille, quand nous sommes arrivés, il nous avait montré une photo de Melvin Dumar, dédicacée : « Pour le Brooks Motel avec mon affection. » La photo représentait un type avec une banane et un air boudeur. « Mr. Dumar est l'héritier de la fortune de Howard Hughes, avait dit le gérant. Mais en ce moment, il imite Elvis. Quand il vient à Las Vegas, Mr. Dumar descend toujours au Brooks. »

Du balcon, je regarde les hauteurs qui entourent Las Vegas. La Spring Range se dresse à l'ouest et le Sunrise Peak à l'est. Pour ce qui est de Las Vegas, je vois le toit du Foxy's Firehouse Casino, où une grande enseigne clignotante annonce HAMBURGERS GRATUITS BOISSONS GRATUITES À VOLONTÉ. En face du Foxy's s'élève le groupe de tours qui dominent la piscine du Sahara Hotel ; sur ma gauche, le panorama comprend Paradise Road et le haut des têtes de femmes dont les cheveux sont bruns à la racine mais d'un blond doré quand ils arrivent sur leurs épaules. À travers leurs lunettes de soleil, elles regardent les devantures des commerçants, parmi lesquels on trouve un acupuncteur, une clinique d'avortement, et un spécialiste de chirurgie esthétique des seins et d'injections de silicone.

Doyne et moi allons jusqu'au Golden Gate pour prendre un petit déjeuner composé d'œufs pâlichons nageant dans la graisse du bacon. Nous allons refaire un tour sur Fremont Street et nous nous arrêtons au Golden Nugget, où ils sont en train de mettre une roulette à niveau. Un croupier regarde la bulle d'air qui flotte dans un niveau à alcool posé sur la roulette. Un garde de sécurité soulève la caisse et le croupier se baisse pour caler les pieds de la table.

« On ne peut pas mettre une roulette à niveau correctement comme ça, me dit Doyne plus tard. Je suis surpris qu'ils fassent ça aussi grossièrement. »

Je passe l'après-midi au motel, j'étale le tapis et les jetons sur la table basse et enfile une paire de chaussures magiques pour travailler avec la boîte à entraînement. Doyne fignole les pistons de ses solénoïdes et découpe des trous dans ses chaussettes. Il prend la voiture pour aller acheter des piles au magasin d'électricité puis fait une sieste. Après un dîner de tortillas réchauffées dans le four à micro-ondes au Carlos Murphy's Irish Mexican Café, nous nous dirigeons vers Fremont Street pour notre première soirée de travail.

Nous entrons dans le parking du Benny Binion's Horseshoe Club et suivons la rampe qui monte en spirale jusqu'au troisième étage. Nous garons la Fiat et mettons nos chaussures de jeu. En s'éloignant de la voiture, Doyne entre une série de données dans son ordinateur avec son orteil. Une seconde plus tard, je reçois une vibration dans ma chaussure.

« Qu'est-ce que c'était ? demande-t-il.

— Un 3.

— Bon. Et ça ?

— Un 9.

— D'accord. Et celui-ci ?

— Un 5, ou peut-être un 6.

— Bizarre, j'ai eu un 9. On devrait pouvoir rester en liaison jusqu'à trois mètres, mais avec ce faux signal, on dirait qu'on n'arrive qu'à deux mètres à peine. Il faudra que tu restes près de moi à la table. »

Doyne me tend une liasse de billets de cent dollars et va jusqu'à l'ascenseur. J'attends cinq minutes avant de le suivre sur Glitter Gulch. Après m'être baladé dans les casinos où je note ce qui se passe, j'arrive au Sundance une demi-heure après. Je fais le tour de la salle pour aller dans le fond du casino. De là, j'observe Doyne qui est devant une des deux roulettes en action. Je lui laisse le temps de terminer d'ajuster les paramètres dans l'ordinateur, je passe devant la table et, à mon deuxième passage, il place une mise sur pair ; c'est signe que je dois commencer à jouer.

Assis à ma gauche se trouve un monsieur qui porte un Stetson et une cravate-lacet, et à ma droite un Philippin qui fume un cigare. « Voyons un peu ce que donne Dame Fortune ce soir, dis-je en engageant ma première mise.

— Il fait vraiment chaud ce soir pour un mois de novembre », se plaint le monsieur en Stetson.

Je reçois une vibration et couvre d'un air dégagé les numéros sur le tapis. Je parle du temps qu'il fait, puis je me sens envahi d'une douce chaleur en voyant que la bille tombe en plein milieu du huitième de cylindre choisi. Avec un gain de trente-cinq pour un, c'est un moment bien agréable. Je commence à voir grand avec une exagération présomptueuse. J'imagine l'argent qui coule entre mes doigts, je me vois jouer aux courses, m'adonner aux plaisirs les plus voluptueux, goûter les charmes de coins perdus dans la mer des Caraïbes, aller chasser le canard dans l'Oural et voyager en ballon avec Malcom Forbes. Il en restera toujours assez pour soutenir les bonnes causes dans le monde. J'ai l'intention d'être l'exemple rare du type sympa qui devient riche et reste sympa. L'argent ne va pas me monter à la tête, il va juste aller dans ma poche. Pendant que le croupier amène vers moi un tas de jetons avec son râteau, je me tourne vers la serveuse pour commander un drink.

C'est alors que je remarque quelque chose de bizarre dans les signaux de l'ordinateur. On dirait qu'il y a un problème avec les solénoïdes. Toutes les quelques secondes, apparemment au hasard, ils se mettent en mouvement avec différentes vibrations. Je commence à placer une mise avec un signal et, en plein milieu, j'en reçois un autre. Ou bien j'en attends un et rien ne vient. Pensant que je suis peut-être au-delà de la portée des appareils, je me rapproche de Doyne. Tout en essayant de distinguer les bons signaux des mauvais, je me retrouve en train de disperser des jetons n'importe où pour dissimuler mon embarras.

Sous mon pied, l'ordinateur cliquette et vrombit d'une prévision à l'autre. Des vibrations superflues se produisent quand la bille n'a pas un mouvement régulier. Elles se succèdent à toute allure. Certaines sont nettes et lisibles. D'autres ressemblent à des accidents, on dirait des petits toussotements mécaniques venant d'un ordinateur gêné de réussir si mal ce qu'il a à faire. Les vibrations venues d'on ne sait où se multiplient, j'ai l'impression d'avoir le pied sur une machine à massages devenue folle. Je reçois une série de dix semaines de séances d'acupuncture en une seule soirée. J'engage mes mises de façon désordonnée et je guette un signe de la part de Doyne. Le monsieur à la cravate-lacet s'est fait lessiver et le Philippin est en train de perdre la main. Tirant fort sur son cigare, il éparpille les jetons sur le tapis. La pile qu'il a mise sur le 17 s'effondre et le croupier est obligé de la refaire. Debout à côté de moi, le visage tendu et les sourcils froncés par l'énervement, Doyne mise le minimum autorisé sur pair ou impair.

Je fais ce que je peux pour discerner quelque chose dans ce massage chinois. Pour ne pas me soumettre à la loi de la probabilité, qui dit qu'il reste une petite chance qu'un joueur disposant d'un avantage de 40 % puisse encore se faire ratisser, j'ai reçu la consigne de continuer à jouer tant que je n'ai pas reçu le signal du départ. Je suis pratiquement nettoyé au moment où Doyne place un jeton sur le 00. « J'ai l'impression que ce n'est pas mon soir de chance », dis-je au croupier. Il frappe dans ses mains et le chef de table vient assister à la transformation de mes jetons de roulette en argent de casino.

Je vais jusqu'à la caisse et ressors sur Fremont Street. Un peu plus tard, Doyne me retrouve au Golden Nugget où il me rejoint à une table du fond du café. Son visage est gris de fatigue. « Mon ordinateur cognait de droite et de gauche, dit-il. Mais ce qui nous a fichus en l'air, ce sont les vibrations superflues. On s'est enlisé dans les faux bruits. » En électronique, on appelle *bruit* un signal sans fonction. Au cours des prochains jours, j'allais beaucoup entendre parler de bruit.

Je me réveille tard le lendemain matin et je sors sur le balcon. De l'autre côté de l'oasis centrale avec sa piscine et son pallier, je regarde dans l'appartement qui fait face au nôtre et je vois un type en bonnet de laine. Il a balancé sa chaise en appuyant le dossier contre le mur et fume une cigarette. Une femme en peignoir lui sert une assiette contenant quelque chose qui ressemble à des œufs brouillés avec du ketchup. Au-dessous, le gérant est en train de repêcher des boîtes de Coca dans la piscine avec une épuisette. Il fait un soleil éclatant et l'air est sec. Trop sec. Même en novembre, le désert arriverait à vous dessécher.

Sur Paradise Road, les enseignes sont allumées devant la clinique d'avortement, l'acupuncteur, et le spécialiste en chirurgie esthétique des seins. Des femmes garent leur voiture derrière les immeubles et attendent un moment avant de descendre de leur véhicule. Dans la direction opposée, au-delà des néons qui grésillent sur le Foxy's Firehouse Casino, des avenues et des projets de lotissements ont été tracés sur le sol du désert, comme un circuit imprimé. Au-delà de la cuvette cuivrée de la ville s'étendent les hauteurs rouges du Las Vegas Range.

Je laisse les rideaux fermés et rentre dans notre deux pièces. C'est un vrai appartement avec cuisine et coin salle à manger, bien que maintenant la table soit couverte d'ordinateurs-sandwiches, de bateaux-piles, de pinces crocodiles, d'ohmmètres, de soudure et de chatterton. Éparpillés dans le reste de l'appartement, des schémas de branchement, des manuels de données et des chaussures avec la semelles intérieure qui ressort traînent un peu partout. Par terre dans le living, Doyne est couché sur le dos. C'est une mesure prophylactique à cause de ses problèmes de colonne. Il sort la tête de son sac de couchage, du duvet dans les cheveux, et bâille. Le visage chiffonné et de travers, il n'a pas encore bien repris ses esprits.

« J'ai fait un rêve vraiment bizarre, dit-il. J'étais dans un casino, un grand, peut-être le MGM Grand ou le Caesars Palace. Mais en même temps, c'était une église ; il y avait des cierges allumés, de l'encens qui brûlait, et des chants grégoriens dans les haut-parleurs. Il y avait des bonnes sœurs et des prêtres qui officiaient dans une pièce pleine d'autels. Tout le monde priait et on avait la sensation d'un endroit très religieux et très sacré. Mais quand on s'approchait, on voyait que les religieuses avaient les jambes nues. Les prêtres étaient en réalité des croupiers et tous les fidèles qui se tenaient près des autels étaient en fait des joueurs de black-jack ou de roulette qui recevaient la sainte communion sous forme de jetons de casino et de Bloody Marys. »

Après le petit déjeuner, Doyne appelle Santa Cruz pour avoir une consultation par téléphone avec Mark. Comme nous n'avons pas de téléphone particulier, il utilise celui qui se trouve dans la cour à côté de la piscine. Leur longue conversation à épisodes est entrecoupée de tests de continuité et d'autres essais électroniques sur le matériel. Les tests ne fournissent aucune solution. Qui pis est, ils ne mettent aucun problème en évidence. Les erreurs aléatoires dans les ordinateurs qui parfois fonctionnent et parfois ne fonctionnent pas sont les plus dures à réparer. Il n'y a aucun moyen de trouver le bogue dans un ordinateur s'il ne se manifeste pas.

Doyne remonte après avoir passé son dernier coup de fil en

Californie. « Mark veut qu'on fasse un test sur le terrain, il pense qu'on déraille et que le désert nous est monté à la tête. Il faut qu'on retourne dans un casino pour faire un essai de portée. »

Nous logeons ordinateurs et piles dans nos chaussures et prenons la voiture pour faire le tour du pâté de maisons jusqu'au Strip. Là, de grandes ailes blanches battent l'air au-dessus du Silverbird. Le nez d'un clown géant clignote au Circus Circus. Un firmament étoilé scintille au-dessus du Stardust. Un gros R rouge attire les regards au Riviera. Nous descendons le boulevard, et une tempête de sable cingle les terrains vagues. L'air se charge de poussière. Des touffes d'herbe sèche traversent la route, soufflées par le vent, et les ouvriers qui travaillent dans la rue s'abritent derrière les panneaux indicateurs. Après avoir tourné pour entrer dans le parking du Stardust, Doyne me tend un sac en plastique dans lequel il a mis la boîte d'entraînement à la mise. « Donne-moi cinq minutes, m'ordonne-t-il. Ensuite, allume la boîte et suis-moi dans le casino. »

Servant à l'origine à ranger les chèques annulés, la boîte a l'air tout à fait anodine vue de l'extérieur. Mais en soulevant le couvercle, on découvre un petit ordinateur, des faisceux de piles, un émetteur radio et une diode électroluminescente sur laquelle s'affichent des chiffres de 1 à 9. Faite pour déclencher des vibrations de solénoïdes au hasard, la boîte a été transformée pour l'occasion en émetteur portatif. Je suis censé suivre Doyne dans le casino pendant qu'il compare les forts signaux venus de la boîte avec ceux qui sont émis par l'ordinateur-sandwich de sa chaussure. Je me renseigne : « Si quelqu'un me demande quelque chose, qu'est-ce que je transporte là-dedans au juste ? »

Il n'y a pas longtemps, une bande de racketteurs avait fait sauter le Harvey's Casino à Lake Tahoe et la bombe, camouflée sous forme d'ordinateur, avait été déclenchée par des signaux radio.

« Tu peux dire que tu tournes un film. C'est une commande à distance pour ta caméra. »

Doyne a déjà claqué la portière derrière lui avant que j'aie eu le temps de lui rappeler qu'il est également interdit de tourner des films dans les casinos.

J'attends cinq minutes avant de mettre le contact sur la boîte. En entrant au Stardust, je fais une pause pour laisser mes yeux s'habituer à la pénombre. À part la peluche qui recouvre tout et les ampoules qui clignotent dans les chevrons du plafond, cette salle caverneuse pourrait tout à fait passer pour le Centre de la convention de Cleveland ou pour une partie de l'aéroport de Newark. Le peu d'animation qu'il y a est créée par quelques durs à cuire autour des tables. Je repère Doyne à l'autre bout de la salle et je le double. Il passe sous l'Œil céleste et je le suis dans la salle.

« Les signaux étaient bons, me dit-il une fois dans la voiture, mais la portée ne dépasse pas deux mètres. »

On reprend la direction du sud sur le Strip, vers le Caesars Palace et les grands casinos, et on s'arrête au parking du Silver Slipper. « J'y retourne, me dit Doyne. Cette fois, je vais émettre depuis ma chaussure et je tiendrai l'ordinateur-récepteur à la main. » Il enveloppe mon ordinateur-sandwich dans une boîte en plastique qui vient du magnétophone du Projet et le porte à son oreille. « Qu'est-ce que t'en penses ? demande-t-il. J'ai l'air d'écouter la radio ou quelque chose comme ça ? » Il met l'ordinateur-émetteur et des piles neuves dans sa chaussure, prend le vent sur la piste et disparaît par la porte d'entrée du Silver Slipper. Je le suis quelques minutes après, toujours avec la boîte d'entraînement à la mise dans mon sac en plastique. Doyne et moi sommes plongés dans la physique expérimentale. Lorsque la théorie n'est pas capable de fournir une réponse, il ne reste plus d'autre solution pour le scientifique que de se rendre sur le terrain et de réunir des informations. Je m'arrête près de l'entrée pour regarder les résultats des courses affichés sur le grand panneau, puis j'entre dans la salle.

Je trouve Doyne près des tables de craps, l'ordinateur collé à l'oreille. Avec son blue-jean et sa chemise rayée, il a l'air d'un jeune garçon qui s'est habillé pour faire des achats chez Sears. Mais si c'est une radio qu'il tient comme ça, c'est bizarre qu'aucun son n'en sorte. Il ne claque pas du doigt, ne mâche pas de chewing-gum, ne tape pas du pied en rythme et son visage n'exprime strictement rien d'autre qu'une concentration absolue. Cela veut dire qu'il est en train de circuler sur la piste des modes avec ses orteils. Mais je ne suis pas le seul à lui trouver l'air louche.

Le commissaire est debout sur son podium surélevé derrière les tables de craps. Une lumière rouge s'allume sur son téléphone. Tous les croupiers chefs de la salle regardent vers lui. Une demi-douzaine de types en costume marron se dirigent vers Doyne, qui m'a rejoint pour foncer d'un pas digne mais accéléré vers la porte. Nous courons jusqu'à la voiture et le caoutchouc des pneus laisse des traces noires sur l'allée de la sortie au moment où les costumes marron arrivent sur le parking.

« Heureusement qu'il en reste d'autres, dit Doyne, parce qu'on n'ira sûrement pas jouer dans ce casino-là.

« Il y a deux façons de procéder, m'explique Doyne en branchant son fer à souder sur la prise de la cuisine. Soit on passe encore deux ans à tester l'ordinateur pour trouver les sources du bruit, soit on essaie un dépannage rapide. Mark suggère que je regarde le dessus du sandwich pour ressouder la ligne d'interruption de courant. C'est une opération simple comme bonjour, comme de vérifier si le volant est fixé à la voiture. Ensuite je vais souder un autre condensateur sur le circuit de l'ordinateur-récepteur. Ça devrait augmenter sa puissance et renforcer les vibrations du solénoïde. On a tout fait, dans le passé, pour qu'ils ne soient pas trop bruyants, mais en ce moment, tout ce qui m'importe, c'est de faire sortir un signal. Pourquoi s'inquiéter de savoir si la mafia va entendre du bruit dans nos chaussures si on ne peut même pas jouer à la roulette ? »

Doyne examine l'ordinateur-sandwich qu'il a sous les yeux et cherche l'espèce de petit cul-de-sac en cuivre qui représente le circuit d'interrupteur. Sous les points de soudure de cette section de la carte de circuit imprimé se trouve le microprocesseur, pour lequel la ligne on-off sert de porte d'accès à l'unité centrale de traitement. « Il n'y a rien que je déteste plus, marmonne-t-il en farfouillant dans le sandwich avec son ohmmètre. Chaque fois qu'on fait un voyage, il faut que je passe le plus clair de mon temps à réparer le matériel. Il y a en général quatre ou cinq personnes assises autour de moi qui attendent mon dépannage miracle. Cette fois-ci au moins on n'est que deux. »

Je suis assis sur le canapé et je lis des vieux numéros de *Gambling Times.* Devant moi, une télé est posée sur une étagère vissée dans le mur. « Flash d'informations, vient d'annoncer un type à l'écran. William Holden, l'acteur qui jouait des rôles de gentil, de monsieur Tout-le-monde américain, vient de mourir. Héros romantique du *Pont de la Rivière Kwaï* et de *Sunset Boulevard,* Holden avait été le témoin de mariage de Nancy et Ronald Reagan en 1952. En apprenant la nouvelle de la mort de son ami, le président Reagan a déclaré qu'il était très touché et peiné par sa disparition. »

Je me lève pour changer de chaîne et je tombe sur un feuilleton à l'eau de rose, une reprise de *I love Lucy,* et une émission spéciale de la chaîne PBS, *L'Univers en expansion.* En tournant le bouton, je remarque quelque chose de bizarre. Sur la table basse entre le canapé et la télé sont posés un de nos deux ordinateurs et un bateau-piles. Chaque fois que je change de chaîne, les solénoïdes se mettent à sauter comme du pop-corn. Je coupe le son et tourne le bouton jusqu'à ce qu'il n'y ait plus de programme, rien que de la neige sur l'écran. J'appelle Doyne, et ensemble nous regardons les solénoïdes qui s'affolent.

« Ça y est, dit-il. J'ai trouvé le problème. L'Œil céleste est une installation de télévision géante. Rien d'étonnant à ce qu'on soit embêtés par le bruit. C'est comme les Russes qui brouillent la Voix de l'Amérique. Ils émettent tellement de signaux qu'on ne reçoit plus que des débris. »

Les casinos sont un véritable marais de bruit électronique qui vient des systèmes de surveillance, mais aussi des radiations à basse fréquence émanant des enseignes au néon et des machines à sous. Telle que l'a définie Claude Shannon, l'information est la quantité de surprise d'un système. Dans le cas présent, le bruit est une quantité d'informations désagréables et c'est pourquoi Shannon a choisi de la mesurer en termes d'entropie. Comme à la gare de Grand Central aux heures de pointe, quand le visage de la personne que l'on cherche à distinguer des autres sous l'horloge refuse de se matérialiser, le bruit est l'élément « de trop » qui se produit quand tout arrive en même temps. Le bruit est la race audible d'un système qui glisse de l'ordre au chaos. Les mauvais trips au LSD, les perturbations atmosphériques, les psychoses, et les vibrations superflues aléatoires des solénoïdes sont autant d'exemples d'un excès d'information.

« On peut changer de fréquence et refaire le réglage du matériel, dit Doyne. L'ordinateur est déjà fait pour flotter au-dessus du bruit ambiant. Il suffit de le faire flotter un peu plus haut. »

Ressoudés et réglés, les sandwiches sont replacés dans nos chaussures en fin d'après-midi. Nous allons dîner puis nous prenons la direction du centre ville. Tenant le volant d'une main, Doyne a une chaussure dans l'autre et la colle sur son oreille. « Je veux écouter les solénoïdes. Je me demande s'ils vont se mettre à sauter quand on passera devant les néons. » On ralentit au croisement de Las Vegas Boulevard South et de Flamingo Road, et un Noir dans une Cadillac s'arrête à côté de nous. Il baisse la vitre et montre la chaussure. « Hé, je l'entends. Elle a un rythme super funky ». fait-il en éclatant d'un rire sonore, puis il s'éloigne en claquant des doigts.

Par une fraîche soirée de novembre, alors que les joueurs ne sont pas encore arrivés pour les vacances, les affaires sont ralenties à

Glitter Gulch. Le néon bourdonne là-haut et sur le trottoir, on dirait que les rabatteurs s'adressent les uns aux autres. Je vais à pied depuis le Mint jusqu'à l'Union Plaza, qui est à cheval sur Fremont Street et termine le Gulch. Je regarde les roulettes en action et prends quelques notes sur leur inclinaison. Au Golden Gate, je me fraye un chemin parmi la foule qui entoure les tables de craps et je trouve Doyne devant la seule et unique roulette qui fonctionne. Il place une mise sur le rouge, ce qui veut dire que je dois aller faire un tour de cinq minutes.

Assis devant le tableau de keno, je mâche mon crayon et je fais semblant de remplir des feuilles de paris. Je comprends que ça va mal quand je sens les solénoïdes qui commencent à sautiller n'importe comment. Le faux bruit est revenu nous rendre visite. Aussitôt que je retourne du côté de la roulette, Doyne place sa mise sur le rouge. Cela se transforme en une longue nuit de petits tours de cinq minutes.

« On a un problème nouveau, me dit-il quand nous nous retrouvons plus tard au café du Golden Nugget. Mon ordinateur n'arrête pas de tomber en panne. Je reçois des signaux d'avertissement sur les solénoïdes, beaucoup de 9 et ensuite tout s'arrête. C'est comme s'il s'allumait et s'éteignait tout seul, comme s'il se perdait dans son programme sans plus savoir où aller. Finalement, il s'est arrêté pour de bon. J'ai remplacé toutes les piles et j'ai vérifié les contacts, mais rien à faire. Il reste là, au fond de ma chaussure, inerte. »

Doyne est pâle. Ses doigts tripotent un coin du set de table. « Il est seulement minuit, dis-je pour essayer de le remonter. Tu veux qu'on aille s'amuser un peu ? Jouer par exemple ? Si on allait aux machines à sous du Jolly Trolly, on gagnerait de quoi s'acheter un hamburger. Ou bien on pourrait aller voir la dernière séance du Lido de Paris et finir la nuit sur le Strip par un breakfast à un dollar vingt-neuf pour un steak et des œufs. »

Au lieu d'aller jouer aux machines à sous du Jolly Trolly, on téléphone à Len Zane. « On a besoin d'un oscilloscope, lui dit Doyne. Tu peux nous dépanner ? » Directeur du département de physique de l'université du Nevada, Zane aime bien Doyne et les bricoleurs d'une manière générale. « Vous n'avez qu'à passer à la maison, répond-il, on va voir ce qu'on peut faire pour vous. »

Zane nous installe pour la nuit à un établi avec fers à souder, boîte de branchement multivoltage courant alternatif-courant continu, et un gros oscilloscope Tektronix plein de boutons. Doyne branche deux sondes dans l'oscilloscope et hésite un moment en regardant le sandwich qu'il a devant lui. Avec toutes ses puces fourrées à l'intérieur, les seules parties visibles de l'ordinateur sont les envers de ses cartes de circuits imprimés, qui sont couverts d'épis de soudure à tous les endroits où une puce a été montée. Les points de soudure brillent comme des toits de tôle sur les abris de silicium cachés au-dessous d'eux, et ces points argentés sont les seuls repères de Doyne pour savoir ce qui se trouve à l'intérieur de l'ordinateur. Ce n'est qu'en vérifiant les ondes sinusoïdales que l'on peut diagnostiquer s'il y a de la vie là-dessous.

Cette délicate opération est comparable à un scanner du cerveau. À moins de faire fondre la cire dans laquelle il est pris, il n'y a aucun moyen d'ouvrir l'ordinateur-sandwich, de même qu'il n'y a pas de façon simple de soulever le dessus d'un crâne. Tout ce qu'on peut faire, c'est de chercher des ruptures électroniques. Des pics apparaissant au milieu d'une onde régulière indiquant un mauvais contact ou une puce grillée. L'observation d'un ordinateur depuis l'extérieur patte par patte est un travail ingrat et qui requiert des mains de chirurgien parce qu'un faux mouvement au cours de la vérification électronique peut lui-même provoquer l'avarie d'un composant.

Aux petites heures du matin, Doyne découvre une rupture sur l'une des lignes. Il ressoude la patte et brusquement, rien ne va plus. L'onde nette qui apparaissait sur l'oscilloscope a fait place à des lignes brisées et entrecroisées qui zigzaguent sur l'écran. Doyne réchauffe la soudure et fait passer ses ondes d'une partie de sandwich à une autre. Ne trouvent que les rugissements d'un océan de bruit, il téléphone à Mark en Californie, décrit le problème, et lui demande de le rappeler quand il y aura réfléchi. Pendant toute la nuit, avec Mark simulant la panne là-bas à Santa Cruz, ils émettent des hypothèses : « La résistance de 56 ohms est peut-être en circuit ouvert, la ligne *on* doit être sous-tension, ou c'est qu'il y a du bruit qui entre dans l'amplificateur », jusqu'à ce que Doyne soit finalement obligé d'admettre : « Il y a du chaos partout. »

Il raccroche et se tourne vers moi : « On dirait une histoire belge. Je parle à la seule personne qui sache comment faire marcher cet ordinateur, et il est à huit cents kilomètres d'ici. » Les gens qui commencent de bonne heure sont déjà sur les routes pour aller au travail au moment où Doyne appelle la Californie pour la dernière fois. « Je renonce, dit-il à Mark. Je veux que tu cires les deux autres ordinateurs et que Letty et Rob les apportent ici le plus vite possible. Si on veut travailler, il faut qu'on ait des outils. »

Doyne et moi quittons l'atelier à l'aube. Après le froid de la nuit du désert, où la température descend au-dessous de zéro, les montagnes se couvrent de traînées de nuages qui ne se dissiperont que dans l'après-midi, quand les températures remontent jusqu'à quinze degrés et que le vent soulève la poussière des terrains vides entre les casinos et les immeubles d'habitation. Le temps : c'est tout ce à quoi nous avons à penser en attendant qu'on nous serve notre commande d'ordinateurs-sandwiches qui sont encore à huit cents kilomètres, au-delà du désert

Pour tuer le temps en attendant l'arrivée de la seconde équipe, je fais le tour des casinos du centre ville, j'observe les roulettes, enregistre les tableaux de mise, et rentre au motel où je trouve Doyne là où je l'avais laissé, assis à la table de cuisine, en train de sonder un ordinateur-sandwich avec un ohm-mètre. Je ressors pour ma promenade de l'après-midi sur le Strip. Perpendiculaires aux enseignes qui dominent Las Vegas Boulevard South, de petites artères de plastique mènent aux sables du désert, où le soleil, d'un rouge néon, se cache derrière le Spring Range. À l'horizon, les montagnes offrent un calme lunaire, mais dans les conduites de Las Vegas, l'air est chargé de mégawatts. Tandis qu'autour de moi, les tubes envoient la lumière sous forme de boomerangs, d'explosions d'étoiles et d'organismes intercotidaux, le coucher de soleil sur le Strip projette des light-shows successifs en surimpression.

Aussi mercantile soit-elle, la ville de Las Vegas reste quand même un mystère, ou tout au moins un ensemble de paradoxes. Il fut un temps où le jeu au casino était un sport pour les rois et les aristocrates, et le génie de Las Vegas est d'avoir anobli tout le monde. Le Caesars Palace est ouvert au public et n'importe qui peut être cheikh d'un jour au Sahara. Mais le loisir est ici un mirage, un leurre calculé et fabriqué. Les casinos proposent des environnements parfaitement contrôlés qui prétendent être libres et soumis au hasard, mais en réalité tout ici, depuis le jeu jusqu'au sexe, tout n'est qu'un rouage d'une machine conçue pour maximaliser le profil.

Privée de marchandises au sens traditionnel du terme — des

choses comme des quartiers de porc et des écrous à ailettes —, Las Vegas est devenue une marchandise en elle-même. Pour ce faire, la ville a dû se transformer en un lieu de culte du fantasme et du plaisir. Parmi les cultes du monde moderne, Las Vegas symbolise l'un des plus puissants. Lorsque l'on interroge les gens, tout le monde associe la ville à un plaisir débridé. Las Vegas, c'est le pays des rêves, un simulacre que ne doivent pas négliger les philosophes qui s'intéressent à l'étude du paradoxe du faux plaisir. Cette ville d'enseignes et de symboles — ce monde argenté de la sémiotique — foisonne de ce que l'on pourrait nommer des « indices de plaisir ». C'est le signe qui dénote l'*idée* du plaisir, et qui prend la forme de garçons affables vous tendant aimablement une serviette à la porte du bain de vapeur, ou de serveuses avec les fesses moulées dans leur maillot. Le corrélatif linguistique d'indice de plaisir, c'est-à-dire le mot le plus souvent employé pour exprimer l'idée de plaisir, est le mot *gratuit,* comme dans les expressions boissons gratuites, petit déjeuner gratuit, champagne gratuit, hamburgers gratuits, tours gratuits des établissements de jeu. Quand on sait ce qu'il faut chercher, l'indice de plaisir est omniprésent à Las Vegas : dans les bars décorés de palmiers, dans les halls des motels avec des oiseaux dans des cages en osier, ou dans les gestes souples et aimables du croupier qui s'incline pour vous donner des jetons en échange de votre argent.

Tout engourdis après leur traversée nocturne du désert dans une voiture sans chauffage, Letty et Rob arrivent tôt le lendemain matin. Letty entre dans l'appartement en tenant deux ordinateurs-sandwiches à la main. « Voici l'équipe B à la rescousse », annonce-t-elle avec un sourire.

Moulu mais plein d'entrain, Rob la suit avec un oscilloscope portatif et une boîte à outils. Il serre Doyne dans ses bras chaleureusement. « Où est-ce que ça se passe ? demande-t-il. J'ai hâte de passer à l'action et de plonger dans la folie. » Après quoi il annonce d'une voix neutre : « Les nouveaux ordinateurs répondent parfaitement aux essais. On les a vérifiés de A à Z pendant cinq minutes juste avant de monter en voiture.

— Mark a mis quelques heures de plus à cirer les composants, raconte Letty. Chaque fois que tu lui téléphonais, il les sortait du four de peur de les faire surchauffer. Ensuite il y a eu un moment de panique parce qu'on a cru qu'il avait assemblé le sandwich à l'envers. Finalement, il ne s'était pas trompé, mais pendant qu'il vérifiait, on avait une trouille terrible.

— Ça fait du bien de vous voir, dit Doyne. Vous devriez dormir un peu et ensuite on pourrait aller jouer à la roulette. »

Mais au lieu d'aller se coucher, Rob va à la table de la cuisine, et s'assied devant les deux ordinateurs en panne.

« Bon, alors, qu'est-ce qui se passe ? Il paraît que vos sandwiches ont des faux bruits. C'est bien ça ? En général, nous ne faisons pas de réparations à domicile. Mais on nous a dit que la situation était désespérée. »

Il ouvre le couvercle de l'oscilloscope et prend les sondes dans ses grandes mains. Il reste les ordinateurs ; des cordons électriques souples pendouillent de sa bouche. Il marmonne quelque chose à Doyne au sujet de la rupture de la ligne d'adresse. « On a du mal à comprendre comment ça a pu se produire, à moins que le PIA n'ait sauté. »

Il branche le fer à souder et attend qu'il chauffe. Doyne est assis à côté de lui et étudie les schémas de branchement.

« Repasse-le-moi, dit Rob. Qu'est-ce qui devrait se passer dans la séquence de hausse et de baisse de tension ? »

À la fin de la journée, sandwiches et bateaux couvrent la table comme les morts après une bataille, alignés pour être triés. Doyne examine les plans qui donnent l'emplacement des puces qui sont prises dans le sandwich et qu'on ne peut pas voir. L'air est chargé de fumée et de l'âcre odeur de la soudure.

Doyne et Rob font des tests et des essais. Ils coupent des lignes et règlent des composants. Ils pincent, ils soudent, et des journées entières s'écoulent au cours desquelles l'ennui est ponctué uniquement par des fausses alertes où tout le monde s'affaire pour enfiler les chaussures magiques, mais ces séances avortent chaque fois à la suite d'attaques de faux bruits. Les solénoïdes sautent. Les ordinateurs vont et viennent au hasard dans leurs programmes, se perdent, et grillent les piles. Les machines cliquettent, bourdonnent et donnent de plus en plus de signes de faiblesse. Le plus déprimant de tout, c'est que les nouveaux ordinateurs ne donnent rien de mieux que les anciens. Comme s'ils avaient attrapé une maladie contagieuse, ils sont également affligés de faux bruit. Théories et suppositions se multiplient aussi rapidement que les anomalies sur l'oscilloscope. C'est un mauvais bateau qui a fait sauter tous les ordinateurs ? Il y avait une faille dans la conception, peut-être dans la ligne on-off ? Ou bien c'est l'environnement de Las Vegas qui est trop hostile ?

« Peut-être avons-nous été trop stricts sur les exigences de la conception, dit Doyne qui se résigne doucement à prendre ça avec philosophie. Peut-être est-ce trop en demander que de vouloir mettre un ordinateur dans une chaussure. Il y a trop de choses différentes là-dedans qui peuvent s'endommager mutuellement. Il faut voir les choses en face : construire un ordinateur sur lequel on marche, c'est un problème difficile à résoudre. »

Considérant le dilemme actuel comme un échec temporaire, il se pose des questions sur ce que va faire le Projet maintenant.

« En y réfléchissant bien, on devrait arriver à se débarrasser de ce qui empêche le système de fonctionner correctement. Je vois exactement quelle serait la prochaine génération de matériel si on faisait marche arrière et qu'on remonte l'évolution de la conception. Je sortirais l'ordinateur de ma chaussure et je l'attacherais à ma jambe, avec une petite jarretière pour maintenir les solénoïdes. Ensuite je remplirais une chaussure avec une antenne solide et un commutateur à orteil. Il n'y a aucune raison de ne pas conserver le transmetteur de mode tel qu'il est dans l'autre chaussure. On n'a eu aucun problème avec. Et à la différence des premiers temps, où on avait des câbles qui nous passaient des orteils au-dessous des bras, le nouveau système aurait un harnais d'alimentation unique allant de l'orteil à la cuisse. Ce n'est pas si terrible de construire un nouvel ordinateur. Tout ce qu'il s'agit de faire, c'est d'étendre le système à la jambe.

— Mon Dieu ! s'exclame Letty. On dirait que le projet repart à zéro. Tu ne vas pas tout recommencer depuis le début !

— Tu as raison, admet Doyne. Peut-être que je perds mon temps à imaginer une nouvelle génération d'ordinateurs pour la roulette. Alors dans ce cas-là, le Projet est mort.

— Qu'est-ce que tu veux y faire ?

— Il y a trois possibilités, répond Doyne. On peut construire une nouvelle génération de matériel en s'y mettant à nos heures perdues.

— C'est pas une bonne idée.

— D'accord, c'est pas une bonne idée. Il y a deux autres solutions : on peut trouver un producteur et engager un technicien professionnel de Silicon Valley. Pour vingt-cinq mille dollars, on peut arriver à le faire faire.

— Ça veut dire qu'on sera encore plus nombreux à attendre une bouchée de Gâteau eudémonique.

— La troisième solution c'est d'abandonner. On a déjà notre victoire statistique. On a prouvé qu'on pouvait avoir un gros avantage sur les casinos. Alors on tire un trait sur les grosses mises, on renonce à gagner de l'argent et tout ça. On prend juste quelques photos et on les montrera à nos petits-enfants. »

Nous sommes devant la télé un samedi soir en train de grignoter des biscuits aux dattes Betty Crocker et de regarder Peter Ustinov qui présente une émission de PBS intitulée *L'Univers d'Einstein.*

« Hé, Albert ! fait Doyne en s'adressant à l'écran, qu'est-ce que tu ferais si tu étais à notre place ? »

Rob retourne à la table de la cuisine et jette encore un coup d'œil à l'ordinateur. « Ma dernière hypothèse, c'est qu'on a un problème de RAM.

— C'est la dernière chose qu'on n'ait pas encore accusée, dit Doyne, et on ferait pas mal de s'en occuper.

— Ce n'est pas l'UC. Ce n'est pas le PIA. Ce n'est pas l'EPROM.

— Ce n'est pas la CIA, lance Letty. Ce n'est pas le NRC.

— C'est peut-être le FBI », dit Doyne. Il prend la guitare de Rob, gratte quelques accords et commence à chanter *Me and my Uncle* avec son meilleur accent du Nouveau-Mexique.

« Hé, les copains, dit Letty. C'est samedi soir, on devrait sortir s'amuser un peu !

— C'est vrai dit Rob. Je suis trop jeune pour me transformer en " taré de la physique ".

— On connaît tous les bons endroits, pas vrai, dit Doyne en se tournant vers moi. Qu'est-ce que tu dirais qu'on emmène tout le monde faire la fête ?

— Bon, on s'habille, propose Letty, je veux tout faire dans les règles de l'art. Mettre mes chaussures avec l'ordinateur et les piles dedans. Je veux savoir ce que c'est de me promener à Las Vegas avec un ordinateur dans ma chaussure. Rien qu'une fois, je veux passer la porte en ayant la sensation d'être branchée et prête à jouer.

— C'est ça qu'on devrait faire ce soir, dit Rob. Tout fourrer dans nos chaussures et aller jouer.

— On fera semblant d'être des gros joueurs, dit Letty. On peut communiquer entre nous par les yeux. »

Nous revêtons tous les quatre nos tenues de jeu, et chaussons nos ordinateurs-sandwiches et nos bateaux-piles. Rien ne fonctionne sauf quelques vibrations au hasard. Letty a un pantalon foncé, une chemise Oxford bleue et un gilet en cotonnade de Bali. J'arbore la cravate et le veston sport de restaurateur français. Rob, en chemise hawaïenne avec trois boutons ouverts, a l'air de débarquer de Waikiki. Doyne fait son apparition en pantalon blanc et chemise noire. « C'est ma maman qui me les a achetés, dit-il. Quand elle a su que j'allais jouer à la roulette à Las Vegas, elle a voulu que je m'habille comme il faut. C'est une tenue disco : c'est pour ça qu'il n'y a pas de veste. »

Nous allons faire un bon repas mexicain avec enchiladas et cocktails à la tequila. Nous déambulons sur le Strip pour admirer les néons, puis nous prenons la direction du parking du Caesars Palace.

Letty se tourne vers Rob. « Tu es branché ?

— Mes orteils s'agitent comme des fous, répond-il. Ça fait longtemps que j'avais pas eu de chaussures qui m'aillent aussi bien.

— Tu reçois des signaux ?

— Non, rien du tout.

— Bon, dit-elle, allons-y. »

Sur la passerelle qui mène à l'entrée du casino, nous passons devant des centurions et des nymphes aux formes avantageuses et entendons un message enregistré sur « la gloire de Rome ». Le tapis roulant nous déverse dans une entrée pleine de machines à sous et de changeuses, et de là nous enfilons un couloir qui mène à la grande salle de jeu. En chemin, nous passons devant diverses boutiques de souvenirs et discothèques dont le Cleopatra's Barge, le Bateau de Cléopâtre, construction en bois qui ressemble autant à une trirème qu'à un ponton d'atterrissage d'hélicoptère flottant dans un bassin d'eau javellisée. Des couples en tenue disco et en toilette de soirée passent sur une planche d'embarquement pour aller danser sur le Bateau, où le Bruce Westcott Band joue un pot pourri de variétés.

Nous continuons le couloir jusqu'à la grande salle ronde dont le plafond, imitant la voûte du ciel, scintille de fausses étoiles. Une foule se presse autour des tables. Sous forme de plaques et de pièces d'un dollar, l'argent couvre les tapis. Des serveuses portant des soutiens-gorge pigeonnants, des toges transparentes, des couronnes dorées et des diadèmes avec des espèces de queues de cheval leur retombant dans le dos circulent avec des plateaux d'argent sur lesquels s'entrechoquent des verres de cocktail. C'est le look Rapunzel romain concocté par Frederick's de Hollywood. Les hommes arborent des mocassins de chez Gucci, des bagues au petit doigt et des chemises dans des tons pastel déboutonnées jusqu'au nombril. Les femmes se tortillent sur des talons aiguilles et dans des robes sans bretelles décolletées dans le dos, à moins qu'elles ne portent des pantalons resserrés à la cheville et fendus sur la cuisse. Leur chevelure est étudiée, travaillée, crêpée, laquée, teintée, bariolée et toute en hauteur ou frisottée à la Barbara Streisand. Penchant la tête en arrière pour rire à gorge déployée, les femmes mettent leur cou en valeur. Les hommes affichent leur approbation en découvrant leurs dents et en arrachant le bout de leur cigare d'un coup de dents.

Nous traversons la salle tous les quatre et allons nous poster autour des tables de roulette. Trois hommes d'affaires asiatiques jouant en équipe sont en train de gagner gros. Ils ont les mains qui tremblent en maniant des plaques qui doivent représenter vingt dollars. Prenant des notes au dos d'une carte postale, ils chuchotent entre eux. Un garde de la sécurité apporte une table roulante avec des plaques de cinq cents dollars pour le cas où les hommes d'affaires décideraient de changer de l'argent. D'autres joueurs entrent dans la partie avec des gros billets que le croupier, à l'aide de sa spatule de bois, fait glisser dans la fente de la caisse. D'autres joueurs encore sont assis autour du tapis et tripotent leurs jetons, additionnent des colonnes de chiffres pour respecter leurs systèmes et cherchent tous les moyens pour cacher leur ruine après s'être fait lessiver par la banque.

Nous regardons pendant une heure les roulettes tourner. Dans nos chaussures, les ordinateurs sont inertes, mais par automatisme, nous pointons mentalement les passages des cylindres et ajustons les paramètres. Ces roulettes sont faciles à battre, bien inclinées, bien ombrées, avec des cylindres bien réguliers et des billes rapides sur la piste. Les croupiers ne pourraient pas mieux faire s'ils voulaient nous aider à les battre.

« Allons-y », dit Doyne en s'éloignant des tables. Nous retraversons la salle et longeons en sens inverse le couloir jusqu'au Cleopatra's Barge, où nous passons sur la planche pour aller danser au son mielleux de la musique du Bruce Wescott Band.

« Vous avez vu ces roulettes, là-bas ? nous dit-il avec l'air dégoûté. On aurait pu les achever !

— T'as raison, approuvons-nous. On aurait pu les achever. »

ÉPILOGUE

# *L'infandibulum intergalactique*

Même s'il est très comique que j'attende tant de la roulette, l'opinion courante acceptée par tout le monde, selon laquelle il est absurde et bête d'attendre quoi que ce soit du jeu, me paraît encore plus drôle.

Dostoïevski

Après une semaine d'averses de pluie et de neige s'abattant sur le désert, le ciel se dégage et les trouées entre les nuages laissent apparaître un soleil qui dispense une douce chaleur. Sur les pics des monts Sangre de Cristo, la neige est éclatante. À Santa Fe et, non loin de là, à Jacona, où quelques maisons en terre sont disséminées le long de la rivière Pojoaque, à proximité de son confluent avec le Rio Grande, la première journée du printemps a déposé sur le sol un épais tapis de lupins, de coquelicots, de mauves et autres fleurs éphémères du désert. Les arbres fruitiers et les mûriers sont en fleur. Les oliviers verdissent sur les berges. Plus au sud, vers le plateau rouge sur lequel se trouve Los Alamos, les cactus-cierges et les figuiers de Barbarie bourgeonnent, à côté des acacias blancs avec leurs épines et leurs fleurs au doux parfum.

Dans la cour d'une vieille maison en terre entourée d'ormes chinois, nous sommes cinquante (venus de la côte Pacifique et de la côte Atlantique, ou encore des montagnes qui s'étendent entre l'Idaho et Silver City) à nous être réunis et nous formons un demi-cercle autour de Doyne et de Letty. Doyne a une chemise de mariage mexicaine avec une rose à la boutonnière, Letty, une robe blanche serrée à la taille avec des pans en satin et de la dentelle aux manches. Entre eux deux se trouve Dave Miller, ancien Explorer Scout et champion de motocross du Nouveau-Mexique. Ingénieur devenu travailleur social, Miller préside cette réunion sur les bords du Pojoaque en tant que pasteur représentant officiellement l'Église de la Vie universelle. « Je suis ici pour signer les papiers, dit-il avec nervosité. C'est la première fois que je fais ça. »

À côté d'eux se tiennent les témoins, Norman Packard et la sœur de Letty, Margaretta. Avec un sourire malicieux, Norman fouille dans ses poches et fait semblant d'avoir perdu la boîte avec les alliances. Tout le monde rit quand il finit par la sortir. Les parents des mariés donnent leur bénédiction et le pasteur Miller les déclare unis par les liens du mariage puis, au moment où tout le monde s'approche d'eux, il ouvre un petit canif d'argent qu'il tend à Letty.

« Dès le premier instant, dit Doyne d'une voix que l'émotion et le vent font vaciller, Letty et moi sommes devenus bons amis et, à travers tout ce que nous avons vécu, l'intimité et la fermeté de cette amitié ne se sont jamais démenties. Alors même que nous nous marions, nous avons l'intention de rester amis. Il semble donc convenir qu'aux traditions de la cérémonie nuptiale nous ajoutions une autre ancienne tradition pour sceller cette amitié, et que nous devenions frère et sœur de sang en plus de mari et femme. Alors, si Letty arrive à faire couler un peu de mon sang sans m'enlever la main, et si j'arrive à faire couler un peu du sien également, nous mêlerons nos sangs pour symboliser les liens étroits qui nous unissent. Cela sera aussi un présage pour que nous fondions une famille. Nous espérons que, si nos sangs se mélangent ici, ils se mélangeront aussi dans les veines de nos enfants qui, au moins en partie, seront une synthèse de nous deux. »

Le profond silence qui règne pendant l'échange de sang laisse ensuite place aux sourires. La cérémonie terminée, nous allons dans un autre patio autour d'un bassin pour le repas de mariage : des enchiladas faites avec des tortillas de maïs noir. En fin de journée, ayant abusé du champagne et de la bière mexicaine, mariés et invités se mettent tout nus pour faire une partie endiablée de water polo. À la tombée de la nuit, nous sommes une douzaine à prendre la route Taos pour aller faire un tour dans les montagnes du Sangre de Cristo. Nous laissons les voitures dans un bois de pins au-dessus de la ligne des neiges éternelles et escaladons les pentes jusqu'à une station thermale appelée Ten Thousand Waves. Nous nous redéshabillons et nous roulons dans la neige avant de nous plonger jusqu'au cou dans un bassin d'eau chaude. La vapeur s'élevant au-dessus de nous et se dissipant sous la voûte étoilée, nous bavardons et échangeons de nos nouvelles.

Tom Ingerson, qui voyage toujours avec très peu de bagages, retourne à son observatoire chilien pour chercher Seyferts dans le ciel nocturne de l'hémisphère Sud. Ayant conservé son amour du travail collégial, il a toujours les yeux bleus perçants, les joues rouges, la voix autoritaire, et est restée le même chef scout robuste et bien portant. Avec ses deux chemises en coton et son duvet dans son sac à dos, l'éternel *Wandervogel* aspire encore à quitter l'université et à exploiter ses idées avec des amis. « J'essaie de contourner les pressions sociales génératrices de fission, le fait que la société disperse au hasard les gens et leurs carrières. Il doit y avoir un moyen, si l'on arrive à franchir la bosse capitaliste, de réunir tout le monde ensemble et de mettre en place une organisation suffisamment grande pour subventionner les idées. »

En même temps qu'une société, Ingerson a le désir de fonder une famille. S'étant attelé au problème de se trouver une femme, il cherche à le résoudre avec les mêmes ratiocinations que d'habitude. « Je suis un technocrate de haut niveau, dit-il. Je travaille à la pointe de la technologie. Mais ce n'est pas là que vont mes amours. Je n'aime pas les villes, je n'apprécie pas beaucoup la civilisation. Cela me déplairait fortement d'avoir à vivre continuellement dans le monde de la physique, et si je ne programmais jamais plus d'ordinateurs, ça ne me dérangerait pas du tout. Pendant un temps, à Silver City, l'Explorer Post m'a servi de famille. Je vivais dans une grande maison des jeunes. Mais comment inviter une fille à dîner alors qu'il y avait des motos en pièces détachées sur la table ? J'aimais beaucoup passer mon temps avec Norman et Doyne et les autres mais ils m'ont bouffé les années que j'aurais dû consacrer à fonder une famille.

« Je suis peut-être un technocrate, mais en y réfléchissant bien, j'ai compris que mon centre de gravité émotionnel était plus proche du *Mother Earth News*. C'est comme ça que pour trouver une femme, j'ai eu l'idée de passer une annonce dans ce journal. Ce que je n'aime pas, c'est leur côté anti-intellectuel. J'ai beaucoup de sympathie pour les écologistes. Vivre dans des maisons solaires et manger des aliments biologiques correspond à mon côté vie au foyer et feu dans la cheminée. Mais je n'avais pas envie de quelqu'un qui me ferait des discours sur ses préjugés contre l'ascendant Vénus ou qui me dise que je ne devrais pas manger d'œufs le cinquième mardi après le solstice d'été. Alors, quand j'ai rédigé mon annonce, j'ai essayé de trouver la meilleure façon de me définir. PHYSICIEN, ça faisait trop pompeux. Je ne voulais pas effrayer par un mot qui sortirait en gras. ASTRONOME faisait trop penser à ASTROLOGIE. Je cherchais un mot qui implique une conception du monde rationaliste sans grand intérêt pour les dieux, et j'ai trouvé le mot SCIENTIFIQUE.

« Je me suis donné beaucoup de mal pour expliquer dans cette annonce comment j'entendais faire trois choses : construire une maison souterraine, faire le tour du monde en voilier et avoir des enfants. Et j'ai été stupéfait de recevoir deux cent soixante-quinze réponses. C'étaient de longues lettres qui commençaient par

" Cher Scientifique " dans lesquelles les auteurs me racontaient leur vie. Il y avait abondance de biens. J'avais une correspondance tellement volumineuse que pendant un moment, c'est devenu la chose la plus importante dans mon existence. Je ne savais pas par quoi commencer pour faire mon choix. J'avais des lettres de tout le pays, mais je me suis dit que j'allais peut-être me limiter à la côte nord-ouest du Pacifique et à la Californie et faire un petit tour.

« Comment ça s'est passé ? demandé-je.

— J'ai été voir vingt-cinq personnes dont certaines sont devenues de très bonnes amies. Mais pour une raison qui m'échappe, je n'ai pas trouvé la bonne. Je cherche encore. »

Quant aux autres Projeteurs et à leur recherche de l'Eudémonie, Jim Crutchfield s'est transporté avec sa sorcellerie informatique au Nouveau-Mexique. Travaillant avec Doyne comme hackers à part entière au Centre d'études non linéaires, ils ont mis au point ensemble un système analogique-numérique comme celui qu'ils avaient à Santa Cruz, et ce groupe tronqué du Chaos Cabal est sur la bonne voie pour deux ou trois idées « bombes » dans la théorie du chaos.

« Ça m'intéresserait de retravailler au Projet, dit Crutchfield. La technologie a progressé tellement vite que maintenant on pourrait construire le même ordinateur avec moitié moins de puces. Cela réduirait le nombre de contacts en courant de cent vingt, ce qui simplifierait le câblage, les cartes de circuits imprimés et tout le reste. La physique du Projet est bonne, mais il y a beaucoup de travail pour assembler le programme et réécrire dans un langage évolué, comme le C. En ce moment il existe en grande partie dans la tête de Doyne. Personne d'autre ne peut comprendre quoi que ce soit dans ces marques au crayon. Ce n'est qu'une fois que tout aura été secoué et réexaminé avec objectivité que le Projet pourra avoir une nouvelle conception et pour cela, Doyne a besoin d'une vidange cérébrale totale. »

À part la vapeur qui s'élève autour de nous et qui va former des étoiles de neige sur les sapins, l'air de la nuit est parfaitement limpide. Je me promène sur les bords de la piscine et je fais la tournée des amis eudémonistes. Où sommes-nous allés ? Où allons-nous ? Quand nous retrouverons-nous ensemble la prochaine fois ? Rob Shaw, barbu et jovial, est le dernier membre du Chaos Cabal resté à Santa Cruz. « Il fallait que quelqu'un garde le fort et soit un phare de vérité et de justice », dit-il. Toujours amoureux de ses deux grandes passions, la physique et la musique, Rob a apporté toutes ses affaires, y compris un piano électrique, dans le bâtiment de physique où il vit avec l'analogie, le NOVA et ses autres ordinateurs. « Si je n'ai pas ma bourse cette année, déclare-t-il, je vais voler le NOVA et le cacher dans le coffre de ma voiture. Comme ça, ils verront ce qu'on peut faire avec une unité mobile. »

Grazia Peduzzi repart pour l'Italie. La Sérénissime Santa Cruz l'a accueillie fort gracieusement, mais le temps est venu pour la voyageuse de rentrer dans ses foyers. Après avoir vendu des gadgets *Star Wars* pour la section jouets des Lucas Films, Ingrid Hoermann, héroïne oubliée de bien des séances de jeu sur le Strip et le Gulch, travaille comme technicienne à la radio de Berkeley. Marianne Walpert, rousse bacchante de Riverside Street, fait partie du programme de troisième cycle intitulé « Les Femmes et la Physique », à la Northeastern University. Charlene Peterson et son ami, après avoir économisé assez d'argent pour acheter un terrain en Californie du Nord, et avoir construit une maison dessus, se sont séparés. Il fait de l'informatique et elle du bouddhisme Zen. Alix Youmans, la première joueuse du Projet, vit à San Diego avec un neurochirurgien. Dan Browne, qui est passé des sciences physiques aux sciences sociales, écrit une thèse de doctorat d'anthropologie sur le jeu dans les ashrams japonais tout en se livrant à un travail supplémentaire sur le terrain à l'Oxford Card Room de Missoula, Montana, et dans d'autres coins de la côte Nord-Ouest, Browne est toujours un as du poker.

Len Zane, à qui un commissaire au Sahara avait dit qu'il dépassait les bornes, a renoncé au comptage des cartes et est retourné diriger le département de physique de l'université du Nevada. Bruce Roseblum, Bill Burke et George Blumenthal continuent à garder un œil sur les meilleurs étudiants de troisième cycle sortis des rangs de l'université de Californie à Santa Cruz. Rob Lentz a un nouveau job dans l'électronique, qui n'a rien à voir, celui-là, avec la construction d'armement. Mark Truitt et Wendy Tanizaki ont déménagé dans un autre quartier de Santa Cruz. Elle termine la fac. Il cherche du travail. Comme il racontait dans une lettre à Doyne ses récentes expériences de recherche d'emploi : « Mon curriculum ne franchit pas les premières barrières pour un certain nombre de raisons. Les sociétés auxquelles je m'adresse pensent peut-être que “ réalisation sur micro-ordinateur aux Eudaemonic Enterprises ” veut dire jouer à Pac Mac sur les machines de la Promenade. Je crois que des recommandations de toi et de Norman, sur du papier officiel, pourraient augmenter ma crédibilité. »

Jonathan Kanter continue ses allées et venues à Silicon Valley pour vendre des idées. Neville Pauli travaille au service des investissements dans une banque de San Francisco. Parmi les premiers Projeteurs, John Boyd, qui a abandonné ses études, vit à Seattle. Jack Biles a passé un diplôme en physique expérimentale et pris un job au musée des Sciences et de l'Industrie de l'Oregon. John Loomis, qui s'est inscrit à l'école d'architecture de l'université Columbia, vit à New York. Steve « l'orteil » Lawton, qui perd ses cheveux mais est néanmoins en pleine forme, tient une librairie à Aptos, Californie, avec un rayon de littérature utopique particulièrement bien garni. Alan Lewis, directeur de la recherche dans une société d'investissement à Newport Beach, Californie, continue à chercher des applications ingénieuses de la physique pour la Bourse. Ralph Abraham écrit des livres ornés d'illustrations en couleur de Chris Shaw. Premier volume d'un nouveau genre qu'il appelle les « mathématiques visuelles », l'ouvrage d'Abraham sur les attracteurs étranges se vend très bien. Se classant lui-même sixième du monde parmi les joueurs à la Bourse, Edward Thorp travaille sur un nouveau système amélioré. « J'ai autrefois été le meilleur joueur de black-jack du monde, et j'aimerais être, pour ma satisfaction personnelle, le meilleur gestionnaire d'argent du monde. » Il avoue qu'il lui arrive de temps en temps d'aller au casino pour compter les cartes. « Mais je suis surtout intéressé par la Bourse. C'est à une bien plus grande échelle. »

Norman Packard et la Grande L., comme il appelle affectueusement Lorna Lyons, sont encore ensemble. Ils ont vécu à Paris pendant que Norman avait sa bourse de l'OTAN. Il a maintenant un travail à l'Institute for Advanced Studies à Princeton et ils vont donc s'installer sur la côte Est. Sa dernière recherche dans la théorie du chaos concerne quelque chose qu'il appelle « entropie spatiale » et qu'il décrit comme une extension de la formule originale de Claude Shannon assimilant information et surprise. Norman est l'un de ceux, parmi les nombreux eudémonistes, pour qui la construction d'ordinateurs dans une cave s'est avérée un excellent entraînement pour les secteurs plus avancés de la physique théorique.

Letty Belin, après être allée vers le nord en passant de Los Angeles à San Francisco, continue à mettre ses connaissances juridiques au service du public. Elle s'occupe d'écologie et de cas sociaux, et n'entend changer ni de nom ni d'activité professionnelle à cause de son mariage. Doyne Farmer, employé au Centre d'études non linéaires du Laboratoire national de Los Alamos, se penche sur ce qu'il appelle « la dimension de l'information ». C'est un outil commode pour mesurer la quantité de chaos dans un système. Nommé *Oppenheimer Fellow* à Los Alamos, il a maintenant, pour la première fois de sa vie, assez d'argent pour s'acheter des vieux disques de Dan Hick et toute la collection de Chuck Berry.

Flânant à côté de lui en cette froide nuit dans les monts de Sangre de Cristo, je lui demande ses dernières pensées sur l'Eudémonie. « Le Gâteau eudémonique est comme l'air, répond-il. Nous en avons autant que nous en respirons. » Il est moins énigmatique quand il décrit l'évolution du Gâteau pendant le temps qu'à duré le Projet. « Comme tout autre gâteau, il était destiné à être coupé en parts. La taille du morceau revenant à chacun était proportionnelle au temps passé à travailler pour le Projet. Même si quelqu'un avait eu des idées géniales, seul le temps était pris en compte. Pour le capital investi, pris dans son ensemble, on avait attribué une quantité fixe du Gâteau. Mais à mesure qu'il fallait davantage de capitaux, chaque dollar rapportait une part de Gâteau de plus en plus réduite. Cela s'est produit parce que, comme le temps passait et qu'il devenait clair qu'on avait beaucoup sous-estimé la quantité de main-d'œuvre requise (c'est le moins qu'on puisse dire), la part de Gâteau revenant aux investisseurs s'amenuisait. Il y avait aussi à l'origine, à cause de l'insistance de Jack Biles, une autre section du Gâteau consacrée au " développement initial ", c'est-à-dire l'été que Jack et Norman avaient passé à Las Vegas à donner naissance à l'idée qui nous avait lancés dans cette folle aventure. Mais cette part a été également considérablement rognée au fur et à mesure que le temps passait. Tel que cela se présente actuellement, il y a un très grand nombre de gens qui possèdent de très petits morceaux du Gâteau, qui est devenu de plus en plus léger (excès de meringue) jusqu'à finir par flotter dans l'air. C'est alors que Mark est arrivé et qu'il a fallu lui mettre une " avancée ", et le Gâteau tourne en ce moment en orbite entre ici et l'infandibulum intergalactique. »

Doyne pense encore au Projet et se demande s'il pourrait trouver des investisseurs désirant permettre la construction d'une nouvelle génération d'ordinateurs. En ce qui concerne ses premières idées pour créer une entreprise et réunir des amis ensemble pour organiser la bonne vie en accord avec la raison, c'est, dit-il, comme escalader une montagne. On atteint un certain point et on est arrêté par un obstacle. On retourne en pensant qu'on a trouvé un bon itinéraire. Mais on n'y arrive pas non plus la deuxième fois, et on est vraiment déçu par ce *cette* fois, on avait bien cru avoir trouvé la voie pour aller au sommet. »

Pour nous tous qui flottons sous un ciel étoilé, le Gâteau eudémonique est une présence tangible. Composé d'air fin, il existe dès que des eudémonistes se rassemblent pour en parler. Il implique une plénitude appétissante faite d'histoires sur le Projet, de bons souvenirs, de blagues, et de plans pour construire une nouvelle génération d'ordinateurs pour la roulette. Il y a aussi une compréhension plus profonde entre nous, une conscience que l'Eudémonie n'est pas un but à atteindre dans cette vie, pas une fin en soi. C'est un processus. Nous avons déjà connu la bonne vie gérée en accord avec la raison et elle a existé dans l'acte même consistant à poursuivre le Projet. L'Eudémonie était là tout le temps que nous avons partagé l'expérience de travail et de vie commune. Il y a eu des rêves plus grandioses de faire sauter la banque à Las Vegas pour vivre sans avoir recours à des universités ou à des emplois. Des rêves d'acheter du terrain dans l'État de Washington ou dans l'Oregon pour y fonder une communauté bourdonnant de technologie appropriée. Des rêves de faire des voyages, de construire des dirigeables, des cubes sans poids, des automates cellulaires. Mais la rêverie elle-même avait fait partie de l'Eudémonie pendant les années passées ensemble au 707, Riverside à construire des ordinateurs et à traverser le désert pour aller jouer à la roulette.

Après le dernier voyage du Projet à Las Vegas, Mark Truitt scella la roulette dans sa caisse. Il prit le KIM, le programmateur d'EPROM, les ordinateurs-sandwiches et les bateaux, la boîte d'entraînement pour les mises, l'appareil de coordination œil-orteil et toutes les chaussures magiques, les mit tous dans un coffre qu'il entoura de chatterton noir. La roulette emballée et le coffre furent ensevelis sous une collection de surfs, de combinaisons en caoutchouc, de vieilles télés, d'outils de jardin, de carburateurs de motos et de bois de chauffage au fin fond du sous-sol de Riverside.

Personne ne sait si et quand l'ordinateur resservira un jour à l'occasion d'une nouvelle visite au Caesars Palace, mais on parle de résurrection. En octobre 1983, six mois après le rassemblement eudémonique à Santa Fe, Doyne paya pour faire passer l'annonce suivante dans *Gambling Times :*

RECHERCHE INVESTISSEURS
pour système informatique
dans le but de battre la roulette
avec des principes physiques
prévisionnels simples.
Ce n'est pas une martingale.
Un petit ordinateur calcule le point de chute
approximatif de la bille.
Un prototype a donné un avantage
de 20 à 40 % sur le casino.
Fonds nécessaires pour stades
finaux de réalisation du matériel,
renseignements au :

Doyne donnait son adresse et son numéro de téléphone à Los Alamos. Il reçut un déluge de réponses. Un avocat de Miami était prêt à mettre dix mille dollars. Un programmeur systèmes de Silicon Valley téléphona pour expliquer qu'il avait essayé de construire lui aussi un ordinateur pour la roulette et qu'il n'avait pas réussi. Il voulait investir de cinq à sept mille dollars, en fonction de ce qu'il allait gagner au poker au cours des semaines à venir. Un dénommé Earl appela de Las Vegas et raconta qu'avec un groupe d'amis, il s'était servi d'ordinateurs cachés pendant de nombreuses années pour travailler comme compteur de cartes au black-jack. C'était une affaire lucrative, disait-il. Mais comme les casinos commençaient à s'occuper d'eux, Earl et ses collègues étaient forcés de changer de jeu. Ils avaient déjà réuni un fonds de cent mille dollars pour construire un ordinateur destiné à la roulette.

Toujours par l'intermédiaire de l'annonce parue dans *Gambling Times,* il entra en contact avec Keith Taft. Taft travaille en dehors de Silicon Valley, où il gère ce que Doyne appelle « un super-marché d'ordinateurs pour les jeux ». « Quand je l'ai eu au téléphone, j'avais du mal à croire ce qu'il me racontait. Il est spécialisé dans les systèmes informatiques pour compteurs de cartes. Ses ordinateurs ont des commutateurs déclenchés par les orteils et ce sont de petites machines cousues dans des sacs attachés au corps. Ils sont construits autour de microprocesseurs Z-80 qui sont assez simples à reprogrammer pour jouer à la roulette. Se procurer un ordinateur dissimulable chez Taft n'est pas plus compliqué que de commander une pizza à emporter. On lui téléphone et on lui dit : " Bonjour, c'est Doyne Farmer, de Santa Cruz. Pouvez-vous me livrer trois micro-ordinateurs Z-80, quatre paires de bottes avec commutateurs incorporés et trois systèmes de communication à emporter. Gardez le logiciel et le black-jack ! ”

« Il prend six mille dollars pour le logiciel, ce qui en fait l'article le plus cher du catalogue. Je trouve ça bizarre, étant donné que n'importe qui disposant d'un programmeur de PROM peut emprunter l'ordinateur d'un ami et faire une copie pirate du programme. Mais pour le reste, ses prix sont étonnamment raisonnables. Voici quelques exemples de ce qu'on peut lui acheter par correspondance dans son catalogue pour joueur.

« Article : un micro-ordinateur basé sur un Z-80 dans une boîte en époxy avec deux supports PROM 2764 exposés (de 8 000 octets chacun) et 2 000 octets de RAM. Ce petit bébé est plus petit qu'un paquet de cigarettes et est alimenté par une pile au lithium de format C qui lui suffit pour onze heures de fonctionnement. Prix : cinq cents dollars. Article : une paire de bottes avec microcommutateurs solides et solénoïdes incorporés. Prix : cinq cents dollars. Article : système de communication composé d'un émetteur radio raccordable au Z-80 et d'un récepteur passif pour stimuler les solénoïdes montés dans les chaussures. Prix : mille dollars. Les systèmes sont fournis avec une garantie illimitée et avec la pochette à ordinateur et le harnais de câblage passant d'une chaussure à l'autre. Les commandes sont livrées sous quinzaine. Toutes les grandes cartes de paiement sont acceptées. Taft est aussi en train de mettre au point un nouveau modèle d'ordinateur CMOS qui promet d'être plus petit et d'avoir une plus grande indépendance sans changer de piles. Mais il ne peut pas en garantir la livraison avant le rush de Noël. »

Doyne a reçu un autre coup de téléphone de Len Zane de Las Vegas. « Quelqu'un vient d'entrer dans mon bureau, dit Len, et m'a dit qu'il était en train de mettre sur pied une équipe de scientifiques et de producteurs afin de construire un ordinateur pour battre la roulette. “ Attendez une minute, je lui ai dit, je connais exactement l'homme qu'il vous faut. ” Le type est en ce moment en face de moi et saute en l'air d'excitation. Il veut te balancer de l'argent. Il dit que ça vient d'une dame qui a trois millions de dollars, qui adore jouer et qui veut investir dans un ordinateur destiné à battre la roulette rien que pour le plaisir. »

« J'ai l'impression qu'un nouveau vent de folie de roulette souffle sur nous, m'a confié Doyne la dernière fois que je l'ai eu au bout du fil. Qu'est-ce que tu dirais de retourner à Las Vegas ? Tu es prêt à prendre le risque ?

— Tu peux compter sur moi pour plonger dans n'importe quel casino. Après tout, j'ai une part de Gâteau qui me reviendra un de ces jours.

— Je dois reconnaître, avoue Doyne, que l'idée de la roulette recommence à m'exciter. »

# *Table*

*Cet ouvrage a été composé*
*par l'Imprimerie Bussière à Saint-Amand*
*et imprimé sur presses CAMERON*
*par la SEPC à Saint-Amand-Montrond*
*pour le compte des Éditions Albin Michel*

*Achevé d'imprimer : novembre 1986.*
*N° d'édition : 9380. N° d'impression : 1470-957.*
*Dépôt légal : janvier 1987.*

*Imprimé en France*